Das Buch

»Sie kennen das    as
schon verbraucht   en
läßt, diese weihev   ig
gemeint sein mö| r-
weile eingebüßt h   a
anpackt, braucht   l.
Und das gilt auc   r
deutschen Literatu... Dorne, Heine, Ludwig Marcuse,
Hermann Kesten, Manès Sperber, Friedrich Torberg,
Peter Weiss, Erich Fried, Jurek Becker, Hans Mayer und
Jakov Lind werden ausführlich erörtert. Und in zwei
großen, ursprünglich als Reden verfaßten Essays geht
er das Grundproblem an: »Die Juden wurden verfolgt,
weil sie anders waren; und sie waren anders, weil sie
verfolgt wurden.« Aus diesem *circulus vitiosus* leitet
Reich-Ranicki die These von den »Ruhestörern« ab: »Da
die Haltung der Juden innerhalb der nichtjüdischen Umwelt eine Abwehrhaltung einschloß und einschließen
mußte, war auch die Position der Juden in der deutschen
Literatur, will mir scheinen, fast immer und in hohem
Grade eine Gegenposition.«

Der Autor

Marcel Reich-Ranicki, Professor, Dr. h. c. mult., geboren
1920 in Włocławek an der Weichsel, ist in Berlin aufgewachsen. Er war von 1960 bis 1973 ständiger Literaturkritiker der Wochenzeitung ›Die Zeit‹ und leitete von
1973 bis 1988 in der ›Frankfurter Allgemeinen Zeitung‹
die Redaktion für Literatur und literarisches Leben.
1968/1969 lehrte er an amerikanischen Universitäten,
1971/1975 Gastprofessor für Neue Deutsche Literatur an
den Universitäten von Stockholm und Uppsala, seit 1974
Honorarprofessor an der Universität Tübingen, 1991/
1992 Heinrich-Heine-Gastprofessur in Düsseldorf.

Marcel Reich-Ranicki:
Über Ruhestörer
Juden in der deutschen Literatur

Erweiterte Neuausgabe

Deutscher
Taschenbuch
Verlag

Von Marcel Reich-Ranicki
sind im Deutschen Taschenbuch Verlag erschienen:
In Sachen Böll – Ansichten und Einsichten (730)
Entgegnung (10018)
Nachprüfung (11211)
Literatur der kleinen Schritte (11464)
Lauter Verrisse (11578)
Meine Schulzeit im Dritten Reich (11597)
Lauter Lobreden (11618)

Erweiterte Neuausgabe
Mai 1993
Deutscher Taschenbuch Verlag GmbH & Co. KG,
München
© 1989 Deutsche Verlags-Anstalt GmbH, Stuttgart
ISBN 3-421-06491-1
Umschlagtypographie: Celestino Piatti
Umschlagfoto: Herlinde Koelbl
Gesamtherstellung: C. H. Beck'sche Buchdruckerei,
Nördlingen
Printed in Germany · ISBN 3-423-11677-3

Da dieses Buch von Juden in der deutschen Literatur handelt, widme ich es dem Andenken jener, die von Deutschen ermordet wurden, weil sie Juden waren. Zu ihnen gehören mein Vater David Reich, meine Mutter Helene Reich, geb. Auerbach, und mein Bruder Alexander Herbert Reich.

Inhalt

Vorbemerkung

Nicht zur Feier der Juden habe ich die hier zusammenge-
faßten Arbeiten geschrieben. Weder rühmen noch verteidigen soll dieses Buch. Es will aber auch nicht beschuldigen
oder anklagen. Vielmehr möchte es klären und aufhellen.

Auf die Rolle und auf die Funktion der Schriftsteller
jüdischer Herkunft in der Geschichte der deutschen Literatur haben in der Vergangenheit am häufigsten die Feinde der Juden hingewiesen. Von den Antisemiten zu mili-
tanten Zwecken akzentuiert, konnte die Besonderheit
dieser Schriftsteller nur in ein bösartig irreführendes und
völlig falsches Licht geraten. Doch ändert dies nichts an
der Tatsache, daß es eine solche Besonderheit gibt und
geben mußte.

Der Jude – schrieb Sartre – »befindet sich in der Situation des Juden, weil er inmitten einer Gesellschaft lebt,
die ihn als Juden betrachtet«[1]. Diese seit den Jahren der
Emanzipation sowohl in Deutschland als auch in Österreich im Grunde stets existierende Position der Juden
innerhalb der Gesellschaft hat, ich bin davon überzeugt,
ihr literarisches Werk in hohem Maße mitgeprägt.

Damit wird, versteht sich, weder etwas Positives noch
etwas Negatives über die schriftstellerische Leistung gesagt, sondern lediglich ein objektiver Umstand bezeichnet, der auf ihre Eigenart Einfluß ausüben mußte. Wer
ihn bagatellisiert oder gar ignoriert, verkennt die Besonderheit dieser Autoren und agiert immer noch, wenn
auch in umgekehrter Richtung und möglicherweise in
edelster Absicht, im Schatten jener, die für die Judenfrage
eine Endlösung parat hatten.

So wird in diesem Buch auf einen Aspekt der deutschen
Literatur der letzten zweihundert Jahre verwiesen, dessen
unvoreingenommene Behandlung hier und heute besonders schwierig scheint und gerade deshalb wohl beson-

ders nötig ist: Vor den Emotionen und Ressentiments, die ein Thema belasten, können nur Sachlichkeit und Nüchternheit retten.

Die beiden Reden, die den Hauptteil des Buches bilden – ›Außenseiter und Provokateure‹ sowie ›Im magischen Judenkreis‹ –, versuchen diese Aspekte zunächst einmal zu verstehen und verständlich zu machen. Mir kam es weniger auf die Deutung der Frage an als vor allem auf ihre maximale Verdeutlichung.

Wie den Anmerkungen zu entnehmen ist, habe ich die Reden aus aktuellem Anlaß gehalten. Zwar werden sie hier in überarbeiteter und erweiterter Fassung gedruckt, gleichwohl profitieren sie vom Vorrecht des Redners, der um der Klarheit und um der Kürze willen vereinfachen und zuspitzen und, wo nötig, auch vergröbern und überspitzen darf und sich bisweilen mit Formeln und Anspielungen begnügen muß.

Die anderen hier vereinten Arbeiten sollen vor allem die im Hauptteil skizzierten Gedanken und Motive am Einzelfall ausführen, erläutern und belegen. Zu dem Aufsatz über Heine, der die Rolle des Schriftstellers jüdischer Herkunft am vorzüglichsten Beispiel demonstrieren möchte, das die deutsche Literatur des vergangenen Jahrhunderts zu bieten hat, ist in der vorliegenden Neuausgabe eine Studie über seinen Verbündeten und Antipoden, seinen heimlichen und feindlichen Bruder hinzugekommen – ein Essay über Ludwig Börne.

Im dritten Teil des Buches werden sieben Autoren porträtiert, deutsche und österreichische Juden, die eine wichtige Rolle im literarischen Leben der ersten Nachkriegsjahrzehnte spielten (so Ludwig Marcuse, Hermann Kesten, Manès Sperber und Friedrich Torberg) oder einen charakteristischen Beitrag zur neuen Literatur geleistet haben – wie etwa Peter Weiss, Erich Fried und Jurek Becker. So sehr sich diese sieben Schriftsteller auch unterscheiden – sicher ist, daß ihre jüdische Herkunft ihr Leben und somit auch ihr Werk geprägt hat.

Im letzten Teil finden sich vier Rezensionen. Die Verfasser der besprochenen Bücher – Hans Mayer, Friedrich Torberg, Jakov Lind und Jurek Becker – sind Juden. Doch nicht nur deshalb wurden diese Arbeiten hier aufgenommen. Vielmehr schien es mir nützlich, an konkreten Fällen zu zeigen, wie in unserer Zeit Autoren, die den Holocaust überlebt haben, mit unterschiedlichen Mitteln und mit sehr unterschiedlichem Erfolg auf die Frage der Juden eingehen und, vor allem, jene nicht zu bewältigende Vergangenheit darzustellen versuchen, die eine Vergangenheit beider ist: Der Deutschen ebenso wie der Juden.

Ein befreundeter Redakteur, der das Manuskript einer der hier gedruckten Reden gelesen hatte, meinte, sie sei doch wohl »ergänzungsbedürftig«. Das ist bestimmt richtig, und es gilt nicht nur für diese Rede, sondern für das ganze Buch und natürlich auch für die erweiterte Neuausgabe. Doch habe ich noch nie etwas über Juden gelesen, das nicht ergänzungsbedürftig wäre. Das mag daran liegen, daß fast immer, wenn über Juden geschrieben wird, ungleich mehr gemeint ist als die Frage der Juden.

Und es geht in diesem Buch um einen immerhin nicht unwichtigen und auf jeden Fall sehr charakteristischen Aspekt der deutschen Literaturgeschichte. Aber es geht zugleich um mehr als um die Literatur.

(1973/1989)

Das Buch ›Über Ruhestörer. Juden in der deutschen Literatur‹ erschien zuerst 1973. In den Jahren 1977 und 1989 folgten erweiterte Ausgaben. Jetzt habe ich dieses Buch wiederum erweitert.

Dem dritten Teil, in dem deutsche und österreichische Autoren porträtiert werden, die einen charakteristischen Beitrag zur neuen Literatur leisteten oder jedenfalls eine wichtige Rolle im literarischen Leben der ersten Nachkriegsjahrzehnte spielten, habe ich einen Aufsatz über die 1990 gestorbene Schriftstellerin und Journalistin Hilde Spiel hinzugefügt. Ähnlich wie für die anderen hier behandelten Autoren gilt auch für sie: Ihr Leben und ihr Werk wurden durch ihre jüdische Herkunft geprägt.

Im vierten Teil, der Rezensionen über Bücher von Juden zusammenfaßt, die den Holocaust überlebt haben, findet sich jetzt auch eine Vertreterin der Nachkriegsgeneration: Barbara Honigmann, Jahrgang 1949. Schließlich ist ein fünfter Teil hinzugekommen: Ein Gespräch, das Herlinde Koelbl 1989 mit mir geführt hat. Es versteht sich, daß auch dieses Gespräch die im Hauptteil des Buches ›Über Ruhestörer‹ skizzierten Gedanken und Motive am konkreten Einzelfall erläutern und belegen soll. Und es versteht sich ebenfalls, daß dieses Buch nach wie vor ergänzungsbedürftig ist.

Frankfurt/M., im Januar 1993   M.R.-R.

I
Außenseiter und Provokateure

Am 1. September 1772 veröffentlichte die Zeitschrift ›Frankfurter gelehrte Anzeigen‹ die Besprechung eines Buches mit dem Titel ›Gedichte von einem polnischen Juden‹. Dieser Titel habe auf den Rezensenten, versicherte er – es war der dreiundzwanzigjährige Praktikant am Reichskammergericht in Wetzlar, Johann Wolfgang Goethe –, »einen sehr vorteilhaften Eindruck« gemacht.

Da trete, meinte er, »ein feuriger Geist, ein fühlbares Herz, bis zum selbständigen Alter unter einem fremden rauhen Himmel aufgewachsen, auf einmal in *unsre* Welt. Was für Empfindungen werden sich in ihm regen? Was für Bemerkungen wird er machen, er, dem alles neu ist! ... Wie viel Dinge werden ihm auffallen, die durch Gewohnheit auf euch ihre Würkung verloren haben! ... Er wird euch aus eurer wohlhergebrachten Gleichgültigkeit reißen, euch mit euern eignen Reichtümern bekannt machen, euch ihren Gebrauch lehren. Dagegen werden ihm hundert Sachen, die ihr *so gut* sein laßt, unerträglich sein ... Wenn er nichts Neues sagt, wird alles eine neue Seite haben.«

Indes haben die Verse jenes in deutscher Sprache dichtenden polnischen Juden – er hieß Isachar Bär Falkensohn und lebte von 1746 bis 1817 – den jungen Goethe tief enttäuscht: Er wirft ihnen »die Göttern und Menschen verhaßte Mittelmäßigkeit« vor, ihm mißfällt, daß einer auf seine »Judenschaft« verweist, wenn er doch »nicht mehr leistet als ein christlicher Etudiant en belles Lettres auch«[1].

Gewiß war Goethe mit seinem abfälligen Urteil im Recht. Doch bemerkenswerter als dieses strenge Urteil ist, meine ich, die außergewöhnliche Erwartung, die er an die Person des jüdischen Poeten glaubt knüpfen zu dürfen. Goethe betrachtet ihn vor allem – und wiederum zu Recht – als Repräsentanten einer Minderheitsgruppe, und er geht von der Einsicht aus, daß die besondere Situation, in der sich ein Autor befindet, ihm auch eine besondere Perspektive ermöglicht, mehr noch: ihn zu einer solchen Perspektive sogar verpflichtet.

Diese Buchbesprechung aus dem Jahr 1772 scheint mir, mag es sich auch um eine in Goethes Gesamtwerk geradezu verschwindende Marginalie handeln, bis heute symptomatisch und exemplarisch zu sein. Natürlich hat sich in den zwei Jahrhunderten, die seit jener Rezension vergangen sind, die Situation der jüdischen Schriftsteller deutscher Sprache mehrfach und gründlich geändert. Gleichwohl blieb es immer eine besondere Situation, wenn nicht gar eine Ausnahmestellung. Gewandelt hat sich ebenfalls das Verhältnis der Umwelt zu diesen Autoren. Ein gänzlich unbefangenes, sachliches und von keinerlei Vorurteilen beeinträchtigtes Verhältnis war es nie und konnte es nicht sein.

In jenem polnischen Juden, dessen Gedichte er ohne Pardon und nicht ohne Ironie kritisierte, sah Goethe verständlicherweise einen Neuankömmling, einen Fremden, einen Andersartigen. Sind im ersten Drittel unseres Jahrhunderts die Schriftsteller jüdischer Abstammung in Deutschland und in Österreich von der nichtjüdischen Umwelt ebenfalls als Fremde behandelt worden? Nein, nicht unbedingt und bestimmt nicht immer. Aber eine gewisse Distanz war stets geblieben und mußte auch bleiben, was freilich die Juden selber oft nicht wahrhaben wollten.

Warum ließ sich eigentlich diese Distanz zwar verkleinern, doch nie aus der Welt schaffen, obwohl sich viele Juden darum heiß und innig bemüht hatten? Das hängt zunächst einmal mit dem Schicksal der Juden zusammen und mit bestimmten Eigentümlichkeiten ihrer Mentalität.

Daß die Zugehörigkeit zu einer bedrängten und verfolgten Minderheitsgruppe verschiedene menschliche

Eigenschaften der Betroffenen steigert und potenziert, ja, ihre psychische Struktur in hohem Maße zu prägen vermag, ist sicher und gilt nicht nur für die Juden. Bei den Juden jedoch mit ihrer uralten intellektuellen und ethischen Tradition hat das jahrhundertelange Leben in abgeschlossenen und isolierten Bereichen, eine Art Inseldasein also in verschiedenen Teilen des europäischen Kontinents, außergewöhnliche Folgen gezeigt.

Von Heine stammt das Bonmot: »Die Juden, wenn sie gut, sind sie besser als die Christen, wenn sie schlecht, sind sie schlimmer –.«[2] Das mag eine höchst fragwürdige Verallgemeinerung sein; worauf sie aber letztlich abzielt, ist so abwegig nicht. Denn Heine dürfte nichts anderes gemeint haben als die berühmte und berüchtigte Intensität der Juden, ihre bisweilen verblüffende und sogar als erschreckend empfundene Radikalität, ihre Neigung zur Kompromißlosigkeit und ihren gelegentlich bewunderten und häufig mißbilligten Hang zum Extremismus. Nur daß alle diese Eigenheiten und Tendenzen wohl eher im Intellektuellen und im Ästhetischen zum Vorschein kamen und kommen als in dem Bereich des Moralischen, auf den Heine offenbar anspielte.

Wie auch immer: solche und ähnliche Attribute machten viele Juden für die Umwelt einerseits attraktiv und andererseits nicht ganz geheuer. Sie ermöglichten manche ihrer Leistungen und Taten und verursachten zugleich zahllose ihrer Leiden und Opfer. Daß die Menschheit dieser außergewöhnlichen Intensität, in der sich immer wieder die Sehnsucht nach den Grenzen verbirgt, allerlei verdankt, ist bekannt. Aber für die Juden selber, die oft genug versucht haben, gegen ihre Eigenart anzukämpfen, schlug sie in der Regel zu ihrem Unglück aus – auch dann, wenn sie nicht vertrieben, nicht gekreuzigt oder vergast wurden.

Dies alles gilt auch und insbesondere für die Juden in der deutschen Literatur, für die Schriftsteller und Kritiker, für die großen Verleger. Manche von ihnen vermochten tatsächlich zu verwirklichen, was Goethe schon damals, 1772, gefordert hatte. Ihnen, den Außenseitern und Neuankömmlingen, gelang es oft, das Bekannte und Gewohnte anders und neu zu sehen. Innerhalb und schließlich doch außerhalb der Welt stehend, mit der sie sich auseinandersetzten, konnten sie Vertraulichkeit und Intimität mit skeptischer Distanz verbinden: Gerade von der Peripherie her ließ sich das Zentrale oft mit besonderer Deutlichkeit erkennen und darstellen.

Freilich lebt aus der Spannung von Nähe und Ferne ein beträchtlicher Teil der gesamten Weltliteratur. Nur daß die schreibenden Juden zu ihrem Leidwesen immer wieder Gelegenheit hatten, die künstlerische Ergiebigkeit dieser Spannung zu erproben: Wer glaubt, eine Heimat gefunden zu haben, doch verstoßen oder zumindest eines anderen belehrt wird, sieht sie notwendigerweise mit ambivalenten Gefühlen und aus verschiedenen Perspektiven.

Vor allem aber: Goethe hatte ja gehofft, jener polnische Jude würde mit seinen Gedichten die deutschen Leser aus ihrer »wohlhergebrachten Gleichgültigkeit reißen«, ihm sollten »hundert Sachen, die ihr *so gut* sein laßt, unerträglich sein«. Einen Ruhestörer und womöglich einen Provokateur wollte er willkommen heißen. Damit hatte aber der junge Goethe die Aufgabe und die Rolle der Juden in der deutschen Literatur und im literarischen Leben des deutschen Sprachraums vorausgeahnt: Sie übten in hohem Maße einen relativierenden und irritierenden, einen *par excellence* provozierenden Einfluß aus – und eben das brachte ihnen viele Bewunderer ein und freilich noch mehr Gegner und Feinde.

Der Jude – schrieb Thomas Mann 1937 – bilde mit »seiner Leidenserfahrung, seiner geprüften Geistigkeit und ironischen Vernunft ein heimliches Korrektiv unserer Leidenschaften«[3]. In der Tat wurden die Juden in dieser

Eigenschaft – als irritierendes und provozierendes Element also, als ständiges Ferment und »heimliches Korrektiv« – wohl am meisten benötigt und bestimmt am wenigsten geliebt.

Eine solche Funktion nahmen einzelne Juden – nolens volens – noch zu Goethes Lebzeiten auf sich: Ich meine natürlich Ludwig Börne und Heinrich Heine. Beide kamen sie aus dem Getto, beide hofften, mit dem Taufzettel »das Entréebillett zur europäischen Kultur«[4] erwerben zu können, für beide gilt Heines Bekenntnis: »Ich mache kein Hehl aus meinem Judentume, zu dem ich nicht zurückgekehrt bin, da ich es niemals verlassen habe«[5], beide stiegen zu außerordentlichem Ruhm im deutschen Geistesleben auf, beide wurden gehaßt, bekämpft und vertrieben, beide schließlich starben sie im Exil.

Börne und Heine konnten der deutschen Literatur ihrer Epoche geben, wovon sie nie zuviel hatte und was sie dringend benötigte: Weltläufigkeit und Urbanität, Witz und Esprit, Charme und Leichtigkeit. Wie aus Heines Poesie die Engagiertheit des Zeitkritikers spricht, so zeugt die zeitkritische Publizistik beider von poetischer Kraft. Große deutsche Prosa ohne eine Spur von Provinzialismus und große deutsche Lyrik ohne eine Spur von Weltfremdheit – das ist es, was wir ihnen vor allem zu verdanken haben. Auch sollte man nicht vergessen, daß beide die Möglichkeiten der modernen Presse entdeckten und erprobten und daß sie von diesen Möglichkeiten sogleich meisterhaft Gebrauch zu machen wußten. Sie waren und blieben bis zum Ende ihres Lebens leidenschaftliche Journalisten.

Zugleich sind im Werk Börnes und Heines einige der wichtigsten Motive und Aspekte vorgezeichnet, die wir später bei vielen deutschen Schriftstellern jüdischer Herkunft wiederfinden. Schon hier haben wir die so charakteristische Verbindung von luzider Skepsis mit dem Vertrauen zur Vernunft und zur Logik. Bereits hier fällt das eigentümlich-ambivalente Verhältnis zu Deutschland auf und jene Sicht, die auf maximale Intimität schließen läßt, doch gleichzeitig von der Entfernung profitiert, die den Horizont erweitert und den Überblick ermöglicht.

Unverkennbar ist im Werk beider, was sie oft mit Spott und Ironie, mit Zorn und sogar mit Hochmut kaschieren wollten: die Enttäuschung der Abgewiesenen und der Schmerz der Verstoßenen, die Sehnsucht der Vertriebenen und die Trauer der Heimatlosen. »In der Seele dieses Mannes jauchzte und blutete eine rührende Vaterlandsliebe, die, ihrer Natur nach verschämt, wie jede Liebe, sich gern unter knurrenden Scheltworten und nergelndem Murrsinn versteckte, aber in unbewachter Stunde desto gewaltsamer hervorbrach.«[6] Als Heine dies über Börne schrieb, wußte er sehr wohl, daß er auch von sich selber sprach.

Beide waren sie der Zugehörigkeit bedürftig, beide sehnten sie sich nach Geborgenheit, beide wollten sie eine Heimat haben – und beide mußten sie mit aller Deutlichkeit erkennen, daß sie dies alles in dem meist rückständigen jüdischen Milieu, dem sie entstammten, nicht finden konnten. Denn von der jüdischen Welt, die, trotz der Bemühungen einzelner bedeutender Männer, immer noch in mittelalterlichen Vorstellungen befangen war, hatten sie sich mit gutem Grund entfernt, sie waren ihr ganz und gar entwachsen.

Und konnten sie, Börne und Heine, als deutsche Patrioten gelten? Mit Sicherheit wollten sie es sein und dies um beinahe jeden Preis. Sie hatten viel erreicht, sie wurden von jenen, die sie für ihre Landsleute hielten, ohne Zweifel respektiert. Aber hatte man sie auch akzeptiert? Deutschland war eher bereit, die beiden Juden zu bewundern als sie zu integrieren. Sie konnten sich nicht beschweren: Sie wurden reichlich gefeiert – und zugleich unmißverständlich abgewiesen. Und so litten Heine und Börne an unerwiderter Vaterlandsliebe.

Nur daß Schmerz und Enttäuschung, Trauer und Sehnsucht ihren Blick für die Realität der deutschen Zustände nie zu trüben vermochten. 1831 stellte Heine in den ›Neuen Gedichten‹ knapp und sachlich fest:

> Ich hatte einst ein schönes Vaterland.
> Der Eichenbaum
> Wuchs dort so hoch, die Veilchen nickten sanft.
> Es war ein Traum.[7]

In ihrer Herkunft und der dadurch bedingten spezifischen Situation sahen Börne und Heine auch und vor allem ein zeittypisches Paradigma der staatsbürgerlichen Unfreiheit und der allgemeinen Rückständigkeit. »Ich bin nur krank an meinem Vaterlande; es werde frei, und ich gesunde«[8] – verkündete Börne, was freilich eine etwas leichtsinnige Diagnose war: sie findet sich in der Streitschrift ›Menzel der Franzosenfresser‹, die in seinem Todesjahr 1837 erschienen ist.

Beide sind sie auch insofern für viele ihrer Nachfolger in der deutschen Literatur exemplarisch, als sie, die Einzelgänger und Heimatlosen, geglaubt hatten, in den radikalen politischen Bewegungen ihrer Epoche eine Art Heimat gefunden zu haben.

> Ich hab ein neues Schiff bestiegen
> Mit neuen Genossen ...[9]

– verkündete Heine 1843. Doch der nahezu euphorischen Mitteilung folgen in dem Gedicht mit dem bezeichnenden Titel »Lebensfahrt« sogleich düstere Akzente. Jedenfalls dauerte dieses Glück, wenn es wirklich eins war, nur sehr kurz: Auch jenes Schiff mit den neuen Genossen erwies sich, wie das »schöne Vaterland«, als ein Traum.

Aber eben weil Börne und Heine von bequemen Illusionen nichts wissen wollten, haben sie unter ihrer Einsamkeit und Isolierung, ihrer Heimatlosigkeit, genauer gesagt, unter ihrer Nichtzugehörigkeit immer mehr leiden müssen. Als Heine im ›Romanzero‹, also gegen Ende seines Lebens, die Strophe schrieb

> Keine Messe wird man singen,
> Keinen Kadosch wird man sagen,
> Nichts gesagt und nichts gesungen
> Wird an meinen Sterbetagen[10]

– da hat er, dem im Nachwort eben zum ›Romanzero‹ an der nachdrücklichen Feststellung gelegen ist, daß seine religiösen Überzeugungen und Ansichten »von jeder Kirchlichkeit« frei geblieben seien (»kein Glockenklang hat mich verlockt, keine Altarkerze hat mich geblendet«[11]), natürlich mit diesen berühmten Versen ungleich mehr gemeint als die Frage der konfessionellen Zugehörigkeit.

So waren Börne und Heine exzeptionelle und dennoch exemplarische Figuren; sie standen an der Peripherie und doch im Zentrum. Sie mußten Außenseiter der deutschen Literatur ihres Zeitalters bleiben, und sie konnten trotzdem ihre typischen Repräsentanten werden. Indes: gilt dies nur für Börne und Heine? Gewiß, sie waren noch im achtzehnten Jahrhundert geboren und lebten in einer Epoche, in der die Emanzipation der deutschen Juden erst begonnen hatte. Aber sind nicht auch andere bedeutende Juden der deutschen Literatur Außenseiter und Randgestalten und zugleich zentrale und repräsentative Figuren gewesen?

Zunächst einmal: Auf die Schriftsteller jüdischer Herkunft, die durch die schnelle Anerkennung ihrer Leistungen ihre gänzliche staatsbürgerliche und gesellschaftliche Gleichberechtigung zu erlangen hofften, mußte die Reaktion ihrer nichtjüdischen Umwelt einen besonders starken Einfluß ausüben, der allerdings nicht in jedem Fall wahrzunehmen ist.

Im wesentlichen sind hier zwei Tendenzen bemerkbar. Einerseits wurde der Jude, der sich in Deutschland literarisch betätigen wollte, lange Zeit hindurch direkt oder zumindest indirekt genötigt, sich taufen zu lassen; bekanntlich haben sich hierzu nicht nur Börne und Heine entschlossen, sondern auch manche ihrer Nachfolger im neunzehnten und zwanzigsten Jahrhundert. Andererseits aber sah die nichtjüdische Umwelt in diesen Schriftstellern, ob sie nun mehr oder weniger assimiliert waren und ob sie sich taufen ließen oder nicht, doch die Vertreter der jüdischen Minderheit, deren tatsächliche und vermeintliche Eigenschaften und Charakterzüge, gute ebenso wie schlechte, fast automatisch in ihren Werken gesucht wurden.

Daß dies bei vielen der Betroffenen eine besonders gereizte, möglicherweise übertriebene und bisweilen auch trotzige Reaktion ausgelöst hat, ist nur allzu verständlich. Manche von ihnen haben versucht, ein derartiges Verhältnis ihrer Umwelt, das nicht unbedingt böswillig zu sein brauchte, zu ignorieren – und keinem konnte dies ganz gelingen, zumal alle als Angehörige einer jahrhundertelang diskriminierten Minorität mit zahlreichen und sehr verschiedenen Traumata und Komplexen belastet waren.

»In den Jugendjahren eines jeden deutschen Juden gibt es einen schmerzlichen Augenblick, an den er sich zeitlebens erinnert: wenn ihm zum ersten Male voll bewußt wird, daß er als Bürger zweiter Klasse in die Welt getreten ist, und daß keine Tüchtigkeit und kein Verdienst ihn aus dieser Lage befreien kann.«[12] Auch wenn der deutsche Jude, der diese Worte schrieb, mitnichten ein Bürger zweiter Klasse geblieben ist – es handelt sich um Walther Rathenau, den Reichsaußenminister, der freilich 1922, wenige Monate nach seiner Ernennung, ermordet wurde –, scheint mir seine Äußerung höchst aufschlußreich: Sie akzentuiert ohne Umschweife die psychischen Voraussetzungen, die in einem großen Teil der von Juden stammenden deutschen Literatur ihre direkte und, häufiger noch, ihre indirekte Widerspiegelung gefunden haben.

Hierauf kommt auch Arthur Schnitzler in seiner erst 1968 publizierten Autobiographie ›Jugend in Wien‹ zu sprechen. Er erklärt, warum in diesem Buch so oft von der jüdischen Frage die Rede sei: »Es war nicht möglich, insbesondere für einen Juden, der in der Öffentlichkeit stand, davon abzusehen, daß er Jude war, da die anderen es nicht taten, die Christen nicht und die Juden noch weniger. Man hatte die Wahl, für unempfindlich, zudringlich, frech oder für empfindlich, schüchtern, verfolgungswahnsinnig zu gelten. Und auch wenn man seine innere und äußere Haltung so weit bewahrte, daß man weder das eine noch das andere zeigte, ganz unberührt zu bleiben war so unmöglich, als etwa ein Mensch gleichgültig bleiben könnte, der sich zwar die Haut anaesthesieren ließ, aber mit wachen und offenen Augen zusehen muß, wie unreine Messer sie ritzen, ja schneiden, bis das Blut kommt.«[13]

Diese Notiz, die zu einer Autobiographie gehört, die – und das ist sehr bezeichnend – lediglich für die postume Veröffentlichung bestimmt war, bezieht sich auf die Verhältnisse vor dem Ersten Weltkrieg. Aber es wäre in der Tat leichtsinnig, annehmen zu wollen, sie treffe auf die Jahre nach dem Ersten Weltkrieg nicht mehr zu. Und sie trifft natürlich um so mehr zu auf die Zeit nach 1945.

Für nahezu alle deutschen Schriftsteller jüdischer Herkunft wurde das Judentum im ersten Drittel unseres Jahrhunderts zu einer Last, die sie abwerfen wollten oder resigniert mitschleppten oder wie ein Banner zu tragen versuchten. Fast alle haben unter ihrem Judentum gelitten, fast alle haben mit ihm jahrzehntelang gehadert, was man übrigens – wie im Fall Schnitzler – häufiger und deutlicher ihren nicht für die Veröffentlichung bestimmten Briefen und Tagebüchern, Erinnerungen und autobiographischen Aufzeichnungen entnehmen kann als ihren Romanen, Dramen oder Gedichten.

»Während er nach außen hin den deutsch-jüdischen Einklang zu verkörpern schien wie selten einer, krankte er innen an den Stoffen, aus denen er gebildet war ... Er riß an seinen Wurzeln, duldete aber nicht, daß ein anderer an sie rührte. Und selbst wenn keiner ihn in seiner doppelten Abkunft verletzte, blieb ihm sein Judentum wie sein Deutschtum eine bald verketzerte, bald gehegte, immer aber eine sakrosankte Unbehaglichkeit.«[14] Was Heinz Politzer hier über Heine sagt, gilt nicht weniger für Maximilian Harden und Ernst Toller, Kurt Tucholsky und Alfred Döblin, für Karl Kraus und Hermann Broch und für viele andere.

Nicht wenige dieser Schriftsteller haben sich früher oder später vom Judentum getrennt oder distanziert – und sind schließlich zu der Einsicht gekommen, daß sich dies im Grunde nicht realisieren läßt, weil es nicht von der Entscheidung des Individuums abhängt.

In einem Brief Kurt Tucholskys vom Jahre 1929 heißt es: »Mich hat die Frage des Judentums niemals sehr bewegt. Sie ersehen aus meinen Schriften, daß ich höchst selten diesen Komplex überhaupt berühre ... Die Leute, die in mir den Juden treffen wollen, schießen zunächst daneben. Mein Herzschlag geht nicht schneller, wenn mir jemand ›Saujud‹ nachschreit; mir ist das so fern, wie wenn er sagte: ›Du Kerl fängst mit einem T an – was kann da an dir schon gutes sein.‹ Ich sage nicht, daß ich damit *recht* habe; ich stelle dieses Gefühl fest, und nicht einmal öffentlich. Mich bewegt die Frage nicht.«[15] Doch in dem Brief, den er aus seinem schwedischen Exil im Dezember 1935, wenige Tage bevor er Selbstmord beging, an Arnold Zweig richtete, bekannte derselbe Kurt Tucholsky: »Ich bin im Jahre 1911 ›aus dem Judentum ausgetreten‹, und ich weiß, daß man das gar nicht kann.«[16]

Aber ob diese Schriftsteller das Judentum verlassen wollten oder nicht, ihre Herkunft, ihre Lage und ihre Rolle innerhalb der nichtjüdischen Gesellschaft haben ihre Eigenart, ihre Komplexe und ihren Ehrgeiz mitgeprägt – und somit natürlich auch ihr Werk. Das Judentum oder, genauer gesagt, die durch die jüdische Herkunft bedingte Außenseiterposition und Abwehrhaltung trieben Franz Kafka in Einsamkeit und Trauer, Joseph Roth und Ernst

Toller in Schwermut und politische Schwärmerei, Carl Sternheim, Alfred Kerr und Kurt Tucholsky in Aggressivität und Provokation, Else Lasker-Schüler und – allem Anschein zum Trotz – auch Anna Seghers in Mystizismus und Ekstase.

»Der Adel hat eine Familiengeschichte, der jüdische Bourgeois eine Neurosengeschichte ...«[17], schrieb Hermann Broch. Daß wir es hier mit einem Selbstbekenntnis zu tun haben, liegt auf der Hand: Die widerspruchsvolle Persönlichkeit und das Werk des an so vielen Komplexen leidenden Hermann Broch, dieses düsteren Mystikers, der gleichwohl ein nüchterner und klarer Analytiker war, dieses Erzählers auf der Suche nach der Synthese von Artistik und Wissenschaft, wird nur begreifen können, wer seine Herkunft aus der jüdischen Bourgeoisie berücksichtigt.

Ähnliches gilt für Karl Kraus, der sich vom Judentum entschieden abwandte und über Juden oft genug einseitig und bösartig schrieb und der schließlich erklärte, daß er »die Naturkraft eines unkompromittierbaren Judentums dankbar anerkennt und über alles liebt: als etwas, das von Rasse und Kasse, Klasse, Gasse und Masse, kurz jeglichem Haß zwischen Troglodyten und Schiebern unbehelligt in sich beruht«[18].

In dieser 1934 in der ›Fackel‹ gedruckten Äußerung bloß eine gegen den Nationalsozialismus gerichtete Manifestation zu sehen, wäre gewiß falsch. Vielmehr glaube ich, daß man Karl Kraus mit allen seinen eminenten Vorzügen, mit seinen abstoßenden Schwächen und außergewöhnlichen Untugenden, mit seiner pathologischen Bosheit und seiner oft erschreckenden Intoleranz, aber auch mit seinem Mut, seinem Witz und seiner Konsequenz, mit seiner schlechthin einzigartigen sprachlichen Reizbarkeit überhaupt nur dann gerecht werden kann, wenn man auch auf sein kompliziertes Verhältnis zum Judentum eingeht.

In dem so imponierenden wie unerbittlichen und grausamen Radikalismus dieses Schriftstellers, in seiner schrecklichen Unbedingtheit und in der gerade bei ihm auffallenden Verbindung von leidenschaftlicher und oft haßerfüllter Zeitkritik mit überwältigendem Gerechtigkeitsfanatismus wird beides zugleich spürbar: jüdische Tradition und jüdisches Ressentiment. Denn seine Wortgläubigkeit hatte ihre Wurzeln – ob er sich dessen bewußt war oder nicht – in der Welt des Alten Testaments und vor allem in der des Talmuds.

Der stets verbissene und zuweilen tragikomische Krieg, den Karl Kraus ein Leben lang gegen die österreichische Presse geführt hat, erweist sich bei näherer Betrachtung als sein geheimer Kampf gegen das Jüdische oder, richtiger gesagt, gegen das, was er für das Jüdische hielt. Dieser Kampf war nichts anderes als eine schmerzhafte und hochdramatische Selbstauseinandersetzung.

Auch heute wird gelegentlich der einst von dem Philosophen und Publizisten Theodor Lessing geschaffene oder zumindest popularisierte Begriff »jüdischer Selbsthaß« verwendet – und nicht zu Unrecht. Nun mag das Streben nach Selbstverwirklichung ungleich sympathischer anmuten als die Neigung zur Selbstzerfleischung. Zugegeben, der Selbsthaß kann schwerlich als eine anziehende Eigenschaft gelten und der jüdische erst recht nicht. Aber man sollte nicht vergessen, daß er doch – wie der Fall Karl Kraus zeigt – eine außerordentlich produktive Kategorie sein kann.

Wo immer von Else Lasker-Schüler die Rede ist, werden jene Worte zitiert, mit denen Peter Hille sie bereits 1902 charakterisiert hat: »Der schwarze Schwan Israels, eine Sappho, der die Welt entzweigegangen ist.«[19] Doch vor der Frage, warum ihre Welt schon früh entzweigegangen ist und wohl entzweigehen mußte, warum diese Dichterin keinen anderen Ausweg sah als die Flucht ins Bizarre und Skurrile, ins Exzentrische, schreckt man meist zurück, oder man verweist auf Metaphysisches. Dabei finden sich in ihren Briefen sehr deutliche Sätze, die das, was ihre Verse nur anklingen lassen oder bloß vage umschreiben, rücksichtslos artikulieren.

Gewiß, in ihrer Poesie spielt das geradezu programmatische Bekenntnis zum Judentum von Anfang an eine zentrale Rolle. Aber auch Else Lasker-Schüler kannte den jüdischen Selbsthaß, der manches in ihrem Leben und in ihrem Werk, zumal das Exorbitante, begreiflicher macht. Anfang 1914, kurz nachdem ihre berühmten ›Hebräischen Balladen‹ erschienen waren, schrieb sie an Martin Buber: »Ich hasse die Juden, weil sie meine Sprache mißachten, weil ihre Ohren verwachsen sind und sie nach Zwergerei horchen und nach Gemauschel. Sie fressen zu viel, sie sollten hungern.«[20]

Wie sehr Kurt Tucholsky am jüdischen Selbsthaß gelitten hat, ließ erst sein Abschiedsbrief erkennen. Otto Weininger ist in diesem Zusammenhang ebenfalls zu nennen, und natürlich auch Karl Marx, dessen direkte Vorfahren seit Jahrhunderten keinen anderen Beruf ausgeübt haben als den des Rabbiners und dessen Verhältnis zum Judentum, wie man weiß, besonders aggressiv war. Aber Leopold Schwarzschild irrte sich wohl nicht, als er in seinem Buch ›Der rote Preuße‹ sagte, Marx habe »jenes eigentümliche Gehirn gehabt, das in der Zucht der rabbinischen Wissenschaft entsteht«[21].

Von dem extremen Selbsthaß des Karl Kraus scheint der sublime Selbstzweifel seines österreichischen Zeitgenossen Arthur Schnitzler weit entfernt zu sein. Doch hier wie da haben wir es mit den gleichen Wurzeln zu tun. Schnitzlers Autobiographie und andere ebenfalls erst in den letzten Jahren publizierte Arbeiten und Dokumente beweisen, wie sehr sein Werk unter dem Einfluß der gesellschaftlichen und psychologischen Situation stand, in der er sich als Jude befunden hat, und dies bezieht sich keineswegs bloß auf diejenigen seiner Stücke und Romane, die – wie etwa ›Professor Bernhardi‹ oder ›Der Weg ins Freie‹ – die Konflikte der Juden in der modernen Welt unmittelbar behandeln. Auch die vielen schwermütigen Literaten in Schnitzlers Werk sind wohl insgeheim Juden.

Judentum – freilich im weitesten Sinne dieses Begriffes – beeinflußte die Mentalität der großen Wiener Feuilletonisten von Peter Altenberg über Egon Friedell bis zu Alfred Polgar und so verschiedener österreichischer Schriftsteller wie Richard Beer-Hofmann und Joseph Roth.

Der Anteil der Juden am literarischen Leben Österreichs war enorm: »Neun Zehntel von dem, was die Welt als Wiener Kultur des neunzehnten Jahrhunderts feierte, war eine vom Wiener Judentum geförderte, genährte, oder sogar schon selbstgeschaffene Kultur« – schrieb Stefan Zweig in seiner aufschlußreichen Autobiographie.[22] Hilde Spiel hat in ihren Ausführungen über die Dichtergruppe »Jung-Wien«, der die österreichische Literatur des ausgehenden Jahrhunderts ihren europäischen Rang verdankte, verständlicherweise darauf verzichtet, immer wieder auf die jüdische Herkunft ihrer Mitglieder hinzuweisen: Sie macht es umgekehrt, sie sagt, dieser berühmten Gruppe habe nur ein einziger Autor nichtjüdischer Herkunft angehört, nämlich Hermann Bahr. Zugleich erinnert sie daran, daß die großen Österreicher der vorangegangenen Generation – so Grillparzer und Johann Strauß – ebenfalls jüdische Vorfahren hatten.[23]

Wenn in diesem Zusammenhang von einer glücklichen, einer einzigartigen und unwiederholbaren Symbiose die Rede ist, dann sollte man doch nicht vergessen, worauf Stefan Zweig treffend hingewiesen hat – daß nämlich das Wiener Judentum »keineswegs in einer spezifisch jüdischen Weise« produktiv wurde, »sondern indem es durch ein Wunder der Einfühlung dem Österreichischen, dem Wienerischen den intensivsten Ausdruck gab«.[24] Und es ist natürlich kein Zufall, daß das Berlinische seine deutlichste und stärkste Wiederspiegelung in der Prosa von Juden gefunden hat – in den Romanen Georg Hermanns, in den Feuilletons Kurt Tucholskys und, vor allem, in Alfred Döblins Meisterwerk ›Berlin Alexanderplatz‹.

Da die Haltung der Juden innerhalb der nichtjüdischen Umwelt eine Abwehrhaltung einschloß und einschließen mußte, war auch die Position der Juden in der deutschen Literatur, will mir scheinen, fast immer und im hohen Grade eine Gegenposition. Das gilt für Stefan Zweig, der lange Jahre vorgab, diese Frage überhaupt nicht zu kennen, wie andererseits für Max Brod, den konsequenten Zionisten, davon zeugt die elitäre und esoterische Dichtung eines Alfred Mombert und eines Karl Wolfskehl ebenso wie der erzkonservative deutsche Traditionalismus Rudolf Borchardts und die geradezu rührende Preußenliebe Bruno Franks und auch Arnold Zweigs.

Eine Gegenposition und bisweilen sogar eine Trotzreaktion läßt ebenfalls die ostentative Hinwendung mancher Schriftsteller zu jüdischen Themen und Figuren erkennen – so der Else Lasker-Schüler, Lion Feuchtwangers, Max Brods und wiederum Arnold Zweigs. Und schließlich: Erst die jüdische Herkunft und das jüdische Schicksal machen vollauf die außerordentliche und sehr besondere Faszination begreiflich, die katholische Ideen und Motive Jahrzehnte hindurch auf solche Schriftsteller auszuüben vermochten wie Alfred Döblin, der sich gegen Ende seines Lebens taufen ließ, und Franz Werfel, der sich nicht taufen ließ.

Daß derartige Faktoren auch im Werk der Literaturforscher und Essayisten – von Moritz Heimann und Friedrich Gundolf bis zu Walter Benjamin – zum Vorschein kommen mußten, versteht sich von selbst. Der Fall Benjamin ist besonders aufschlußreich: Erst seine 1966 veröffentlichten Briefe zeigten in aller Deutlichkeit, was man in seinen Schriften oft nur zwischen den Zeilen finden kann – nämlich sein Verhältnis zum Judentum und die eminente Bedeutung, die einige jüdische Grundbegriffe für sein Denken hatten.

Natürlich haben wir es mit sehr verschiedenen Individuen zu tun, und nichts liegt mir ferner, als sie etwa unter einen Hut zwängen zu wollen. Kein Zweifel auch, daß der Einfluß des jüdischen Elements auf die einzelnen Schriftsteller nicht nur in unterschiedliche Richtungen ging und mitunter zu Ergebnissen führte, die sich kaum miteinander vergleichen lassen, sondern daß er auch in jedem Fall ein ganz anderes Ausmaß und ein anderes Gewicht hatte; doch darf dieser Einfluß in keinem einzigen Fall völlig ausgeklammert werden.

Oder sollte ich etwa die jüdische Komponente im Werk deutschsprachiger jüdischer Autoren überschätzen? Zugegeben, es sind sehr viele und sehr unterschiedliche Faktoren, die auf einen Schriftsteller einwirken, und daß sie alle zusammen ein kompliziertes und schwer oder überhaupt nicht entwirrbares Geflecht bilden, ist eine Binsenwahrheit. Wer aus einem solchen Geflecht *einen* Faktor, und sei es einen besonders wichtigen, herauslöst und nachdrücklich betont, muß rasch in den Verdacht geraten, vielschichtige Phänomene allzu einseitig zu sehen.

Aber eine gewisse Einseitigkeit kann hier, meine ich, gar nicht schaden, ja, sie scheint mir dringend nötig – als Reaktion auf jene Literaturforschung, die diesen ganzen Fragenkomplex, aus welchen Gründen auch immer, bisher meist ignoriert oder ausgespart oder zumindest vernachlässigt hat. Schließlich geht es um zentrale Figuren und somit um zentrale Probleme der deutschen Literatur dieses Jahrhunderts.

In einem 1921 geschriebenen Brief an Max Brod spricht Kafka von »dem Verhältnis der jungen Juden zu ihrem Judentum« und von »der schrecklichen inneren Lage dieser Generation« und meint: »Weg vom Judentum, meist mit unklarer Zustimmung der Väter (diese Unklarheit war das Empörende), wollten die meisten, die deutsch zu schreiben anfingen, sie wollten es, aber mit den Hinterbeinchen klebten sie noch am Judentum des Vaters und mit den Vorderbeinchen fanden sie keinen neuen Boden. Die Verzweiflung darüber war ihre Inspiration.«[25]

Bezeichnet ist damit, was nicht wenigen jüdischen Schriftstellern – gerade ihnen! – ermöglicht hat, sehr früh, oft schon vor dem Ersten Weltkrieg, die sich abzeichnende Vereinsamung und Entfremdung des Intellektuellen innerhalb der bürgerlichen Gesellschaft Deutschlands und Österreichs zu spüren und wahrzunehmen und mit besonderer Schärfe zu artikulieren. Schnitzler und Karl Kraus, Döblin, Broch und Werfel, Albert Ehrenstein, Alfred Lichtenstein und Ernst Toller, Tucholsky und Benjamin haben an »der schrecklichen inneren Lage dieser Generation« gelitten und sich von ihr – mehr oder weniger bewußt – inspirieren lassen. Freilich sind bei manchen dieser Autoren derartige Motive – Wurzellosigkeit und Entfremdung des Individuums, seine Einsamkeit und Isolation als Folge einer konkreten gesellschaftlichen Realität – nur angedeutet und skizziert. Sie dominieren hingegen – um mich hier auf das größte Beispiel zu beschränken – in der Prosa Franz Kafkas.

Max Brod wies schon zu Lebzeiten Kafkas mit Recht darauf hin, daß in dessen Romanen und Erzählungen zwar das Wort »Jude« überhaupt nicht vorkomme, aber immer wieder das Leiden der Juden dargestellt werde. K.s »Fremdheitsgefühl« im ›Schloß‹ sei – meinte Brod – »das besondere Gefühl des Juden, der sich in einer fremden Umgebung einwurzeln möchte, der aus allen Kräften seiner Seele danach strebt, den Fremden sich anzunähern, gänzlich ihresgleichen zu werden – und dem diese Verschmelzung doch nicht gelingt«[26]. Walter Benjamin, wohl der erste, der in der Prosa Kafkas das unmittelbare Echo der Thora und des Talmuds erkannte, schrieb 1939: »Ich denke mir, dem würde der Schlüssel zu Kafka in die Hände fallen, der der jüdischen Theologie ihre komischen Seiten abgewönne.«[27] Und Gershom Scholem deutete Kafkas Werk als »Theologia negativa eines Judentums«, dem »die Offenbarung als ein Positivum abhanden gekommen ist«[28].

Seine Briefe, Gespräche und Tagebücher beweisen, daß jene, die ihm – wie Walter Jens – kurzerhand »jüdische Mentalität, eingehüllt in den Sprachmantel des Deutschen«[29] bescheinigen, nicht zu weit gehen. Immer wieder hadert Kafka mit seinem Judentum: »Was habe ich mit Juden gemeinsam?« – heißt es in einer Tagebuch-Aufzeichnung von 1914 – »Ich habe kaum etwas mit mir gemeinsam und sollte mich ganz still, zufrieden damit, daß ich atmen kann, in einen Winkel stellen.«[30]

Doch einige Jahre später sieht er zwischen seiner Selbstentfremdung und seinem Judentum einen ursächlichen Zusammenhang. In einem Brief an Milena spricht er von Westjuden und meint: »Ich bin, soviel ich weiß, der westjüdischeste von ihnen, das bedeutet, übertrieben ausgedrückt, daß mir keine ruhige Sekunde geschenkt ist, nichts ist mir geschenkt, alles muß erworben werden, nicht nur die Gegenwart und Zukunft, auch noch die Vergangenheit, etwas, das doch jeder Mensch vielleicht mitbekommen hat, auch das muß erworben werden, das ist vielleicht die schwerste Arbeit, dreht sich die Erde nach rechts – ich weiß nicht, ob sie das tut –, müßte ich mich nach links drehn, um die Vergangenheit nachzuholen.«[31]

Wie sehr Kafka an seinem Judentum litt und welche Gefühle und Gedanken der jüdische Selbsthaß auszulösen imstande war, läßt ein ungeheuerlicher und ebendeshalb höchst aufschlußreicher Satz erkennen, der sich gleichfalls in einem Brief an Milena findet: »... Eher könnte ich Dir den Vorwurf machen, daß Du von den Juden, die Du kennst (mich eingeschlossen) – es gibt andere! –, eine viel zu gute Meinung hast, manchmal möchte ich sie eben als Juden (mich eingeschlossen) alle etwa in die Schublade des Wäschekastens dort stopfen, dann warten, dann die Schublade ein wenig herausziehn, um nachzusehen, ob sie schon alle erstickt sind, wenn nicht, die Lade wieder hineinschieben und es so fortsetzen bis zum Ende.«[32]

Wer den ›Prozeß‹ und das ›Schloß‹ vor dem Hintergrund solcher Äußerungen liest, erspart sich viele der Irrwege und Sackgassen, die von den Kafka-Interpreten immer wieder begangen werden. Es wird dann augenscheinlich, was Kafka, an »der schrecklichen inneren Lage dieser Generation« leidend, vor allem zeigen wollte – nämlich exemplarische Situationen, Konflikte und Komplexe von Juden innerhalb der nichtjüdischen Welt.

Erst als sich die Rolle des Intellektuellen in der Gesellschaft weitgehend verändert hatte, Jahrzehnte nach Kafkas Tod, vermochte man zu erkennen, daß er mit seinen Werken der Epoche vorausgeeilt war: Die in einer spezifischen Prager Konstellation erzählten und zunächst nur auf diese Konstellation zu beziehenden Geschichten vom Schicksal der Ausgestoßenen und Angeklagten erwiesen sich als klassische Parabeln von der Heimatlosigkeit und der Entfremdung. Mit anderen Worten: Die von Kafka dargestellte Tragödie der Juden wurde von späteren Lesern als Extrembeispiel der menschlichen Existenz verstanden.

So könnte man sagen: War Heine eine zentrale und repräsentative Figur, *obwohl* ein Außenseiter, so wurde Kafka eine zentrale und repräsentative Figur der deutschen und der europäischen Literatur, *weil* er ein Außenseiter war.

Ich spreche hier immer wieder von der Literatur von gestern, obwohl doch diese Ausstellung von Büchern deutschsprachiger Autoren jüdischer Herkunft wenigstens zum Teil der Literatur von heute gewidmet ist. Aber ich bin in der Tat überzeugt, daß es sich hier um eine Frage vornehmlich der Vergangenheit handelt.

Nein, ich vergesse nicht die Schriftsteller der älteren Generation, die in den dreißiger Jahren vertrieben wurden und jetzt, wo immer sie auch wohnen, am literarischen Leben der deutschsprachigen Länder teilnehmen: Ich meine also Nelly Sachs und Anna Seghers, Elias Canetti, Hermann Kesten und Manès Sperber, Walter Mehring und Friedrich Torberg, Hilde Domin und Stefan Heym. Ich denke ferner an eine Anzahl hervorragender

Philosophen und Essayisten – von Theodor W. Adorno, Ernst Bloch und Max Horkheimer, Herbert Marcuse, Norbert Elias und Hans Jonas bis zu Hans Mayer und Jean Améry. Doch eine alte Wahrheit ist es: Wer einmal exiliert war, hört niemals auf, ein Exilierter zu sein.

Und ich möchte schließlich von den Schriftstellern meiner eigenen Generation sprechen. Vor einigen Jahren hat der Verleger Klaus Wagenbach viele deutsche Autoren aufgefordert, »ihren« Ort zu beschreiben. Die meisten schilderten die Stadt ihrer Kindheit oder Jugend oder einfach einen Ort, an dem sie etwas Wichtiges erlebt hatten. Peter Weiss jedoch schrieb über den Ort, für den er bestimmt und dem er entkommen war: über Auschwitz.[33]

Immer schon waren Dichter ohne Heimat unheimliche Dichter. Aber diese scheinen mir doppelt unheimlich zu sein: die noch Halbwüchsige waren, als sie vertrieben und deportiert wurden, und die erst im Exil – oft zunächst in einer fremden Sprache – zu schreiben begonnen haben. Den für sie bestimmten, den – mit Nelly Sachs zu sprechen – von Deutschen »sinnvoll erdachten Wohnungen des Todes« konnten sie zwar entgehen, doch wollte es ihnen nicht mehr gelingen, sich vom deutschen Wort zu befreien. Dichten können sie nur in der Sprache ihrer Kindheit und ihrer Jugend.

Fast alle leben sie nach wie vor außerhalb Deutschlands oder Österreichs. Und sind wohl überall Ausländer: Fremde in der Heimat und Gäste in der Fremde. Die deutsche Literatur unserer Zeit verdankt diesen Poeten aus einer anderen Welt nicht wenig. Sie werden geachtet und sogar gelesen. Die Leistungen einiger von ihnen hat man mit hohen und höchsten Preisen anerkannt. Auch nehmen diese Autoren oft an allerlei Tagungen und Kolloquien teil. Man sieht sie gern, begrüßt sie höflich, lobt sie reichlich.

Aber machen wir uns nichts vor: Mögen sie so erfolgreich sein wie Peter Weiss und so geschätzt werden wie Wolfgang Hildesheimer und wie der in Ostberlin lebende

Stephan Hermlin oder soviel Aufsehen erregen wie der Lyriker und Übersetzer Erich Fried und der Geschichtenerzähler Jakov Lind, mögen sie gar, wie Paul Celan, schon als Klassiker der Gegenwartslyrik gelten – Außenseiter und Randfiguren sind sie trotzdem. Und es wird sich daran, vermute ich, nichts mehr ändern.

Denn was sie schreiben, befremdet und muß wohl auch befremden. Wer zum Tode verurteilt war, bleibt ein Gezeichneter. Wer zufällig verschont wurde, während man die Seinen gemordet hat, kann nicht in Frieden mit sich selber leben. Wer vertrieben wurde, bleibt für immer nicht nur ein Vertriebener, sondern auch und vor allem ein Getriebener.

Solche Dichter sind, glaube ich, auf außergewöhnliche Weise gefährdet. Da sie das, was man (sehr ungenau) das innere Gleichgewicht nennt, nie wiedergewonnen haben, neigen sie meist den Extremen zu. Das Bodenlose reizt sie. Für die Faszination, die die äußersten Bezirke ausüben, sind sie besonders empfänglich. Häufiger als andere Vertreter ihrer Generation geraten sie in den Sog der Abgründe, gelegentlich auch der politischen Abgründe.

Das ist nur allzu natürlich: Wer Grauenvolles erleiden mußte, versucht immer wieder, das Grauen zu erkunden. Und wer sein Land verloren hat, fühlt sich in die Grenzbereiche jeglicher Art gedrängt. Er bemüht sich, sie überall aufzuspüren. Er braucht sie, er ist auf die Randbezirke des Daseins geradezu erpicht. Je länger eine solche Suche dauert, desto mehr kann sie zu einer Sucht werden oder ihr ähneln. Das unaufhörliche Streben nach dem Extremen gleicht in manchen Fällen einem literarischen Amoklauf.

Also haben wir noch eine Generation deutschschreibender Juden, die ihre Leser, wie es einst Goethe gefordert hatte, aus der »wohlhergebrachten Gleichgültigkeit reißen« wollen, noch eine Generation dieser Ruhestörer auf der Suche nach einem Gelobten Land, dieser schwermütigen und verzweifelten Außenseiter, zu denen übrigens auch einige Autoren jüdischer Abstammung gehören, die – wie etwa Ilse Aichinger, wie Wolf Biermann und Günter Kunert – jene Jahre im »Dritten Reich« überlebt haben. Und tatsächlich konnten zwei oder drei dieser unheimlichen Dichter zu zentralen und repräsentativen Figuren der Gegenwartsliteratur aufsteigen. Aber täuschen wir uns nicht: Wir haben es mit der letzten, der allerletzten Generation deutschschreibender Juden zu tun.

Natürlich ist es kein Zufall, daß in der Ausstellung, die heute eröffnet wird, nur sehr wenige Schriftsteller im Alter unter fünfzig Jahren vertreten sind und, soweit ich sehe, kein einziger unter Vierzig. Nach dem wichtigsten Grund dieses Zustandes braucht man nicht lange zu forschen: Die Zahl der in Mittel-, Ost- und Südosteuropa lebenden Juden, die deutsch sprachen und schrieben, belief sich vor einem halben Jahrhundert wenn nicht auf Millionen, so doch jedenfalls auf einige Hunderttausend. Eine derartige Basis gibt es nicht mehr. Und da die numerischen Voraussetzungen fehlen, sind weitere und möglicherweise subtilere Erwägungen dieser Frage gegenstandslos. Auch die höchst erfreuliche Existenz einsamer Einzelgänger – wie etwa des aus Polen stammenden, doch in Berlin lebenden und deutsch schreibenden Jurek Bekker (Jahrgang 1937) oder des 1945 in England als Sohn jüdischer Emigranten geborenen Lyrikers und Dramatikers Thomas Brasch – kann das düstere Resultat nur bestätigen.

In diesem Sinne gleicht die Ausstellung einem Schlußakkord in Moll, einer elegischen Zusammenfassung, einer etwas melancholischen Bilanz. Doch haben Bilanzen immer etwas Sachliches und Nüchternes an sich. Das gilt auch für die hier gebotene Dokumentation, die nicht als Apologie gemeint ist, vielmehr zum Nachdenken anregen soll – zum Nachdenken über Deutschland und die Juden, über die Vergangenheit und die Gegenwart.

Mir bleibt, den Veranstaltern dieser Ausstellung zu danken. Aber welche Legitimation habe ich dazu? Nur die Tatsache, daß ich einer der Autoren bin, deren Bücher hier ausgestellt werden. Ich erlaube mir also, im Namen jener Überlebenden zu danken, die dem Ort entgangen sind, für den sie bestimmt waren, und die dennoch nicht aufhören können zu schreiben in deutscher Sprache.

(1969)

Erlauben Sie mir, sehr offen zu reden. Wir sollten, meine ich, nicht so tun, als wäre die Ausstellung, die wir heute hier eröffnen, unbedenklich und unproblematisch. Denn es ist ja gerade umgekehrt: Es handelt sich um eine überaus heikle, eine höchst fragwürdige Veranstaltung.

Ähnliche Ausstellungen waren bereits in Wien, Frankfurt und Berlin zu sehen, und sie wurden überall mit unverkennbar gemischten Gefühlen aufgenommen, haben manche Zweifel geweckt und gelegentlich auch Proteste hervorgerufen. Nein, natürlich nicht in der Öffentlichkeit. Da spielt sich alles einigermaßen reibungslos ab: Die Ausstellungen werden respektvoll und freundlich begrüßt, man spricht von der deutsch-jüdischen Symbiose, die einst so schön und harmonisch gewesen sein soll, man gedenkt, versteht sich, jener sechs Millionen, Auschwitz wird erwähnt und vielleicht noch Dachau oder Treblinka – die Auswahl ist ja groß –, von unbewältigter Vergangenheit und Wiedergutmachung ist die Rede, von der Brüderlichkeit hören wir und von »unseren lieben jüdischen Mitbürgern«. Und da es um Buchausstellungen geht, verneigt man sich noch einmal vor Heine oder Kafka oder Freud, ein Zitat ist rasch bei der Hand, vielleicht von Nelly Sachs oder aus Paul Celans ›Todesfuge‹.

Sie kennen das alles, dieses feierliche Vokabular, das schon verbraucht scheint und sich doch schwer ersetzen läßt, diese weihevoll-elegischen Töne, die zwar aufrichtig gemeint sein mögen, doch ihre Wirkungskraft mittlerweile eingebüßt haben. Aber hinter den Kulissen und womöglich hinter vorgehaltener Hand, da sprechen Juden und Nichtjuden eine ganz andere Sprache, da wird schlicht und gar nicht zu Unrecht gefragt, was diese jüdischen Buchausstellungen eigentlich sollen. Denn hier werden ja deutschsprachige Autoren zusammengefaßt,

37

die im Grunde nur eines miteinander gemein haben: die jüdische Herkunft. Ist das wirklich ein sinnvolles, ein legitimes Auswahlprinzip?

Zunächst einmal: Was bedeutet überhaupt das Wort »Jude«? In einem Brief Sigmund Freuds vom Jahre 1936 findet sich ein höchst überraschender Satz. Freud äußert sich über einen kurz davor gestorbenen Psychoanalytiker und sagt hier: »Wir waren beide Juden und wußten voneinander, daß wir gemeinsam das geheimnisvolle Etwas tragen, das – bisher jeder Analyse unzugänglich – den Juden ausmacht.«[1]

Offenbar war sich also Freud dessen bewußt, daß es eine wissenschaftlich einwandfreie oder doch wenigstens einigermaßen zuverlässige Definition des Begriffs »Jude« gar nicht gibt. Und in der Tat: Was man unter diesem Stichwort in enzyklopädischen Werken – jüdischen oder nichtjüdischen – lesen kann, läßt deutlich die Ratlosigkeit ihrer Autoren erkennen. Wir haben es, allem Anschein nach, mit dem Phänomen zu tun, das mit den üblichen Kategorien – den religiösen, nationalen, sprachlichen, ethnischen oder rassischen – nicht hinreichend erklärt und abgegrenzt werden kann.

Wenn aber schon die Definition des Begriffs »Jude« auf so außerordentliche Schwierigkeiten stößt, wie sollte es dann möglich sein, das Jüdische in der deutschen Literatur zu charakterisieren? In seiner 1933 veröffentlichten Autobiographie ›Eine Jugend in Deutschland‹ schreibt Ernst Toller: »Fragte mich einer, sage mir, wo sind deine deutschen Wurzeln, und wo deine jüdischen, ich bliebe stumm.«[2] Ich glaube, daß sehr viele Autoren, deren Bücher hier vereint sind, ebenso antworten würden.

Und Lion Feuchtwanger, ein Schriftsteller also, in dessen Werk jüdische Themen und Motive dominieren und der 1929, auf dem Gipfel seines Ruhms, öffentlich erklärte: »Mein Hirn denkt kosmopolitisch, mein Herz schlägt jüdisch«[3], dieser Feuchtwanger schrieb: »Ich habe mich oft mit größter Sorgfalt in die Werke deutscher Autoren jüdischer Herkunft vertieft, um irgendein sprachliches Merkmal zu finden, das eindeutig auf ihre jüdische Abkunft hinwiese. Es ist mir trotz emsigsten Studiums nicht geglückt, in irgendeinem Werk der großen deutschen Dichter jüdischer Abstammung, von Mendelssohn bis Schnitzler und Wassermann, von Heine bis Arnold und Stefan Zweig, irgendein solches Merkmal zu entdecken.«[4]

Ich bin überzeugt, daß Feuchtwanger recht hatte. Ja, aber das macht doch wohl diese Ausstellung um so fragwürdiger. Autoren, die sich als Juden fühlten, und solche, die sich vom Judentum entschieden abwandten, diejenigen, die sich zu ihrer Herkunft ostentativ bekannten und auf sie stolz waren, und andere, die sich dieser Herkunft eher schämten und jedenfalls von ihr nichts wissen wollten, Schriftsteller, in deren Werk jüdische Motive und Figuren eine große oder nur eine kleine oder überhaupt keine Rolle spielten, Vertreter der verschiedensten Richtungen und Generationen – sie alle sind hier unter dem Davidstern vereint. Gewiß, die Lebenden hat man befragt, und keiner wurde in die Ausstellung aufgenommen, der es nicht ausdrücklich gebilligt hätte. Die Toten indes konnte man nicht fragen, und unter ihnen gibt es bestimmt auch solche, die keineswegs damit einverstanden wären, daß man sie und ihr Werk unter jüdischen Vorzeichen präsentiert.

Als deutsche Juden im Jahr 1832 eine Zeitschrift mit dem Titel ›Der Jude‹ gründeten, da meinte Ludwig Börne in seinen ›Briefen aus Paris‹, dieses Journal sei ein Mißverständnis, denn: »Wer für die Juden wirken will, der darf sie nicht isolieren; das tun ja eben deren Feinde, zu ihrem Verderben.«[5] Und gerade das tut – so will es wenigstens scheinen – auch diese Ausstellung. Sowohl professionelle Antisemiten als auch jüdische Nationalisten operieren gern mit ganzen Katalogen von Namen, die sie als Argumente gegen oder für die Juden verstan-

den wissen wollen. Ist es etwa dieser Geist, der hier Ur-
ständ feiert?

Mein Freund, übrigens durchaus kein Antisemit, urteilt
hart. Er sagt: Hitler hat die Juden in Gettos getrieben, nun
machen sie selber und überdies natürlich freiwillig ein
literarisches Getto. Hier werden, sagt mein strenger
Freund, viele deutsche Schriftsteller mit einem mehr oder
weniger vergoldeten gelben Fleck versehen. Dies aber sei
überflüssig und sogar schädlich, weil es nicht zur Über-
brückung, sondern nur zur Vertiefung der einst geschaffenen Kluft beitragen könne. Hat mein Freund recht? Sind
diese Argumente wirklich stichhaltig?

Gleich am Anfang der Geschichte der Juden in der deutschen Literatur finden wir eine wahrhaft einzigartige Figur: Rahel Varnhagen, geborene Levin. Sie, die Tochter
eines orthodoxen Juden, die in ihrer Jugend die deutsche
Sprache noch keineswegs gut beherrschte und deren frühe
Briefe in dem damals üblichen Judendeutsch mit hebräischen Lettern geschrieben sind, triumphierte auf kaum zu
übertreffende Weise: Ihr Salon – übrigens eine höchst
bescheidene Dachstube in der elterlichen Wohnung – war
rund fünfzehn Jahre lang, etwa von 1790 bis 1806, der
Mittelpunkt des literarischen und geistigen Lebens in Berlin. Von Rahel Varnhagen, die weder schön noch anmutig
war, ließen sie sich alle faszinieren; die Brüder Humboldt
und die Brüder Tieck, Jean Paul und Friedrich Schlegel,
Schleiermacher und Adam Müller, Brentano, Chamisso
und Fouqué. Sie galt als die geistreichste Frau des Univer-
sums, aber wonach sie sich am meisten sehnte, das blieb ihr
versagt: die normale Existenz, das – wie sie schrieb –
»natürlichste Dasein«, dessen sich jede Bäuerin und jede
Bettlerin erfreuen könne. Was sie erreicht hatte, schien ihr
lediglich »die verkehrte Krone auf meinem Schicksal«[6] zu
sein. Ihr ganzes Leben – so heißt es in einem Brief aus dem
Jahre 1795 – sei »eine Verblutung« und »jede Bewegung,
sie zu stillen, neuer Tod.«[7]

Man hat Rahel Varnhagen in Berlin bewundert und gefeiert, ohne sie jedoch als Bürgerin akzeptieren zu wollen. »Was ist es garstig« – bekennt sie in einem Brief –, »sich immer erst legitimieren zu müssen! Darum ist es ja nur so widerwärtig, eine Jüdin zu sein!«[8] In den Triumphen und Niederlagen ihres persönlichen Kampfes um Anerkennung spiegelt sich die Eigenart der Emanzipation der Juden in Deutschland.

Daß sie unter ganz anderen gesellschaftlichen und historischen Voraussetzungen als in den westeuropäischen Ländern und in Nordamerika vollzogen wurde, ist bekannt: Dort hatten die Juden ihre Gleichberechtigung den allgemeinen Bestrebungen des revolutionären Bürgertums zu verdanken. Wo aber die großen gesellschaftlichen Umwälzungen ausblieben und die neuen Menschenrechte nicht vom Bürgertum erkämpft, sondern von den alten Mächten widerwillig zugestanden wurden, da hatte auch die Emanzipation der Juden den Charakter lediglich eines behördlichen Erlasses, eines Verwaltungsakts.

So und nicht anders ist das preußische Emanzipationsdekret Hardenbergs von 1812 zu verstehen. Er verfügte die bürgerliche Gleichberechtigung der Juden, nur daß ihnen diese von der deutschen Bevölkerung (in Österreich war es sehr ähnlich gewesen) verweigert wurde. Bloß formal anerkannt und in Wirklichkeit überall diskriminiert, versuchten viele Juden durch außergewöhnliche geistige und künstlerische Leistungen Ansehen zu erlangen und auf diese Weise die tatsächliche Emanzipation zu erzwingen.

Die Beharrlichkeit des Kampfes, den Rahel Varnhagen, den Börne und Heine geführt haben, wird erst durch diesen Hintergrund erklärt. Zugleich sahen sie in ihrer jüdischen Herkunft und der dadurch bedingten Situation ein zeittypisches Paradigma der staatsbürgerlichen Unfreiheit und der allgemeinen Rückständigkeit. Sie verbanden ihre Hoffnungen mit den großen gesellschaftlichen und politischen Veränderungen, die allen zugute kommen und somit auch das Problem der Juden lösen sollten.

Ausdrücklich erklärte Börne, sein politischer und sozialer Kampf werde mitbestimmt von dem Umstand, daß er »das unverdiente Glück« habe, »zugleich ein Deutscher und ein Jude zu sein, nach allen Tugenden der Deutschen streben zu können, und doch keine ihrer Fehler zu teilen. Ja, weil ich als Knecht geboren, darum liebe ich die Freiheit mehr als Ihr. Ja, weil ich die Sklaverei gelernt, darum verstehe ich die Freiheit besser als Ihr. Ja, weil ich keinem Vaterlande geboren, darum wünsche ich ein Vaterland heißer als Ihr, und weil mein Geburtsort nicht größer war als die Judengasse und hinter den verschlossenen Toren das Ausland für mich begann, genügt mir auch die Stadt nicht mehr zum Vaterlande, nicht mehr ein Landgebiet, nicht mehr eine Provinz, nur das ganze große Vaterland genügt mir, so weit seine Sprache reicht.«[9]

Aber sie alle scheiterten schon in ihrem unmittelbaren und persönlichen Bereich, in ihrem verzweifelten Kampf um jenes »natürlichste Dasein«. Niemand hat dies früher und klarer erkannt als die immer wieder erstaunliche Rahel Varnhagen. 1809 schrieb sie an Fouqué: »Was mir ist? Daß ich noch nie gefehlt habe; noch nie leichtsinnig oder eigennützig handelte, und mich doch aus dem immer sich fort und neu entwickelnden Unglück meiner falschen Geburt nicht hervorzuwälzen vermag. Dies sind wenige, leicht und bald auszusprechende Worte; aber es sind die Bogen, worauf mein ganzes Leben hindurch die schmerzlichsten, giftigsten Pfeile abgedrückt sind. Fest stehen sie, die Bogen, aus ihrer Richtung führt mich keine Kunst – keine Überlegung, keine Anstrengung, kein Fleiß, keine Unterwerfung ... Mit der Meinung, daß ich eine Königin (keine regierende) oder eine Mutter sein müßte: erlebe ich, daß ich gerade *nichts* bin. Keine Tochter, keine Schwester, keine Geliebte, keine Frau, keine Bürgerin einmal.«[10]

Wenn Heine ähnliche Enttäuschungen erspart blieben,

so nur deshalb, weil er sich sehr rasch von Illusionen freizumachen wußte. 1826, kaum ein Jahr nachdem er zum protestantischen Glauben übergetreten war, schrieb er: »Es ist aber ganz bestimmt, daß es mich sehnlichst drängt, dem deutschen Vaterland Valet zu sagen. Minder die Lust des Wanderns als die Qual persönlicher Verhältnisse (z. B. der nie abzuwaschende Jude) treibt mich von hinnen.«[11] Für Rahel Varnhagen und für Heine gilt, was Börne 1832 festgestellt hat: »Es ist wie ein Wunder! Tausend Male habe ich es erfahren, und doch bleibt es mir ewig neu. Die Einen werfen mir vor, daß ich ein Jude sei; die Anderen verzeihen mir es; der Dritte lobt mich gar dafür; aber alle denken daran. Sie sind wie gebannt in diesem magischen Judenkreise, es kann keiner hinaus.«[12]

So war es, so blieb es auch nach 1848, auch nach 1871. Wie wenig die historische Entwicklung – und somit auch die fortschreitende Emanzipation der Juden in Deutschland und Österreich – daran zu ändern vermochte, zeigen die Briefe eines Juden, der nicht den geringsten Anlaß hatte, sich über Erfolglosigkeit beim deutschen Publikum zu beklagen. Ich meine den Erzähler Berthold Auerbach, der von seinen Zeitgenossen mehr geschätzt wurde als Gottfried Keller und den auch heutige Nachschlagebücher den »populärsten deutschen Schriftsteller seiner Zeit«[13] nennen.
    Als 1880 der sogenannte Berliner Antisemitismusstreit ausgetragen wurde, schrieb Auerbach: »Es ist zum Verzweifeln. In den Freiesten steckt ein Hochmut und Widerwille gegen die Juden, der nur auf Gelegenheit wartet, um zu Tag zu kommen.«[14] Und unter dem »zermalmenden Eindruck« der zweitägigen Debatte im preußischen Abgeordnetenhaus über die Judenfrage erklärte er im November 1880: »Vergebens gelebt und gearbeitet! ... Das Bewußtsein, was noch in deutschen Menschen gehegt wird und was unversehens explodieren kann, das ist untilgbar.«[15] Indes finden sich ähnliche, wenn auch weniger extreme Äußerungen bei nahezu allen hervorragen-

den Schriftstellern jüdischer Herkunft auch im ersten Drittel unseres Jahrhunderts. Dabei ging es ihnen meist nicht oder nicht nur um den offenen und direkten Antisemitismus, sondern eher um jenes besondere Klima der Befangenheit und der Voreingenommenheit, von dem sie sich früher oder später umgeben sahen.

Es hatte sich nämlich erwiesen, daß durch die Emanzipation der deutschen und der österreichischen Juden – sie war in den siebziger, spätestens in den achtziger Jahren des vergangenen Jahrhunderts abgeschlossen – jener »magische Judenkreis«, mit dem sich schon Börne nicht abfinden wollte, zwar weitgehend modifiziert, doch noch keineswegs liquidiert war. So meinte 1913 Richard Beer-Hofmann: »Wir stehen unter anderen Gesetzen der Beurteilung als andere Völker; ob wir nun wollen oder nicht – was wir Juden tun, vollzieht sich auf einer Bühne – unser Los hat sie gezimmert. Art und Unart anderer Völker wird selbstverständlich hingenommen. Aber alle Welt darf auf Publikumssitzen lümmeln und die Juden anstarren. Blick, Stimme, Haltung, die Farbe der Haare, die Masse des Körpers – alles soll gehässigen Richtern Rede stehen – und wehe, wenn wir nicht als Halbgötter über die Szene schreiten.«[16]

Nach wie vor gab es den uralten *circulus vitiosus:* Die Juden wurden verfolgt, weil sie anders waren; und sie waren anders, weil sie verfolgt wurden. Und fast unmöglich schien es, diesen Knoten zu entwirren und die Ursachen von den Wirkungen zu unterscheiden. Jedenfalls hatte trotz der veränderten äußeren Umstände die Sehnsucht der Rahel Varnhagen nach jenem »natürlichsten Dasein« nichts von ihrer Dringlichkeit eingebüßt, ja, sie war durch die Assimilation der Juden eigentlich nur noch subtiler und diffiziler geworden. Ebendeshalb waren die Enttäuschung und Desillusionierung der Betroffenen noch schmerzlicher.

Maßgebend scheinen mir auch hier Äußerungen von Autoren, die man nicht verdächtigen kann, ihre Verbitterung habe mit ungenügender Resonanz zu tun. Gerade in jener Zeit, in der Jakob Wassermann im Inland wie im Ausland außerordentlich erfolgreich war, schrieb er seine Autobiographie, in der er nachdrücklich betonte, er sei Deutscher und Jude zugleich, und zwar »eines so sehr und so völlig wie das andere, keines ist vom anderen zu lösen«. In diesem (1921 erschienenen) Buch erklärte Jakob Wassermann:

»Es ist vergeblich, das Volk der Dichter und Denker im Namen seiner Dichter und Denker zu beschwören. Jedes Vorurteil, das man abgetan glaubt, bringt, wie Aas die Würmer, tausend neue zutage ... Es ist vergeblich, die Verborgenheit zu suchen. Sie sagen: der Feigling, er verkriecht sich, sein schlechtes Gewissen treibt ihn dazu. Es ist vergeblich, unter sie zu gehen und ihnen die Hand zu bieten. Sie sagen: was nimmt er sich heraus mit seiner jüdischen Aufdringlichkeit? Es ist vergeblich, ihnen Treue zu halten, sei es als Mitkämpfer, sei es als Mitbürger. Sie sagen: er ist der Proteus, er kann eben alles. Es ist vergeblich, ihnen zu helfen, Sklavenketten von den Gliedern zu streifen. Sie sagen: er wird schon seinen Profit dabei gemacht haben. Es ist vergeblich, das Gift zu entgiften. Sie brauen frisches. Es ist vergeblich, für sie zu leben und für sie zu sterben. Sie sagen: er ist ein Jude ... Es ist mir, als wäre nur bei den Toten Gerechtigkeit zu finden gegen die Lebenden. Denn was diese tun, ist ganz und gar unerträglich.«[17]

Es geht hier nicht darum, ob Wassermann übertrieben hat, ob er ganz im Recht war oder nicht. Wichtig ist nur, daß von einem auf jeden Fall sehr ehrlichen Schriftsteller, der unbedingt Deutscher und Jude zugleich sein wollte, die Beziehungen zwischen Juden und Nichtjuden in diesem Lande so empfunden wurden und das in einer Zeit, in der man den Namen Adolf Hitler noch gar nicht kannte, nämlich am Anfang jener zwanziger Jahre, die man heute so gern als »goldene« preist und verklärt.

Man darf nicht vergessen, daß die Schriftsteller jüdischer Herkunft noch in der Wilhelminischen Epoche in einer Gesellschaft wirkten, in der sie zwar höchst erfolgreich sein konnten, in der sie aber gleichwohl als etwas zweifelhafte Individuen, wenn nicht gar als Menschen einer minderen Kategorie galten. Charakteristisch sind in dieser Hinsicht die Briefe Theodor Fontanes, der immer wieder und mit auffallendem Engagement auf Juden zu sprechen kam. Er zögerte nicht, die Leistungen der Juden, zumal ihre Verdienste um das Berliner Kulturleben, nachdrücklich anzuerkennen, er bewunderte sie, und gelegentlich schrieb er, daß er die Juden liebe. Aber es fehlt auch nicht an Äußerungen des Mißtrauens, der Verärgerung und der Antipathie.

Thomas Mann meint 1907, »daß ein Exodus, wie die Zionisten von der strengen Observanz ihn träumen, ungefähr das größte Unglück bedeuten würde, das unserem Europa zustoßen könnte«, er hält das Judentum für einen »unentbehrlichen europäischen Kultur-Stimulus«. Nur findet sich im selben Aufsatz eine offensichtlich positiv gemeinte Äußerung, die erkennen läßt, in wie hohem Maße Thomas Mann, der selber mit der Tochter eines Juden verheiratet war, die Juden doch als fremd, als Menschen einer anderen Art empfindet: »Es wird nicht lange mehr unmöglich scheinen, ein Jude und doch an Leib und Seele ein vornehmer Mensch zu sein.«[18]

Wie immer man die Beziehungen zwischen Juden und Nichtjuden in Deutschland in den ersten Jahrzehnten unseres Jahrhunderts beurteilen mag, unbefangen und natürlich waren sie niemals und konnten es wohl auch nicht sein. Daß diese tief verwurzelte Befangenheit nach allem, was zwischen 1933 und 1945 geschehen ist, auf ungeheuerliche Weise steigen mußte, bedarf wohl keiner Begründung.

Wo aber eine im Grunde unfaßbare Hypothek die Beziehungen zwischen den Menschen belastet, wo man sich also Unbefangenheit überhaupt nicht mehr vorstellen kann, da hat der Ruf nach Brüderlichkeit einen fatalen Beigeschmack und wird schlechterdings unglaubhaft. Ich frage mich oft, woher jene, die alljährlich die Brüderlichkeit fordern, den Mut dazu nehmen. Nicht der Heuchelei verdächtige ich sie, wohl aber der Weltfremdheit. Wer die Brüderlichkeit predigt, beruhigt vielleicht sein Gewissen, erreicht jedoch gar nichts. Denn mit der Brüderlichkeit ist es wie mit der Liebe: Sie lassen sich weder erbitten noch gar verfügen.

Muß es denn überhaupt gleich Liebe und Brüderlichkeit sein? Fairneß und gegenseitiges Verständnis – das mögen bescheidenere Ziele sein, aber sie sind auch realer und eher unserer Zeit angemessen. Wichtiger als die feierliche Beteuerung ist die sachliche Aufklärung. Man höre auf zu lamentieren und versuche zu informieren. Statt die Kollektivscham zu fordern und statt die Brüderlichkeit zu predigen, was niemand mehr ernst nimmt, versuche man – das ist gewiß schwieriger – die Intoleranz und die Rückständigkeit zu bekämpfen.

In einer Rundfunk-Diskussion habe ich einmal das Wort des *Alten* Testaments erwähnt: »Du sollst deinen Nächsten lieben wie dich selbst.« Die Redakteure wollten diesen Satz sofort aus der Bandaufnahme entfernen, denn sie waren alle überzeugt, er stamme aus dem Neuen Testament. Da ich eigensinnig blieb, befragte man die Theologen vom Kirchenfunk, die dann bestätigten, der berühmte Satz sei tatsächlich im Dritten Buch Mose enthalten. Die Sendung konnte ausgestrahlt werden und löste zahllose Protestbriefe aus. Wird immer noch in der Bundesrepublik im Religionsunterricht das Alte Testament als ein Buch der Rache und des Hasses ausgegeben, und werden immer noch Menschlichkeit und Nächstenliebe lediglich dem Neuen Testament nachgerühmt?

Als Wolfgang Hildesheimer 1964 gefragt wurde, warum er nicht in der Bundesrepublik lebe, antwortete er: »Ich bin Jud. Zwei Drittel aller Deutschen sind Antisemiten. Sie waren es immer, und sie werden es immer bleiben ...«[19] Eine bekannte deutsche Journalistin, von der ich privat wissen wollte, was sie von dieser schroffen Behauptung halte, war zu heftigem Widerspruch keineswegs bereit. Sofern Hildesheimer mit »Antisemitismus« nicht mehr meine – sagte sie etwa – als eine tief verwurzelte Abneigung gegen die Juden, dann sei der von ihm geschätzte Anteil (zwei Drittel also) möglicherweise, jedenfalls was die älteren und mittleren Generationen betreffe, nicht zu hoch gegriffen. Und wie ist es um die jüngeren Generationen in dieser Hinsicht bestellt?

Der Antisemitismus hat, wir wissen es, viele und sehr verschiedene Ursachen. Juden und Nichtjuden haben sich oft darüber Gedanken gemacht. In einem Gedicht der Nelly Sachs heißt es:

> Warum die schwarze Antwort des Hasses
> auf dein Dasein, Israel?[20]

Die Historiker und die Soziologen, die Psychologen und die Theologen sind nicht ratlos angesichts dieser Frage; der Antisemitismus ist ein Phänomen, das längst untersucht und erforscht wurde. Es geht doch nur darum, daß man die junge Generation mit den konkreten Ergebnissen der Forschung bekannt macht. Kurz und gut: Nicht auf Bekenntnisse kommt es an, wohl aber auf Erkenntnisse. Mit Deklarationen und Deklamationen ist wenig getan, ungleich wichtiger sind Dokumentationen. Eine solche Dokumentation, die zur Aufklärung beitragen kann, scheint mir eben unsere Ausstellung zu sein. Sie ist, glaube ich, frei von Pathos und Klage und Apologetik. Sie gleicht vielmehr einer Bilanz, und Bilanzen haben immer etwas Sachliches und Nüchternes an sich.

Nicht die Veranstalter unserer Ausstellung haben die sehr verschiedenen Autoren unter dem spitzen Judenhut vereint, niemand will ihnen einen Davidstern aufnähen. Das ist ja längst geschehen, das haben jene besorgt, von denen die Werke dieser Schriftsteller aus den deutschen

Bibliotheken und Literaturgeschichten entfernt und aus den Programmen der Schulen und Universitäten gestrichen wurden, jene also, die Bücher und Menschen verbrannt haben.

Aber seitdem sind ja fünfundzwanzig Jahre vergangen. Wozu also zur Vergangenheit zurückkehren? Ach, es handelt sich eben nicht nur um die Vergangenheit, sondern um etwas, das in unsere Gegenwart hineinragt und hineinragen muß.

Ein Mann, den ich seit Jahren kenne und schätze, sagt mir oft, häufiger als es mir lieb ist: »Sie waren im Warschauer Getto, und ich war damals Hitlers Jagdflieger. Daran werden wir bis ans Ende unserer Tage denken, und das wird uns auch immer trennen.« Dieser Mann ist ehrlicher als die professionellen Philosemiten, er steht mir näher als jene, denen die Worte »Versöhnung« und »Brüderlichkeit« immer so rasch aus der Feder fließen.

Und Horst Krüger hat sein Buch ›Das zerbrochene Haus. Eine Jugend in Deutschland‹ mit den Worten beendet: »Irgendwie hat er (Hitler) uns allen einen Sprung beigebracht ... Die einen decken zu, und die anderen decken auf – das sind zwei Seiten derselben deutschen Medaille. Dieser Hitler, denke ich, der bleibt uns – lebenslänglich.«[21] Ja, und nichts wäre falscher und schädlicher, als diesen Sprung, den Hitler uns allen beigebracht hat, verdecken und verkleistern zu wollen. Allen solchen Bestrebungen, zu vergessen, was war, und zu beschönigen, was ist, widersetzt sich diese Ausstellung.

Es sind jedoch nicht nur die Verfolgungen zur Zeit des Dritten Reiches, die die gemeinsame Präsentation dieser Autoren legitimieren. Was verbindet sie sonst? Ihr Judentum etwa? Nein, sagen wir lieber: ihr Leiden am Judentum.

Tatsächlich haben sie alle, so sehr sie sich auch voneinander unterscheiden mochten, mehr oder weniger, früher oder später am Judentum gelitten – auch und insbesondere dann, wenn sie sich von ihm um jeden Preis losreißen wollten. Ich meine damit nicht religiöse, philosophische oder nationale Aspekte, sondern zunächst einmal die Position und Situation des Schriftstellers jüdischer Herkunft innerhalb der nichtjüdischen Gesellschaft und die sich daraus ergebenden Komplexe und Ressentiments. Margarete Susman spricht einmal von der »Wunde des Ausgerissenseins aus der natürlichen Ordnung, die unter allem jüdischen Leben in fremden Völkern und Kulturen unablässig fortblutet und in allen Taten des jüdischen Geistes immer wieder aufbricht.«[22]

So gewiß es stilistische oder formale Merkmale, die für die deutschen Schriftsteller jüdischer Herkunft charakteristisch wären, überhaupt nicht gibt, so sicher wurde das Werk der meisten von ihnen durch die spezifische Situation geprägt, in der sie sich als Juden innerhalb der nichtjüdischen Gesellschaft befunden haben. Es genügt, hier an Kafka und Werfel zu erinnern, an Else Lasker-Schüler, Döblin und Tucholsky, an Schnitzler und Karl Kraus, an Joseph Roth und Hermann Broch.

Für unsere Zeitgenossen gilt dies natürlich erst recht. Eine Interpretation der Verse Paul Celans, die von seinem Judentum und dem, was er als Jude unter nationalsozialistischer Herrschaft erlebt hat, absehen wollte, ist schwer denkbar. Wer Weg und Welt des Peter Weiss begreifen will, muß sich der Bedeutung jener knappen Feststellung bewußt werden, die in seinem autobiographischen Buch ›Abschied von den Eltern‹ zu finden ist: »Die Emigration war für mich nur die Bestätigung einer Unzugehörigkeit, die ich von frühster Kindheit an erfahren hatte. Einen heimischen Boden hatte ich nie besessen.«[23]

In Wolfgang Hildesheimers Hauptwerk, dem Roman ›Tynset‹, irrt der Ich-Erzähler durch das Gewirr von Straßen einer ihm fremden Stadt: »Ich fuhr, zwischen Taxen und Kreuzern, bedrängt von Verkehrsteilnehmern, alle verkehrssicher, alle zielsicher, alle wußten genau, wohin sie gehörten, und steuerten diesen Ort an, und dazwischen ich, der ich nicht wußte, wohin ich gehörte ...« Doch etwas weiter heißt es: »Ich war an der oberen Schießschanze, zwängte mich in die Judengasse, wo ich hingehöre ...«[24]

Hilde Domin lebt nach langen Jahren des Exils in Heidelberg. Aber ihre Lyrik steht unter den Vorzeichen, die sie in dem Gedicht ›Mit leichtem Gepäck‹ gesetzt hat:

> Gewöhn dich nicht.
> Du darfst dich nicht gewöhnen.
> Eine Rose ist eine Rose.
> Aber ein Heim
> ist kein Heim.[25]

Der Aufenthalt im Ausland übte auf die Sprache dieser Autoren – freilich nicht nur der jüdischen Emigranten – einen starken, wenn auch nicht immer leicht feststellbaren Einfluß aus, der sich ebenso in positiver wie in negativer Richtung auswirken konnte. Peter Weiss, dessen erste Bücher schwedisch geschrieben sind, hat selber seine Rückkehr zur deutschen Sprache kommentiert: »Obgleich er die Sprache in allen Einzelheiten wiedererkannte, war ihm, als müsse er noch einmal beginnen, sich in ihr verständlich zu machen. Lange erschien ihm dies als ein Mangel.« Aber er akzeptierte ihn, weil er erkannte, daß in dem Mangel eine neue Möglichkeit verborgen war: »Wenn er jetzt zur Sprache zurückgriff, die er damals gesprochen hat, dann sah er in dieser Sprache nur noch ein Werkzeug zwischen anderen Werkzeugen ... So wie er seiner selbst nicht sicher war, war er auch der alten Sprache nicht mehr sicher. Gleichzeitig mit dem Versuch, sich wiederzuentdecken und neu zu bewerten, mußte auch diese Sprache wieder neu errichtet werden ... So kommt der Schreibende auf einem Umweg über den Zerfall und die Machtlosigkeit zum Schreiben ...«[26]

Die Sprache als Werkzeug, nur noch als Werkzeug, ein Deutsch also, das aus der Distanz zum Deutschen entstanden war – das ist wohl der Aspekt, unter dem die Verssprache in den Dramen von Peter Weiss analysiert werden sollte.

Auch auf Erich Fried trifft dies zu, hier scheint die stimulierende Wirkung des Exilaufenthalts besonders deutlich. Ein Grundelement der Lyrik und der Prosa Frieds ist das Wortspiel, das sich meist von einer außerordentlichen Reizbarkeit für Lautübereinstimmungen oder Lautähnlichkeiten im Deutschen nährt. Daß diese Reizbarkeit erst durch die Distanz zum Alltagsdeutsch – Fried lebt seit über dreißig Jahren in London – gewonnen werden konnte, muß zumindest als sehr wahrscheinlich gelten.

Zu nennen sind hier ferner Autoren, von denen man sagen kann, daß sie sich eher zwischen den Sprachen befinden – so Stefan Heym, der seine publizistischen Arbeiten deutsch, doch seine Romane und Erzählungen nach wie vor englisch schreibt und meist selber ins Deutsche übersetzt, so Jakov Lind, der erst vor wenigen Jahren vom Deutschen zum Englischen übergegangen ist.

In diesen Zusammenhang gehören auch Schriftsteller jüdischer Herkunft, die ihre Kindheit oder Jugend im »Dritten Reich« erlebt haben – wie etwa Ilse Aichinger, Günter Kunert und Wolf Biermann. Während bei Kunert und auch in der Prosa Ilse Aichingers auf die Abstammung dieser Autoren und die damit verbundenen Erlebnisse schon viele eindeutige inhaltliche Motive verweisen, verhält es sich bei dem jüngeren Wolf Biermann entschieden anders. Er ist der Sohn eines Juden, gewiß, aber er war noch ein kleines Kind, als sein Vater in Auschwitz ermordet wurde. 1945 war Biermann kaum neun Jahre alt, erzogen wurde er von der Mutter, einer Nichtjüdin. Kann also bei diesem permanenten Ruhestörer aus der DDR überhaupt von einer jüdischen

Komponente die Rede sein? Offenbar doch. In einem einer zentralen Gedichte, in dem programmatischen ›Gesang für meine Genossen‹, heißt es:

Und ich singe all meine Verwirrung
und alle Bitternis zwischen den Schlachten
und ich verschweige dir nicht mein Schweigen
– ach, in wortreichen Nächten, wie oft verschwieg ich
meine jüdische Angst, von der ich behaupte
daß ich sie habe – und von der ich fürchte
daß einst sie mich haben wird, diese Angst.[27]

Das alles sind Fragen, die noch kaum untersucht wurden, hier steht die deutsche Literaturwissenschaft vor großen und schwierigen Aufgaben: Versäumtes gilt es nachzuholen, Aspekte also aufzudecken, die man bisher, aus welchen Gründen auch immer, ausgeklammert oder bagatellisiert oder auch tendenziös dargestellt hat. Dabei liegt es sehr nahe, der deutschen Germanistik, die ohnehin seit vielen Jahren geprügelt wird, auch hierfür die Verantwortung und die Schuld aufzuladen. Aber dies wäre billig und ungerecht zugleich. So einfach dürfen wir es uns nicht machen.

Unter dem Titel ›Juden in der deutschen Literatur. Essays über zeitgenössische Schriftsteller‹ erschien in Berlin im Jahre 1922 ein Sammelwerk, an dem zahlreiche bekannte jüdische und nichtjüdische Autoren mitgearbeitet hatten. Im Vorwort meint der Herausgeber, Gustav Krojanker, daß es sich bei dem Buch um »ein ungemein verdächtiges Unternehmen« handle: »Denn es scheint in diesem Deutschland fast nicht anders denkbar, als daß die Geschäfte einer finsteren Reaktion betreibt, wer das Wesen des Juden als ein unterschiedliches überhaupt zu betrachten wagt.«[28]

Indes waren es die jüdischen Schriftsteller selber, die sich einer solchen Betrachtung oft widersetzt haben. Kam dieser Widerstand der Selbstverleugnung der Betroffenen gleich? In manchen Fällen gewiß, in vielen anderen war es jedoch Selbsttäuschung und, wohl noch häufiger, Selbstverteidigung. Aus dem Hinweis nämlich auf die jüdische Besonderheit eines deutschsprachigen Schriftstellers ergab sich fast immer, ob dies nun ausgesprochen wurde oder nicht, der Zweifel an seiner Berechtigung, am deutschen Kulturleben teilzunehmen.

Nichts begreiflicher als der Umstand, daß nach 1945 die Literaturkenner, woher sie auch kamen, noch größere Schwierigkeiten hatten, diese Aspekte vorbehaltlos zu untersuchen. Aber gerade weil die Frage nach der jüdischen Komponente im Werk vieler Schriftsteller so ungeheuerlich belastet ist wie wohl noch nie ein Problem in der Geschichte der deutschen Literatur, ebendeshalb ist hier nichts notwendiger als maximale Sachlichkeit und Nüchternheit.

Walter Benjamin spricht in einem Brief aus dem Jahre 1939 vom »Strom erbaulicher und apologetischer Judaistik« und fügt hinzu, »daß alles, was man über ›die Juden in der deutschen Literatur‹ bis dato lesen konnte, von eben dieser Strömung sich treiben ließ«[29]. Es liegt auf der Hand, daß der Wissenschaft und der Literatur nur geholfen werden kann mit Untersuchungen, die frei sind ebenso von »erbaulicher und apologetischer Judaistik« wie natürlich auch von antisemitischer Verketzerung.

Wieviel auf diesem Gebiet noch zu leisten ist, ja, daß wir eigentlich hier noch ganz in den Anfängen stecken, lassen schon die mit großer Verspätung publizierten Editionen erkennen. Erst in den letzten Jahren erschienen die Briefe, die autobiographischen Schriften und viele bisher ungedruckte Arbeiten Schnitzlers und Roths, Döblins und Benjamins – um sich auf nur einige Beispiele zu beschränken. Auch auf diesen Aufgabenbereich der Literaturwissenschaft und der Germanistik verweist unsere Ausstellung.

Nichts wäre also irriger als die Annahme, man habe diese Schriftsteller hier noch einmal isolieren und mit einer nunmehr goldenen Gettomauer umgeben wollen. Ganz im Gegenteil: Nur dann nämlich, wenn man die spezifische Situation und die Eigenart der deutschen Schriftsteller jüdischer Herkunft ausdrücklich betont, nur dann macht man sie verständlich und trägt zu ihrer Wiedereinbürgerung bei – zu einer tatsächlichen und nicht zu einer solchen, die sich auf philosemitische Lippenbekenntnisse beschränkt.

Das Kapitel der Geistesgeschichte, an das wir dank dieser Ausstellung erinnert werden, ist einzigartig sowohl in der europäischen Literatur als auch in der langen Geschichte der Juden. In England konnte schon im vorigen Jahrhundert ein Jude Ministerpräsident sein, doch weder die englischen noch die russischen, weder die französischen noch die italienischen Juden haben geistige Leistungen aufzuweisen, die mit den Ergebnissen der deutsch-jüdischen Verbindung auch nur im entferntesten vergleichbar wären.

Dabei haben sich die deutschschreibenden Juden von Anfang an fast immer mit den revolutionären oder doch eindeutig fortschrittlichen Strömungen verbunden – dies gilt jedenfalls für das ganze neunzehnte Jahrhundert bis hin zu den Kritikern und Förderern des Naturalismus wie Otto Brahm und Samuel Fischer, Moritz Heimann und Alfred Kerr. Es ist deshalb nicht übertrieben, wenn man sagt, daß die Juden – und nicht nur Schriftsteller und Kritiker, sondern auch Verleger, Redakteure, Theaterdirektoren, Dirigenten, Regisseure – nahezu immer das Neue gefördert haben.

Ein Engagement der Juden im betont konservativen Sinne ist in der Geschichte der deutschen Literatur erst um 1900 feststellbar, und zwar vor allem im Umkreis von Stefan George – zu nennen sind hier Rudolf Borchardt, Friedrich Gundolf und Karl Wolfskehl. Seitdem gibt es zwar kaum eine literarische Strömung oder Richtung, in der nicht auch Juden zu Worte gekommen wären. Dennoch findet man sie meist auf jenem Flügel, den man gemeinhin als »links« bezeichnet. Daß dies alles sehr verständlich, doch gar nicht selbstverständlich ist, zeigt ein Blick nach Frankreich oder erst recht nach England, wo Juden sich eher auf dem konservativen Flügel bemerkbar machten.

Wie soll man es sich erklären, daß es gerade die deutsch-jüdische Verbindung war, die zu so außergewöhnlichen Leistungen geführt hat? Seit bald anderthalb Jahrhunderten denken Juden und Deutsche über diese Frage nach, ohne sie je hinreichend beantworten zu können. Oft wird auf gemeinsame Elemente im Charakter der Deutschen und der Juden hingewiesen – so etwa auf die ausgeprägte Neigung der einen wie der anderen zum abstrakten Denken. »Es ist in der Tat auffallend« – meinte Heine –, »welche innige Wahlverwandtschaft zwischen den beiden Völkern der Sittlichkeit, den Juden und Germanen, herrscht ... Beide Völker sind sich ursprünglich so ähnlich, daß man das ehemalige Palästina für ein orientalisches Deutschland ansehen könnte, wie man das heutige Deutschland für die Heimat des heiligen Wortes, für den Mutterboden des Prophetentums, für die Burg der reinen Geistheit halten sollte.«[30]

Schon im vergangenen Jahrhundert hat man auf die Folgen dieser eigentümlichen Mischung aus Unterschieden und Gemeinsamkeiten aufmerksam gemacht: Das Deutsche wurde für die Juden besonders attraktiv und das Jüdische für die Deutschen, als Ergänzung und Korrektiv, besonders nützlich. Vielleicht hat eine der entscheidenden Ursachen dieses verblüffenden Phänomens der junge Walter Benjamin erkannt, als er schon 1917 schrieb: »Deutscher und Jude stehen sich gleich den verwandten Extremen gegenüber.«[31] Und vielleicht ist so falsch nicht, was Franz Kafka mit einer gelegentlichen Bemerkung andeuten wollte: »Juden und Deutsche haben vieles gemeinsam. Sie sind strebsam, tüchtig, fleißig und gründlich verhaßt bei den anderen. Juden und Deutsche sind Ausgestoßene.«[32]

Sollte gar – möchte ich fragen – das gegenseitige Verhältnis der Deutschen und der Juden seinen tiefsten Ursprung in ihrer Unzufriedenheit mit sich selbst, in ihrem Leiden am eigenen Wesen haben, im Selbsthaß also der Deutschen, im Selbsthaß der Juden? Ich frage, aber ich wage nicht zu antworten.

Wie dem auch sei: Das Kapitel, von dem wir hier sprechen, ist überschaubar geworden und läßt sich zusammenfassen. Denn es ist abgeschlossen, endgültig und unwiderruflich, wie mir scheint. Noch einmal wurden wir in den sechziger Jahren an die immer wieder erstaunlichen und fast schon unheimlichen Möglichkeiten dieser deutsch-jüdischen Verbindung erinnert: Einige Philosophen – Theodor W. Adorno und Max Horkheimer, Ernst Bloch und Herbert Marcuse und auch Georg Lukács – vermochten einen ungeahnten Einfluß auf das geistige Leben der Bundesrepublik, zumal der jungen Generation, auszuüben. Hierzu gehört auch der postume Einfluß im letzten Jahrzehnt solcher Denker und Essayisten wie Ludwig Wittgenstein und Walter Benjamin.

Auch sie folgten und folgen – ähnlich wie die Schriftsteller von Peter Weiss bis zu Wolf Biermann – der großen Tradition: Sie wirkten und wirken als jene Ruhestörer und Provokateure, die Deutschland immer gebraucht, meist geschätzt und nie geliebt hat. Denn »die Liebesaffäre der Juden mit den Deutschen« – sagte Gershom Scholem – »blieb, aufs Große gesehen, einseitig, unerwidert, und weckte im besten Fall etwas wie Rührung ... und Dankbarkeit. Dankbarkeit haben die Juden nicht selten gefunden, die Liebe, die sie gesucht haben, so gut wie nie.«[33]

Ja, so ist es. Die unerwiderte Liebe zum deutschen Geist hat viele dieser Schriftsteller geprägt: Lyriker wie Heine, Publizisten wie Maximilian Harden, Kritiker wie Alfred Kerr, Satiriker wie Karl Kraus, Feuilletonisten wie Kurt Tucholsky. Mußten sie Ruhestörer werden, weil ihre Liebe nicht erwidert wurde? Oder wurde ihre Liebe nicht erwidert, weil sie Ruhestörer waren? Wahrscheinlich gilt das eine ebenso wie das andere. Jedenfalls ist es ihnen nie gelungen, den »magischen Judenkreis«, über den sich schon Börne wunderte, zu überwinden.

(1970)

II
Ludwig Börne oder Bruchstücke einer großen Rebellion

Dachte einer an Deutschland in der Nacht und wurde um den Schlaf gebracht – dann war es nicht Heinrich Heine, der dies gedichtet hat, sondern Ludwig Börne, sein Verbündeter und Antipode, sein heimlicher, sein feindlicher Bruder.

Für Heine war die Poesie doch wichtiger als alles andere. Für Börne war die Freiheit kostbarer als alle Kunst. Heine war ein Dichter, den die Fragen der Gesellschaft und der Politik schmerzten und irritierten. Börne war ein Politiker, den die Möglichkeiten des Worts, der Sprache erregten und faszinierten. Wohin der Jude Heine kam, war der Geist der deutschen Literatur. Wohin der Jude Börne kam, war der Traum von deutscher Demokratie. Und beide wirkten sie als Ruhestörer, als Provokateure.

Juda Löw Baruch, der sich Ludwig Börne nannte, war ein Patriot, aber ohne Vaterland, ein Volkstribun, freilich ohne Volk, ein Politiker, doch ohne Amt. So war er auch ein Schriftsteller ohne Werke. In der Ankündigung der vierzehnbändigen Ausgabe seiner gesammelten Schriften sagte er zu Recht, wenn auch nicht ganz ohne Koketterie: »Ich habe keine Werke geschrieben, ich habe nur meine Feder versucht, auf diesem, auf jenem Papiere; jetzt sollen die Blätter gesammelt, aufeinandergelegt werden, und der Buchbinder soll sie zu Büchern machen – das ist alles.«[1]

In der Tat hat Börne weder Dramen noch Epen oder Romane, weder philosophische noch wissenschaftliche Werke verfaßt. Aber alle seine Arbeiten – Feuilletons und Betrachtungen, Essays und Kritiken, Satiren und Reportagen, Glossen und Aphorismen – erweisen sich als Bestandteile eines einzigen, eines erstaunlich einheitlichen Werks: Es sind Bruchstücke einer großen Rebellion.

Den deutschen Literaturhistorikern fiel und fällt es schwer, für Börne einen Platz zu finden. Denn was er geschrieben hat, vereint, was unvereinbar schien: Er war ein Feuilletonist und gleichwohl ein Praeceptor Germaniae. Er war ein Prediger mit Witz, ein Weltverbesserer mit Humor, ein Gerechtigkeitsapostel mit Ironie. Er war ein toleranter Fanatiker. Wie vor ihm nur jener, den er mehr geschätzt und bewundert hat als Goethe und Schiller, wie vor ihm nur Lessing, war auch Börne Journalist und Prophet in einem.

Es gab ein Thema – berichtet Heine –, »das man nur zu berühren brauchte, um die wildesten und schmerzlichsten Gedanken, die in Börnes Seele lauerten, hervorzurufen; dieses Thema war Deutschland und der politische Zustand des deutschen Volkes«[2]. Ja, er war verliebt in Deutschland und die deutsche Kultur. Kaum ein deutscher Emigrant hat im Paris jener dreißiger Jahre so gelitten wie Börne. »Das Exil« – sagte er – »ist eine schreckliche Sache. Komme ich einst in den Himmel, ich werde mich gewiß auch dort unglücklich fühlen, unter den Engeln, die so schön singen [...] sie sprechen ja kein deutsch [...].«[3] Und käme ein Gott zu ihm und spräche: »Ich will dich in einen Franzosen umwandeln«, er, Börne, antwortete ihm: »Ich danke, Herr Gott. Ich will ein Deutscher bleiben mit allen seinen Mängeln und Auswüchsen.«[4]

Diese Liebe zu Deutschland hat Börne niemals gehindert, den Deutschen die bittersten Wahrheiten zu sagen. Er schrieb: »Die so stolzen, herrischen Deutschen [...], die auf die Juden mit solcher Verachtung herabblicken, haben noch und wollen kein Vaterland, haben noch und wollen keine Freiheit.«[5] Die Türken, die Spanier und die Juden seien der Freiheit viel näher als der Deutsche. Denn: »Sie sind Sklaven, sie werden einmal ihre Ketten brechen, und dann sind sie frei. Der Deutsche aber ist Bedienter, er könnte frei sein, aber er will es nicht [...].«[6] Börne zögerte nicht zu erklären, man müsse den

Deutschen Tag und Nacht zurufen: »Ihr taugt nichts als Nation.«[7]

Natürlich bekam er bald zu hören, womit er rechnen mußte: Man erinnerte in der Öffentlichkeit, daß Börne ein Jude sei. Er antwortete: »Ja, weil ich als Knecht geboren, darum liebe ich die Freiheit mehr als Ihr. Ja, weil ich die Sklaverei gelernt, darum verstehe ich die Freiheit besser als Ihr. Ja, weil ich in keinem Vaterlande geboren, darum wünsche ich ein Vaterland heißer als Ihr, und weil mein Geburtsort nicht größer war als die Judengasse und hinter den verschlossenen Toren das Ausland für mich begann, genügt mir auch die Stadt nicht mehr zum Vaterlande, nicht mehr ein Landgebiet, nicht mehr eine Provinz, nur das ganze große Vaterland genügt mir, so weit seine Sprache reicht.«[8]

Im Grunde faszinierte Börne nur eine einzige Epoche: die Gegenwart. Und ein einziges Ziel schwebte ihm vor: die Freiheit. Sein Programm war so knapp wie einfach. In einem Brief des Achtzehnjährigen heißt es: »Unser Seyn ist das Produkt der gefesselten Freiheit.«[9] Die daraus gezogene Folgerung hat er 1823 in einem Artikel für ein Konversationslexikon formuliert: »Mit aller Theologen gütiger Erlaubnis, die Menschheit ist um der *Menschen* willen da. Den *Individualitäten* die möglichst größte Freiheit der Entwicklung zu verschaffen, ohne daß sie sich wechselseitig hindern – das ist die Bestimmung der bürgerlichen Gesellschaft.«[10] Aber die Freiheit war für Börne nichts Positives, sondern nur »die Abwesenheit der Unfreiheit«[11]; die Freiheit war für ihn eigentlich keine Idee, »sondern nur die Möglichkeit, jede beliebige Idee zu fassen, zu verfolgen und festzuhalten«. Denn eine Idee – erklärte er – könne man »durch eine andere verdrängen, nur die der Freiheit nicht«[12].

Bloß eine Möglichkeit sah er zur Verwirklichung der Postulate Kants und Lessings, nur einen Weg sah er zum Gelobten Land der Freiheit: Das Wundermittel war die öffentliche Meinung, von ihr erwartete er alles. Die Ankündigung der von ihm 1818 in Frankfurt gegründeten und redigierten Zeitschrift ›Die Wage‹ schloß er mit den hochherzig-optimistischen Worten: »Was die öffentliche Meinung *ernst* fordert, versagt ihr keiner; was ihr abgeschlagen worden, das hatte sie nur mit Gleichgültigkeit verlangt.«[13] Verwerflich schien ihm lediglich *eine* Meinung, jene nämlich, die keine andere neben sich duldet. In seiner ›Wage‹ – versprach er – »solle jede Ansicht, auch wenn ihr der Herausgeber nicht gewogen ist, dennoch eine willige Aufnahme finden; ja, sie soll sehr willkommen sein, weil am Widerspruche die Wahrheit erstarkt«.[14]

Seine Zeitgenossen erinnerte er an jene Mauern von Jericho, die von Trompetenklängen gestürzt wurden. Der Bibeldeuter Börne belehrte die deutschen Leser: »Unter *Trompete* verstand die Heilige Schrift die *Preßfreiheit.* Vor ihr werden auch die Mauern der Tyrannei fallen.«[15] So kämpfte Börne nicht gegen Dämonen, sondern gegen Despoten. Zu welchem Thema er sich auch äußerte, immer ging es ihm um konkrete erzieherische Wirkung. Einfluß wollte er ausüben. Ob er den Lesern gefiel oder nicht, das kümmerte ihn, zumal in seinen späteren Jahren, wenig. Nicht amüsieren wollte er, sondern heilen. In den berühmten ›Briefen aus Paris‹ konstatierte er knapp: »Ich bin kein Zuckerbäcker, ich bin ein Apotheker.«[16] Und in seiner letzten Schrift, ›Menzel der Franzosenfresser‹, heißt es: »Ich wollte nie für einen Schreibkünstler gelten. [...] Gedanken, Worte sind meine Werkzeuge, die ich nur schätze, solange ich sie brauche, und wegwerfe, sobald sie gebraucht.«[17]

Was immer Börne schrieb, es war Zeitkritik im Kampf um die Demokratie. Das gilt auch, versteht sich, für seine Auseinandersetzung mit der Literatur, mit dem Theater. Das Niveau der damaligen deutschen Kritik entsetzte ihn: »In Deutschland schreibt jeder, der die Hand zu nichts anderem gebraucht, und wer nicht schreiben kann, rezensiert.«[18] Börne kritisierte und interpretierte die Literatur im Lichte aktueller gesellschaftlicher und politischer Erkenntnisse, er prüfte die Literatur auf ihre weltliche Nützlichkeit und ihre pädagogische Verwendbarkeit.

Zehn Jahre lang war er Theaterkritiker, zehn Jahre lang rezensierte er regelmäßig und geduldig Frankfurter Premieren. Offenbar war das Frankfurter Schauspielhaus schon damals schlecht. »An Gewichten fehlte es mir nicht, aber ich hatte nichts zu wiegen«[19], klagte der Redakteur der ›Wage‹. So war Börne, der Volkstribun ohne Volk, auch noch ein Theaterkritiker ohne Theater. Gleichwohl hatte er für die dramatische Kunst eine besondere Schwäche, deren triftige Gründe er nie verheimlichen wollte. 1818, als er seine Rezensententätigkeit begann, schrieb er: »Das stehende Schauspiel eines Orts ist selten besser, nie schlechter als die Zuhörer darin, und so wird es die höflichste Art, einer lieben Bürgerschaft überall zu sagen, was an ihr sei, daß man über ihre Bühne spreche.«[20] Elf Jahre später resümierte er: »Ich sah im Schauspiele das Spiegelbild des Lebens [...] Ich schlug den Sack und meinte den Esel.«[21]

Nicht daß die Deutschen kein Theater hatten, beunruhigte und betrübte Börne – denn man könne »ein sehr edles, ein sehr glückliches Volk sein ohne gutes Schauspiel« –, sondern daß sie damals, wie er glaubte, keines haben konnten: »Dieser Schmerz gab meinen Beurteilungen eine Leidenschaftlichkeit, die man mir zum Vorwurf gemacht, weil man sie mißverstanden.«[22]

Die Leidenschaftlichkeit, zu der sich schon der siebzehnjährige Student in einem Brief an seine mütterliche Freundin Henriette Herz enthusiastisch bekannt hat[23], machte ihn zu einer so außergewöhnlichen Figur in der deutschen Literatur jener Epoche. Aus seiner Leidenschaftlichkeit, aus seinem Temperament ergab sich Börnes hartnäckige Vorliebe für unbedingt klare, unmißverständliche und nachdrückliche Formulierungen: Die Deutlichkeit war seine Passion.

»Wozu uns ein solches Schauspiel von der flachsten Flachheit, von dem fadesten Geschmacke?«[24] – urteilte er über ein Stück von Iffland. »Ich gestehe es offen, daß dieses Werk mir in der innersten Seele zuwider ist.«[25] Es ging, immerhin, um E. T. A. Hoffmanns ›Kater Murr‹. Und in den ›Briefen aus Paris‹ schrieb Börne über den Zeitgenossen in Weimar: »Seit ich fühle, habe ich Goethe gehaßt, seit ich denke, weiß ich warum.«[26] Die Neigung zum vorsichtig umschreibenden Understatement kann man also Börne schwerlich vorwerfen. Er dachte nicht daran, die Bäume im Wald zu verstecken.

Die Leser haben Börnes Deutlichkeit geschätzt und seinen Mut, seine Unabhängigkeit bewundert. An Feinden freilich hat es ihm nicht gefehlt. Aber verächtlich ist der Kritiker, der keine Feinde hat. Wer sie fürchtet, der muß sich ein anderes Metier aussuchen. Doch scheinen auch Börnes Feinde geahnt zu haben, daß dieser Mann das Recht hatte, gegen Ende seines Lebens zu sagen: »Ich habe nie für meinen Ruhm, ich habe für meinen Glauben geschrieben.«[27] Bisweilen sah sich Börne gezwungen zu erinnern, »daß die Kritik zwar manchmal verwundet, aber noch nie einen totgeschlagen«.[28] In der Tat: Gern und oft beschuldigt man die Kritiker literarischer Morde. Doch sollte man sich hüten, für Mörder jene zu halten, zu deren Pflichten es gehört, Totenscheine auszustellen.

Die unmittelbare, die spontane und eben leidenschaftliche Reaktion auf künstlerische Phänomene war Börnes starke Seite. Aber zugleich war es auch seine Schwäche. Denn oft begnügte er sich mit der ersten, der nicht immer hinreichend kontrollierten Reaktion, bisweilen schoß er im polemischen Furor über das Ziel hinaus. Ein philosophischer Kopf war Börne nicht. Das philosophische Denken und Wirken sei ihm, bemerkte er gelegentlich, vollkommen fremd.[29] So war ihm auch an einer Kunsttheorie nicht gelegen. Die wissenschaftliche Komponente, die der Literaturkritik nicht fehlen sollte, hat er häufig vernachlässigt, ein Gesetzgeber wollte er nie sein, wohl aber ein Richter, freilich ein Richter besonderer Art. Im Jahre 1877 schrieb Theodor Fontane: »Je länger man das kritische Metier treibt, je mehr überzeugt man sich davon, daß es mit den Prinzipien und einem Paragraphen-Codex nicht geht. Man muß sich auf seine unmittelbare Empfindung verlassen können.«[30] Damit hatte Fontane nur wiederholt, was sich schon ein halbes Jahrhundert früher bei Börne findet: »Wie ein Geschworener urteilte ich nach Gefühl und Gewissen; um die Gesetze bekümmerte ich mich, ja ich kannte sie gar nicht [...] Ich war ein *Naturkritiker* in dem Sinne, wie man einen Bauer [...], der Gedichte machte, einen *Naturdichter* genannt hatte.«[31]

Als passionierter »Naturkritiker« widersetzte sich Börne der »Spaltung zwischen Idee und Wirklichkeit«, jener fatalen Kluft, deren Existenz er schon 1808, in einer seiner frühesten Arbeiten, beklagt hat.[32] Seine Vorbilder suchte er in der Antike: »Bei den Alten war das Leben von der Wissenschaft nicht getrennt, sie dachten ihr Leben und lebten ihre Gedanken.«[33]

Wie alle guten Kritiker, von Lessing bis heute, wollte Börne zwischen der Dichtung und dem Publikum vermitteln. Als er 1821 eine neue Zeitschrift plante, schrieb er an den Verleger Cotta: »Der Zweck des Blattes müßte sein, die Literatur mit dem Leben, d.h. die Ideen mit der wirklichen Welt zu verbinden.«[34] Nötig sei es, an die Bücher früherer Autoren den Maßstab der neuen Zeit zu legen. Wie wäre jetzt, fragte Börne, Lessings Dramaturgie, wie Rousseaus ›Neue Héloise‹ zu beurteilen, wie der ›Wilhelm Meister‹ und wie der ›Titan‹? »Man müßte diese Werke besprechen, als wären sie erst erschienen.«[35] Man sollte sich doch damit abfinden – fügte Börne hinzu –, daß das Urteil der neuen Instanz von dem der alten vielleicht abweichen werde. Eine solche Kritik, die den Wert der Werke der vorangegangenen Epochen »in der Münze unserer Zeit berechnet«[36], wurde von Börne nicht nur postuliert, sondern auch auf exemplarische Weise realisiert. Er mißtraute der überlieferten Deutung gerade der Meisterwerke der Weltliteratur.

Hamlet, wies Börne nach, sei »gar nicht so edel und liebenswürdig, wie er seinem Mädchen erscheint«, und der König Claudius »lange nicht so nichtswürdig, wie ihn Hamlet lästert«.[37] Der König – das ist in Börnes Sicht ein Liebender, einer, der sich von seinen Gefühlen zur Königin leiten läßt; die Liebe, nicht etwa die Machtgier, treibe ihn zum Verbrechen. Den König interpretiert Börne als »Charakter ohne Geist« und Hamlet als »Geist ohne Charakter«.[38]

Kann man dem Prinzen Hamlet den Charakter absprechen? Börnes Essay, der zu seinen kühnsten und originellsten gehört, ist nur aus der geschichtlichen und politischen Situation zu verstehen, in der er geschrieben wurde, und von der Schlußpointe her, auf die er konsequent zuläuft. Nichts wundere ihn mehr, sagt nämlich Börne im Fazit, als der Umstand, daß dieses Drama von einem Briten stamme, eigentlich hätte es, meint er, ein Deutscher verfassen müssen. Denn: »Ein Deutscher brauchte nur eine schöne, leserliche Hand dazu. Er schreibt sich ab, und Hamlet ist fertig.«[39]

Wäre also Hamlet das Bild des deutschen Intellektuellen? In der Tat ist der junge Dänenprinz ein Zögling und vielleicht auch, wie Börne behauptet, ein Opfer der deutschen Philosophie. Er hat ja in Wittenberg studiert. Und dort, auf der hohen Schule, habe man ihm offenbar nichts beigebracht, was für den Alltag nützlich wäre. Das einzige für das niedere Leben Brauchbare, das er aus Deutschland mitgebracht hat, sei seine Fechtkunst – und gerade die gereiche ihm zum Verderben.

Zwar werde die schwere deutsche Philosophie beim geistreichen Hamlet geschmeidig und graziös. Dies sei jedoch, meint Börne, noch schlimmer, denn sie »dringt in die feinsten Adern des Lebens und hemmt den Lauf des fröhlichen Blutes«[40]. Die Folgen seien verheerend: »Er kennt die Menschheit, die Menschen sind ihm fremd. Er ist zu sehr Philosoph, um zu lieben und zu hassen. [...] darum ist er ohne Teilnahme für seine Freunde und ohne

Widerstand gegen seine Feinde.«[41] Hamlet sei ein redseliger und eitler, ein gänzlich unpraktischer und lebensuntüchtiger Mann geworden, ein »Feiertagsmensch«: »Das Leben ist ihm verhaßt; aber nicht wegen der Leiden, nein, wegen der Handlungen, die es auflegt.«[42]

So gesehen, ist Hamlet ein Porträt nicht des deutschen Intellektuellen schlechthin, sondern jenes Typs, der, Börne zufolge, die Verantwortung oder doch zumindest die Mitverantwortung für die gesellschaftlichen Zustände Ende der zwanziger Jahre des vorigen Jahrhunderts trägt. Hamlet, den das abstrakte Denken unfähig macht zur Tat, dem der zum Wolkenhimmel aufsteigende Dunst der deutschen Philosophie die deutsche Realität verstellt, wird zum Gegenbild von all dem, was Börne in der gegebenen politischen Situation für wünschenswert und nötig hält.

Als 1818 in Frankfurt der ›Kaufmann von Venedig‹ aufgeführt wurde, deutete Börne auf ähnlich unvoreingenommene und überraschende Weise den Sinn des Stückes. Er warnte das Publikum, etwa zu meinen, »der große Dichter habe uns einen kleinen Judenspiegel für einen Batzen [...] zeigen wollen.«[43] Weder das Predigen noch das Lehren sei Shakespeares Sendung: »Wollte er aber ja einmal ein Schulmeister sein, so dachte er im ›Kaufmann von Venedig‹ gewiß eher daran, den Christen, als den Juden eine Lehre zu geben.«[44] Mit wenigen Worten machte Börne deutlich (und dies war damals neu), daß die Figur des Wucherers Shylock widerspruchsvoll sei und sein sollte: »Den Geldteufel in Shylock verabscheuen wir, den geplagten Mann bedauern wir, aber den Rächer unmenschlicher Verfolgung lieben und bewundern wir.«[45]

Im selben Jahr 1818 spielt man in Frankfurt Schillers ›Don Carlos‹, allerdings in einer offenbar unter dem Einfluß der Zensur stark bearbeiteten Fassung. Was Börne als »ein schönes vergoldetes Lehrbuch über Seelenkunde und Staatskunst«[46] bezeichnet, will er aktuell verstanden wissen: Es sei an der Zeit, meint er, das Drama in seiner alten Form auf die Bühne zu bringen, »damit, was man am

Morgen *vor* den Geschäften des Tages gedankenlos in der Zeitung liest: daß in Madrid die Inquisition sich wieder ausbreite, wirksamer am Abend im Schauspielhause als Schreckbild in die Seele dränge und sie mit Abscheu erfülle.«[47]

Ganz auf die Gegenwart wird auch Schillers ›Wilhelm Tell‹ bezogen. Da Erziehung für Börne nichts anderes ist als »Erziehung zur Freiheit«, bietet ihm der ›Wilhelm Tell‹ einen willkommenen Anlaß, den Zeitgenossen eine Lektion zu erteilen. Tell sei eine Figur, die mit dem Jahrhundert nichts zu tun habe, in dem das Stück spielt, wohl aber mit der Zeit, in der es entstanden ist. »Es tut mir leid um den guten Tell, aber er ist ein großer Philister«;[48] er habe mehr von einem deutschen Kleinbürger als von einem schweizerischen Landmann. Gewiß, Mut könne man ihm nicht absprechen, nur sei es jener Mut, den das Bewußtsein körperlicher Kraft gibt: Tell sei »mutig mit dem Arm und furchtsam mit der Zunge«.[49] Sein wichtigster Charakterzug sei die Untertänigkeit.

Auch den Apfelschuß lehnt Börne als eine moralisch verwerfliche Tat ab. Ein Vater könne alles wagen um das Leben seines Kindes, doch nicht dieses Leben selbst. Börne zögert nicht, das menschliche Recht des Individuums höher zu stellen als den nationalen oder gesellschaftlichen Anspruch. Er verblüfft seine Zeitgenossen mit der knappen Erklärung: »Tell hätte nicht schießen dürfen, und wäre darüber aus der ganzen schweizerischen Freiheit nichts geworden.«[50]

Aber am Ende sagt Börne überraschend, der ›Wilhelm Tell‹ sei eben doch eines der besten deutschen Schauspiele: »Es ist mit Kunstwerken wie mit Menschen: sie können bei den größten Fehlern liebenswürdig sein« und man könne es nicht recht erklären, warum es so sei.[51] Seine Kapitulation vor dem, was er trotz aller scharfsinnig dargelegten Mängel des Dramas als liebenswürdig empfindet, macht den Kritiker Börne liebenswürdig.

Wo er sich mit neuer ausländischer Literatur befaßt, tut

es Börne immer mit dem Blick auf die deutsche Literatur seiner Zeit. 1825 bespricht er die Romane eines noch kaum bekannten amerikanischen Schriftstellers: James Fenimore Cooper. Dem enthusiastischen Aufsatz ist allerdings nicht viel über Coopers Prosa zu entnehmen; im Grunde benutzt Börne die Gelegenheit, um sich über den deutschen Roman zu verbreiten und auf die Ursache seiner Schwäche zu verweisen: »Weil wir unseren Lebenskreis nicht überschreiten, erfahren wir auch nicht, was sich innerhalb des Kreises begibt; denn man muß andere kennen lernen, sich selbst zu kennen.«[52] Wir haben »keine Volksgeselligkeit, keinen Markt des Lebens, keinen Herd des Vaterlandes, keinen Großhandel, keine Seefahrt, und wir haben – keine Freiheit zu sagen, was wir noch mehr nicht haben.« Woher also Romane? Börne antwortet mit einer bitteren, einer glanzvoll-prägnanten Formel: »Demut im Leben und Wehmut in Romanen.« Und: »Heimweh nach dem Himmel, weil fremd auf der Erde; Liebe zu Gott, aus Furcht vor Menschen.«[53]

Bisweilen wurde Börne vorgeworfen, er habe bedeutende zeitgenössische Schriftsteller verkannt. Das ist, alles in allem, eine Legende. Wenige Jahre nach Kleists Tod, als dieser noch kaum bekannt war, rühmte Börne das ›Käthchen von Heilbronn‹ als einen »Edelstein, nicht unwert, an der Krone des britischen Dichterkönigs zu glänzen«.[54] Von den damals so modernen Schicksalstragödien wollte Börne – sehr zu Recht – nichts wissen und mußte also Grillparzers Erstling ›Die Ahnfrau‹ ablehnen. Aber er war der erste, der das Talent des jungen Grillparzer erkannte und der nicht zögerte, den Anfänger einen »herrlichen und geistreichen Dichter«[55] zu nennen.

Gewiß, Börne hat den Zeitgenossen E. T. A. Hoffmann in zwei Kritiken aus dem Jahre 1820 falsch eingeordnet und gänzlich unterschätzt. Mit den romantischen und auch den surrealen Elementen in Hoffmanns Prosa konnte sich Börne nicht abfinden, sie waren ihm zuwider. Er hielt an seinem, in einem ganz anderen Zusammenhang formulierten Grundsatz fest: »Je unfreier ein Volk ist, je romantischer wird seine Poesie.«[56] Aber noch da, wo er irrte, war Börne den zeitgenössischen Kritikern hoch überlegen. Denn die Eigenart der Epik Hoffmanns vermochte er virtuos zu charakterisieren. Er bescheinigte dem Autor des ›Kater Murr‹ die Fähigkeit, »die Geisterwelt aufzuschließen, zu verraten das Leben der leblosen Dinge, an den Tag zu bringen die verborgenen Fäden, womit der Mensch, und der glückliche, ahndungslos gegängelt wird«.[57]

An den ›Serapionsbrüdern‹ beanstandete Börne »eine abwärts gekehrte Romantik«. Der Leser finde »an der Besonnenheit des Dichters keine Brustwehr, die ihn vor dem Herabstürzen sichert, wenn ihn beim Anblicken der tollen Welt unter seinen Füßen der Schwindel überfällt«.[58] Was hier von Börne als Vorwurf gemeint war, empfinden wir heute eher als Vorzug der Prosa Hoffmanns. Indes: Hat Börne Hoffmann wirklich ganz verkannt? So spöttisch der berühmte Verriß der ›Serapionsbrüder‹ auch beginnt, so endet er mit einem zwar vorsichtigen Satz, der jedoch den Kern der Sache trifft und vermuten läßt, daß Börne die Größe Hoffmanns zumindest geahnt hat. Das Buch sei eine »Epopoe des Wahnsinns« und ein lobenswertes Unternehmen, »wenn es lobenswert ist, den menschlichen Geist, der nachtwandelnd an allen Gefahren unbeschädigt vorübergeht, aufzuwekken, um ihn vor dem Abgrunde zu warnen, der zu seinen Füßen droht.«[59]

Von all seinen schreibenden Zeitgenossen hat er Jean Paul am tiefsten verehrt, am innigsten geliebt. Jean Paul – heißt es 1820 in einem Brief Börnes an Jeannette Wohl – »war mein Geheimer Rat, bei dem ich in jeder Not Verstand suchte und fand [...]«.[60] In der Denkrede, die 1825 im Frankfurter Museum verlesen wurde, schrieb Börne: »Wir wollen trauern um ihn, den wir verloren, und um die andern, die ihn nicht verloren. Nicht allen hat er gelebt! [...] Er aber steht geduldig an der Pforte des zwanzigsten Jahrhunderts und wartet lächelnd, bis sein schleichend Volk ihm nachkomme.«[61] Jetzt, da das Werk Jean Pauls in allerlei Ausgaben verbreitet wird, da man in Deutschland fast von einer Jean-Paul-Renaissance sprechen kann, scheint Börnes Voraussage in Erfüllung gegangen.

Die Rede auf Jean Paul erreichte ihren Höhepunkt in den Worten: »Er sang nicht in den Palästen der Großen, er scherzte nicht mit seiner Leier an den Tischen der Reichen. Er war der Dichter der Niedergebornen, er war der Sänger der Armen [...]«[62] Doch damit war nicht nur Jean Paul gemeint, sondern auch einer, der sehr wohl in den Palästen der Großen sang, der mit seiner Leier gern an den Tischen der Reichen scherzte, der weder ein Dichter der Niedergebornen noch ein Sänger der Armen war. Börnes Denkrede auf Jean Paul ist zugleich eine Rede gegen Goethe.

Der lebenslängliche Kampf Börnes gegen Goethe trägt bisweilen neurotische, wenn nicht hysterische Züge. So konsequent und radikal dieser Kampf auch war – in der Geschichte der Literatur ist er nichts Außergewöhnliches. Die verbissenen, haßerfüllten Konfrontationen wiederholen sich: Immer sind es Auseinandersetzungen von Zeitgenossen, die freilich verschiedenen Generationen angehören. Börne contra Goethe – das ist im Prinzip nichts anderes als, in unserem Jahrhundert, Brecht contra Thomas Mann. Börne nennt Goethe einen »zahmen, geduldigen, zahnlosen Genius«, einen Adler, »der sich unter der Dachtraufe eines Schneiders angenistet«,[63] für ihn war er »der Dichter der Glücklichen«, der »Stabilitätsnarr«,[64] der »Despotendiener«, ja, »ein Krebsschaden am deutschen Körper«.[65] Schamlos habe Goethe »das Knechtische in der Natur des Menschen« verherrlicht: »Tyrannen hat schon mancher Dichter geschmeichelt, der Tyrannei noch keiner.«[66] In dem Tagebuch von 1830 resümierte Börne seine Anklage in Tiraden von hohem Pathos, dessen Wirkung man sich noch heute nicht ganz entziehen kann: »Goethe hätte ein Herkules sein können, sein Vaterland von großem Unrate zu befreien; aber er holte sich bloß die goldenen Äpfel der Hesperiden, die er für sich behielt [...] Nie hat er ein armes Wörtchen für sein Volk gesprochen, er, der früher auf der Höhe seines Ruhms unantastbar, später im hohen Alter unverletzlich, hätte sagen dürfen, was kein anderer wagen durfte [...] Dir ward ein hoher Geist, hast du je die Niedrigkeit beschämt? Der Himmel gab dir eine Feuerzunge, hast du je das Recht verteidigt? Du hattest ein gutes Schwert, aber du warst nur immer dein eigener Wächter!«[67]

War Börne ganz im Unrecht? Mir will es scheinen, daß jedes seiner Worte gegen Goethe berechtigt und trotzdem ungerecht war. Denn er sah nur die eine Seite Goethes und ignorierte hartnäckig die andere. Aber Einseitigkeit und Ungerechtigkeit gehören nun einmal zum Handwerk des Pamphletisten. Ganz spät, als Goethe nicht mehr lebte und Börne schon schwer krank war, hat er in einem Gespräch dem Feind doch noch Gerechtigkeit widerfahren lassen. Er erkannte, daß Goethe »das größte künstlerische Genie und der größte Egoist seines Jahrhunderts« war. Und Börne fügte hinzu: »Ohne dieses zu sein, hätte er jenes wohl nicht sein können.«[68]

Die Attacken gegen Goethe haben es manchen Gegnern Börnes leichtgemacht, ihm vorzuwerfen, was man paradoxerweise gerade Kritikern oft und gern vorwirft. Er, Börne, habe nicht hinreichend Sinn für die formalen und sprachlichen, für die artistischen Valeurs im literarischen Werk gehabt. Aber dies ist ebenso unsinnig, wie es etwa die Behauptung wäre, Brecht sei nicht imstande gewesen, die Qualität der Prosa Thomas Manns zu begreifen. Allerdings hatte Börne selber derartige billige Verunglimpfungen begünstigt. Schon am Anfang seiner Laufbahn schrieb er: »*Schön* ist nur das, was nützlich ist für alle.«[69] Die bewußt überspitzte Formel wurde in polemischer Absicht für bare Münze genommen. Am weitesten ging Heine, der Börne kurzerhand nachsagte: »Die künstlerische Form hielt er für Gemütlosigkeit.«[70] So kam er in den Ruf, ein Verfechter simpler Tendenzliteratur zu sein.

Es ist schon wahr: Für die Beurteilung von Kunstwerken suchte Börne Bezugspunkte oft außerhalb der Kunst. So gewiß er die Synthese aus moralischen, gesellschaftlichen und auch ästhetischen Postulaten anstrebte, so wurden diese von ihm bisweilen doch stiefmütterlich behandelt. Er reagierte damit auf die noch in den zwanziger Jahren des vorigen Jahrhunderts sowohl in der literarischen Praxis wie in der Theorie dominierenden und seiner Ansicht nach schädlichen Strömungen.

»Aber den Kunstkennern, den Kunstrichtern, diesen gottlosen Chinesen« – wetterte er –, »gilt nur die Form. Sie haben Geister und Körper in Stände und Kasten gebracht, und der Kasten gibt seinem Inhalte den Wert und bezeichnet ihn.«[71] Dies, meinte er, hätten die Klassiker mitverschuldet: »Schiller und Goethe sprechen so oft von dem *Wie* und *Warum*, daß sie das *Was* darüber vergessen.«[72] Börne scheute sich nicht, das französische Drama seiner Zeit inhaltlicher Elemente wegen zu loben. Wenn es weder ein Trauerspiel noch ein Lustspiel ist, so sei es doch »wenigstens eine Zeitung von den Ereignissen des Tages, an denen jeder teilnimmt«.[73] Wo aber dem deutschen Drama der Kunstwert mangele, da mangele ihm alles.

Indes hat Börne sehr wohl gewußt, daß nicht nur der Gedanke den Ausdruck schafft, sondern auch der Ausdruck den Gedanken.[74] Unmißverständlich belehrte er seine Leser: »An einem Kunstwerke ist die Form nicht von dem Wesen zu trennen, und es kann die eine nicht ohne das andere verletzt werden.« Im Widerspruch zu den über ihn noch heute im Umlauf befindlichen Ansichten hat er die direkte Tendenzliteratur oft genug angezweifelt und abgelehnt: »Es ist nicht jedem mit der Destillation der Gesinnung, mit Sentenzen – es ist uns nicht immer mit Rosenöl gedient; wir wollen die Rosen selbst haben, [...] wenn auch mit ihren Dornen.«[75] Und schließlich gilt für seine Prosa, gilt für Börne, was er Jean Paul nachgerühmt hat – daß dieser es verstanden habe, »das Musenpferd ohne den Steigbügel des Reims zu besteigen und ohne metrischen Zügel zu lenken«.[76]

Das Echo, das die Schriften Börnes hatten, war enorm. Er war ohne Zweifel der berühmteste Journalist seiner Epoche; und er wurde so heftig bekämpft wie nur noch ein Autor – wie Heine. Aber zufrieden war Börne nicht. In einem Brief Kurt Tucholskys findet sich die Bemerkung: »Das, worum mir manchmal so bange ist, ist die Wirkung meiner Arbeit. Hat sie eine? (Ich meine nicht den Erfolg; er läßt mich kalt.) Aber mir erscheint es manchmal als so entsetzlich wirkungslos: da schreibt man und arbeitet man – und was ereignet sich nun realiter [...]?«[77] Ähnlich klagte, hundert Jahre früher, Börne: »Ich möchte belehren und fürchte zu gefallen; ich möchte raten und fürchte zu belustigen; ich möchte einwirken auf meine guten Mitbürger und ihren Ernst ansprechen, und ich fürchte Lachen zu erregen.«[78]

Um zu nützen und zu wirken, um Einfluß auszuüben, hat sich Börne auch zu praktischen Fragen des literarischen Lebens geäußert. Viele seiner Vorschläge und Hinweise sind leider bis heute aktuell geblieben. Er verlangte nicht nur, daß Theaterschulen gegründet und an allen Bühnen Dramaturgen beschäftigt würden – beides kannte man damals noch nicht –, er wünschte auch »freie Schauspielhäuser«, damit »das arme Volk seine geistige Freude habe«.[79] Mit anderen Worten: Er hielt jenen Nulltarif für erforderlich, der bis jetzt in der Bundesrepublik nicht realisiert wurde.

Er hat über die Literaturkritik und die literarische Diskussion in seiner Zeit geurteilt, als hätte er schon die Zeitungen und Zeitschriften unserer siebziger Jahre gekannt: »Wenn auch das eine kritische Blatt tadelt, was das andere lobt« – bemerkte Börne 1820 –, »so treffen doch diese feindlichen Ansichten nie auf einem Schlachtfelde zusammen, sie umgehen sich, und kein Werk der Wissenschaft erfährt einen entscheidenden Sieg oder eine entscheidende Niederlage. Das Beste findet seinen Tadler und das Schlechteste seinen Lobredner.«[80]

Er hat sich nachdrücklich über die beklagenswerte materielle Situation deutscher Schriftsteller geäußert: »In Deutschland erlaubt das Naturrecht der Selbstverteidigung, die Wahrheit zu verletzen. Ein armer Schriftsteller dort, der keine anderen Freuden hat als häusliche, der oft jahrelang von einer Gans nichts als die Federn auf seinem Tische sieht und von einem Hasen nichts hat als das Herz, dem, wenn er nach vierzehn Wochen glaubt, sich endlich einen neuen Rock erschrieben zu haben, die unbarmherzige Zensur einen ganzen Ärmel wegschneidet – was will er machen, wenn eine hohe Polizei mit ihm zürnt und ihm Amt und Brot raubt? Er muß lügen oder sterben; aber zur Wahrheit kann man zurückkehren, zum Leben nicht.«[81] Bis heute sind in diesem Lande die Bemühungen, den Schriftstellern ein Existenzminimum zu sichern, ergebnislos geblieben. Zugleich meinte Börne: »Nicht die Zensur, die das Drucken verbietet, die andere ist die verderblichste, die uns am Schreiben hindert; und das tut sie im ganzen Lande.«[82] Wer würde zu behaupten wagen, daß diese Warnung vor der Selbstzensur für uns, für die Verhältnisse in der Bundesrepublik, nicht gilt?

Börne bedauerte, daß Heine an der Wahrheit nur das Schöne liebe. Heine gab zu verstehen, daß Börne am Schönen nur die Wahrheit schätze. Wo Börne l'art pour l'art witterte, da witterte Heine die Revolution um der Revolution willen. Börne glaubte, Heine suche Schutz in einem Elfenbeinturm. Heine fürchtete, Börne stehe immer auf einer Barrikade. Wer hatte recht? Sie waren, will es mir scheinen, nicht so weit voneinander entfernt – jener Elfenbeinturm Heinrich Heines und jene Barrikade Ludwig Börnes.

(1977)

75

Heinrich Heine, das Genie der Haßliebe

1

In Deutschland über Heine zu schreiben, ist immer noch eine heikle und mißliche Sache. Wer vor seiner Überschätzung warnt, wer ihn in Frage stellt oder gar ablehnt, hält es auch heute nicht für überflüssig, sich wenigstens in einem Nebensatz von jenen zu distanzieren, die vor allem den Juden Heine bekämpften. Wer wiederum von seiner Größe und seiner Einzigartigkeit spricht, muß nach wie vor befürchten, man könne ihn mit jenen verwechseln, die sich, aus welchen Gründen auch immer, mit dem Geschäft der literarischen Wiedergutmachung befassen.

So verdüstert noch heute, scheint es, der Rauch der Bücherverbrennungen und der Gaskammern die Sicht. Jedenfalls waren die Vorzeichen, unter denen nach 1945 die erneute Beschäftigung mit Heine stand, von kritischer Nüchternheit und wissenschaftlicher Sachlichkeit weit entfernt. Denn natürlich ist, ähnlich wie der Judenhaß, auch die Wiedergutmachung, mögen ihre Motive die redlichsten sein, keine Kategorie, die sich zur Klärung eines literarischen Phänomens eignet.

Indes muß es auffallen, daß für die Diskussion um Heine schon vor fünfzig oder hundert Jahren in der Regel nicht Nüchternheit und Sachlichkeit charakteristisch waren, sondern eher grelle Affekte und tiefe Ressentiments. Wenn es um Heine ging, wurde in Deutschland seit eh und je scharf geschossen: Auch ohne Auschwitz stand dieser Fall immer schon auf des Messers Schneide. Aber was das Gespräch über Heine einst ungemein erschwert hat und heute noch erschwert, läßt sich zwar, wie alles, was ihn betrifft, von seinem Judentum nicht trennen, ist jedoch auf einer anderen Ebene zu suchen –

jenseits antisemitischer Verketzerung und jenseits philosemitischer Verherrlichung.

2

Kein deutscher Dichter hat schon zu seinen Lebzeiten so heftige Reaktionen ausgelöst wie Heine. Mit Ausnahme von Goethe wurde keinem einzigen deutschen Lyriker eine auch nur annähernd starke Volkstümlichkeit zuteil. Ebenso kennt die Geschichte der deutschen Literatur kein vergleichbares Beispiel einer derart erregten und leidenschaftlichen und natürlich auch zwiespältigen postumen Rezeption: Keiner der großen deutschen Dichter wurde ausgiebiger beschimpft und hartnäckiger bekämpft. Und keiner hat häufiger zu erbitterten Auseinandersetzungen Anlaß gegeben, bei denen es oft um so weltbewegende Fragen ging, ob mit seinem Namen eine Straße oder eine Universität bezeichnet und ob und wo er mit einem Denkmal oder auch nur mit einer Gedenktafel geehrt werden sollte. Kein deutscher Poet hat ein ähnliches Echo im Ausland gefunden, keiner wurde so oft und so konsequent mit demagogischen Argumenten und mit falsch zitierten Äußerungen sowohl angegriffen als auch verteidigt.

Aber nichts wäre leichtsinniger, als etwa behaupten zu wollen, dies alles zeuge nur von seiner Größe. Denn Heines Popularität beweist noch keineswegs die Qualität seiner Verse: Mitunter waren es gerade die schwächsten, die gefälligen und die routinierten, die am meisten geliebt und am häufigsten nachgeahmt wurden. Zu dem Auslandserfolg seiner Dichtung wiederum trug in hohem Maße bei, daß sie sich leicht in fremde Sprachen übertragen ließ. Heine daraus einen Vorwurf zu machen – und man hat dies oft getan –, ist schlechthin töricht. Andererseits jedoch kann die Übersetzbarkeit eines Gedichts schwerlich als Wertkriterium gelten. Die Skala seiner Lyrik – das scheint mir auf jeden Fall sicher – reicht von genialer Poesie bis zu purem Kunstgewerbe. Ferner darf man nicht übersehen, daß ebenso die Heftigkeit wie die Demagogie des Kampfes um Heine durch seine offenkundigen Schwächen gewiß nicht gerechtfertigt wurden, aber doch mit ihnen zusammenhingen.

Ein geborener Provokateur war er und ein ewiger Ruhestörer. Er traf die schmerzhaftesten Wunden seiner Zeitgenossen, ohne die Folgen, die für ihn selber entstehen mußten, zu bedenken. Es kümmerte ihn kaum, daß er den anderen sehr bequeme Angriffsziele bot und dies nicht nur deshalb, weil er extreme und also oft anfechtbare Urteile liebte. Er sicherte sich nie ab, Vorsichtsmaßnahmen waren mit seinem Temperament schlecht vereinbar. Er kämpfte tatsächlich mit offenem Visier. Man könnte sagen: Er ging ins Exil, um nie in Deckung gehen zu müssen.

Ein Virtuose der Polemik war er. Doch von Takt und Taktik wollte er nichts wissen. Fast will es scheinen, als sei er unfähig gewesen, Sache und Person voneinander zu trennen; jedenfalls war ihm nie daran gelegen. Er konnte es sich leisten, auf läppische Scherze und boshafte Witze, auf billige Argumente und gehässige Seitenhiebe zu verzichten. Aber er verwendete sie immer wieder, auch da, wo er gar nicht gereizt wurde. Keine Hemmungen hatte er, seinen Feinden (und nicht nur ihnen) die Impotenz oder die Homosexualität anzukreiden und ihnen allerlei körperliche Gebrechen (bis zum Durchfall einschließlich) vorzurechnen. Wie unfair man ihn auch behandelt hatte – zu seinen Lebzeiten und später ebenfalls –, er selber war nicht weniger unfair. So versorgte er jeden, den er attackiert hatte, und jeden, der gegen ihn aus anderen Gründen schreiben wollte, fast automatisch mit reichlichem und nicht selten effektvollem Material. Dieser meisterhafte Torschütze leistete sich viele Eigentore und nahm sie gelassen in Kauf.

Hinzu kommt Heines rühmliche Vorliebe für aphori-

stische Prägnanz, für witzige und exakte, bewußt überspitzte und deshalb besonders eindringliche Formulierungen. Sie machen seine Verse und seine Prosa auf außergewöhnliche Weise zitierbar. Und mit Heine-Zitaten
läßt sich mühelos sehr viel belegen. Nur daß damit in der
Regel, eben weil sich mit seinen Äußerungen so leicht
operieren läßt, auch sehr wenig gewonnen ist.

Denn die widerspruchsvolle und oft aggressive Reaktion auf Heine wurde zwar durch viele und sehr verschiedene Umstände begünstigt und gesteigert, aber sie hat
ihren tiefsten Ursprung in seiner Eigenart, die sich freilich – und darauf vor allem kommt es hier an – in keiner
seiner Arbeiten voll manifestiert. Es gibt kein Buch Heines, das für ihn so repräsentativ wäre wie etwa der
›Faust‹, der ›Zauberberg‹ oder der ›Prozeß‹ es für ihre
Autoren sind. Will man ihm gerecht werden, so muß man
sein zwielichtiges und ungleiches, sein zwiespältiges und
unvergleichliches Werk – ähnlich übrigens wie das
Brechts – unbedingt als ein Ganzes sehen. Es besteht aus
vielen, meist kleinen Teilen und erweist sich letztlich
doch als eine Einheit.

Vollkommen ist Heines Werk bestimmt nicht. Aber es
war in seiner Epoche eine ungeheuerliche, eine vollkom-
mene Zumutung. Seine Arbeiten sind Bruchstücke einer
einzigen Provokation.

3

Heines Biographie reicht vom jüdischen Mittelalter bis
zur europäischen Neuzeit. Heines Werk führt von der
deutschen Romantik zur Moderne der Deutschen.

Ihm, nur ihm gelang, was nach der Ära Goethes und
Schillers, Kleists und Hölderlins dringend nötig war: die
radikale Entpathetisierung der deutschen Dichtung. Er
befreite sie vom Erhabenen und Würdevollen, vom
Hymnischen und Feierlichen und auch vom Dunklen.

Und er gab ihr, was sie dem deutschen Leser meist vorenthalten hatte: Leichtigkeit und Anmut, Charme und Eleganz, Witz und Esprit, Rationalität und Urbanität und gelegentlich auch Frivolität.

Daß sich der Gesang und der Gedanke nicht gegenseitig auszuschließen brauchen, wußte man schon vor Heine, und schon andere hatten bewiesen, daß es sogar in deutschen Landen möglich ist, ein Dichter und dennoch ein Denker zu sein. Aber erst Heine vermochte die makellose Synthese aus Poesie und Intellekt zu verwirklichen, ohne dabei die Lyrik – wie das in Deutschland meist üblich war – mit der Philosophie zu befrachten. Den deutschen Vers hat er mit der Umgangssprache, mit dem Vokabular des Alltags erneuert und bereichert, ohne ihn deshalb des Dichterischen zu berauben. Und die deutsche Prosa hat er mit lyrischen Tönen, Bildern und Rhythmen belebt und gesteigert, ohne sie damit etwa zu poetisieren.

Als Karl Kraus in seinem berühmt-berüchtigten Pamphlet von »jenem Heinrich Heine« schrieb, »der der deutschen Sprache so sehr das Mieder gelockert hat, daß heute alle Kommis an ihren Brüsten fingern können«[1], da wies er, freilich ohne es zu wollen, auf eine der gewaltigen Leistungen Heines hin. Denn die deutsche Sprache hatte sich damals nach einem gesehnt, der sich ihrer erbarmen und ihr endlich das Mieder lockern würde.

»Seine von der kommunikativen Sprache erborgte Geläufigkeit und Selbstverständlichkeit« sei – meinte Adorno – »das Gegenteil heimatlicher Geborgenheit in der Sprache«[2]. Das mag sein, aber eben deshalb, weil ihm diese »heimatliche Geborgenheit« versagt geblieben war, konnte er jene Distanz zur Sprache gewinnen, die es ihm ermöglichte, sie als Instrument zu behandeln. Was Adorno für Heines »Widerstandslosigkeit gegenüber dem kurrenten Wort« hielt, war in Wirklichkeit jene außergewöhnliche Reizempfindlichkeit, der wir eine radikale Erneuerung der Sprache sowohl der Lyrik als auch der Prosa verdanken.

Indem Heine die Sprache der deutschen Literatur entrümpelte und modernisierte, schuf er die wichtigste Voraussetzung für ihre Demokratisierung, die er selber – wie kein anderer deutscher Dichter des neunzehnten Jahrhunderts – auch zu realisieren vermochte. Wovon die besten seiner Vorgänger geträumt hatten, war ihm geglückt: die Überwindung der Kluft zwischen der Kunst und der Wirklichkeit, zwischen der Poesie und dem Leben.

Hierher gehören auch Heines Verdienste um die Entwicklung des Journalismus. Wahr ist, daß gerade auf diesem Gebiet auch die Zahl seiner Sünden besonders groß scheint und daß er manche ärgerliche Unsitte in die Welt gesetzt hat, an der die deutsche Presse noch heute leidet. Doch er war es, der gezeigt hat, daß ein und derselbe Mann ein genialer Poet und dennoch ein professioneller Zeitungsschreiber sein kann.

Er, der bedeutendste Journalist unter den deutschen Dichtern und der berühmteste Dichter unter den Journalisten der ganzen Welt, war, zumindest in Deutschland, der erste, der die Möglichkeiten der modernen Presse erkannte und von ihnen auch ständig Gebrauch zu machen wußte. Ebendies hat ihm wohl die meisten Feinde eingebracht. Man fürchtete seine Gedanken und Anschauungen, gewiß, aber noch mehr fürchtete man seine Fähigkeit, diese Gedanken und Anschauungen so auszudrücken, daß sie für zahllose Leser plausibel und attraktiv wurden.

Noch der heutige deutsche Journalismus verwendet viele der von ihm erprobten Mittel und Formen und lebt zu einem großen Teil von seinen Errungenschaften. Und wie man sich das moderne deutsche Drama ohne Büchners Leistung nicht mehr denken kann, so ist auch die deutsche Lyrik des zwanzigsten Jahrhunderts – von Brecht und Benn bis zu Grass und Enzensberger – ohne Heines Einfluß schwer vorstellbar. Daß sich diejenigen unter den Nachgeborenen, die ihm viel verdanken, dessen oft nicht bewußt waren und nicht bewußt sind, spielt dabei keine Rolle.

4

Seit Jahren und Jahrzehnten nehmen sowohl die Kommunisten als auch die Antikommunisten Heine für sich in Anspruch. Hierbei beruft man sich in der Regel auf seine späten Schriften, zumal auf die ›Geständnisse‹ von 1854 und auf die Lutetia-Vorrede von 1855. In beiden Arbeiten finden sich höchst beherzigenswerte Äußerungen, nur daß sich jede Seite gern heraussucht, was ihr gerade paßt, und zuweilen zitieren beide Seiten dieselben Passagen, in denen dann allerdings jeweils andere Satzteile akzentuiert werden.

So beruft man sich häufig auf jene bemerkenswerte Feststellung in den ›Geständnissen‹, der zufolge »die mehr oder weniger geheimen Führer der deutschen Kommunisten...die fähigsten Köpfe, die energischsten Charaktere Deutschlands« seien. Sie, die »Doktoren der Revolution«, hielt Heine für »die einzigen Männer in Deutschland, die Leben in sich haben«[3], ihnen, glaubte er, gehöre die Zukunft. Allerdings fügte er bei dieser Voraussage die Worte »ich fürchte« ein.

Das Ganze ist schon deshalb ein einigermaßen müßiges Spiel, weil Heine, wie jeder, der sich in der Mitte des vergangenen Jahrhunderts des Begriffs »Kommunismus« bediente, damit etwas anderes meinte und meinen mußte als wir heute. Man kann keine Stellungnahme Heines zum Marxismus erwarten, weil es den Marxismus noch nicht gab. Es hat auch wenig Sinn, auf seine positiven oder negativen Ansichten über den Kommunismus polemisch zu verweisen, weil dieser damals, also kurz nach Veröffentlichung des ›Kommunistischen Manifests‹, kaum mehr war als eine skizzenhaft umrissene Idee und eine hehre Vision. Von einer politischen Realität konnte noch keine Rede sein.

In einer Hinsicht ist dieses Spiel doch aufschlußreich: Es zeigt, daß Heine sich mit einem Programm, mit einer Ideologie oder mit einer Organisation nicht identifizieren läßt. Denn was aus diesem Streit zwischen den Kommunisten und den Antikommunisten hervorgeht, gilt für alle politischen Richtungen und Ideen, für die sich Heine je interessiert hat. Es war ihm gelungen, sich jeder Festlegung, die seine Bewegungsfreiheit eingeschränkt hätte, zu widersetzen und ein Einzelgänger zu bleiben.

Er bewies – und das war damals neu und verblüffend –, daß es möglich ist, das, was wir heute das Establishment nennen, von der Position des freien Schriftstellers aus wirkungsvoll zu bekämpfen. Mit anderen Worten: daß es möglich ist, ein politischer Dichter zu sein, ohne ein dichtender Politiker zu werden. Er war ein engagierter Literat, aber von der direkten Tendenzdichtung wollte er nichts wissen. Er verspottete sie, weil er sie für zwecklos hielt. Auch wo ihm an unmittelbarem und raschem politischen Einfluß gelegen war, ließ er sich auf keine künstlerischen Zugeständnisse ein. Sein Werk widerlegt die Behauptung, daß man sich in den Elfenbeinturm zurückziehen müsse, wenn man ein Artist bleiben möchte.

Er war, alles in allem, der typische linke Schriftsteller. Doch den Linksradikalismus verabscheute und verachtete er gründlich. Und er fürchtete ihn. Früh faszinierten ihn materialistische Gedanken. »Haben Sie die Idee eines Mittagessens begriffen, mein Lieber? Wer diese begriffen hat, der begreift auch das ganze Treiben der Menschheit«[4] – so heißt es schon in seinen 1822 veröffentlichten ›Briefen aus Berlin‹. Heine scheint dies nie vergessen zu haben.

In der im nächsten Jahr gedruckten Tragödie ›William Ratcliff‹ läßt der junge Heine seinen Titelhelden von jenen reden, die selber im Überfluß schwelgen:

Und stolz herabsehn auf den Hungerleider,
Der, mit dem letzten Hemde unterm Arm,
Langsam und seufzend nach dem Leihhaus wandert.

O seht mir doch die klugen, satten Leute,
Wie sie mit einem Walle von Gesetzen
Sich wohlverwahret gegen allen Andrang
Der schreiend überläst'gen Hungerleider!
Weh dem, der diesen Wall durchbricht!
Bereit sind Richter, Henker, Stricke, Galgen –
Je nun! manchmal gibt's Leut', die das nicht scheun.

Hierauf wird ihm erwidert:

So dacht ich auch, und teilte ein die Menschen
In zwei Nationen, die sich wild bekriegen;
Nämlich in Satte und in Hungerleider.[5]

Wie Heine sein ganzes Leben lang für soziale Reformen
kämpfte, so wurde er auch nicht müde, die Sinnenfreude
gegen die Heuchelei und die Moral der Gesellschaft zu
verteidigen und die Befreiung des Eros von einem wider-
natürlichen Zwang zu fordern. Gerade in unserer Zeit, da
die im vergangenen Jahrhundert begonnene erotische
Emanzipation vollendet zu sein scheint, sollte man nicht
vergessen, daß Heine zu jenen gehört, die diesen Prozeß
gegen den gewaltigen Widerstand der Öffentlichkeit, zumal der christlichen Kirchen, initiiert und die ihn wirkungsvoll unterstützt haben.

Aber was immer er forderte und bekämpfte, niemals
konnte man ihm Dogmatik vorwerfen, niemals war er
intolerant oder gar fanatisch. Damit mag es auch zusammenhängen, daß er zwar die Ziele von Marx und Engels im
wesentlichen befürwortete, doch ihre Mittel ablehnte. Er
war – trotz unterschiedlicher Äußerungen in dieser Frage – unzweifelhaft ein Gegner der Revolution. Sein eigent-
liches Element war die Ambivalenz, jene freilich, die
nichts mit Versöhnlichkeit oder gar Unentschiedenheit zu
tun hat. Es war eine militante, eine aggressive Ambivalenz.
Ein Genie der Haßliebe war er – und niemanden haßte und
liebte er mehr als die Deutschen und die Juden.

Es bereitete Heine einen geradezu wollüstigen Genuß, allen die Wahrheit zu sagen: den Juden und den Antisemiten, den Deutschen und den Deutschenfeinden, den Adligen und den Bürgern, den Katholiken und den Protestanten, den Verfolgern und den Verfolgten, den Poeten der Spätromantik und den Repräsentanten des Jungen Deutschland. Stets setzte er sich zwischen alle Stühle. Und fast will es mir scheinen, als sei da immer noch sein Platz.

Kann man sich wundern, daß er von Feinden umgeben war? Er brachte sie förmlich zur Raserei, weil er ihnen unentwegt demonstrierte, wozu sie sich meist nicht aufschwingen konnten: Unabhängigkeit. Daß er von dieser oder jener Seite Zuwendungen erhalten hatte, ist sicher und wurde ihm häufig vorgeworfen. Indes konnte ihm niemand nachweisen, daß er dafür irgendwelche Konzessionen gemacht hätte. Nein, Heine stand nicht im Dienst eines Fürsten, einer Regierung oder einer Behörde, er war keiner Partei, keiner Kirche und auch keiner Zeitung verpflichtet, er hatte weder einen Herrn noch einen Auftraggeber. Obwohl ein politischer und zeitkritischer Autor, war er einzig und allein sich selber verantwortlich.

Gewiß kannte man schon vor ihm freie Schriftsteller. Heine war jedoch der erste, der die Existenz des freien Schriftstellers als Amt und Institution verstand. Und der dieser Institution in der deutschen Öffentlichkeit Geltung und Respekt verschaffte. Dies aber kam, zumal es um einen Juden ging, der auch noch viele Jahre hindurch aus dem Ausland wirkte, einer ungeheuerlichen Herausforderung gleich. Damals war es eine Herausforderung. Nur damals?

5

Wer immer über Heine schreibt und glaubt, von der Tatsache absehen zu können, daß er Jude war – oder dieses Faktum bagatellisiert –, wird, ich bin davon überzeugt, das Thema verfehlen. Nicht nur auf seinen Lebensweg, auch auf das ganze Werk Heines hatte seine Herkunft einen direkten und indirekten, doch auf jeden Fall außerordentlich starken Einfluß. Sie mußte ihn haben. Das mag eine sehr banale Feststellung sein, nur wird dieser Aspekt immer noch unterschätzt.

Man darf nicht vergessen, daß die Emanzipation der deutschen Juden erst zu Heines Lebzeiten begonnen hatte und aus verschiedenen Gründen zunächst zögernd und schleppend vollzogen wurde. So gehörte er zur ersten dem Getto entronnenen Generation. In diesem Sinne war er ein Neuankömmling und ein Parvenü – und wurde als solcher von seiner Umwelt, vor allem natürlich der deutschen, behandelt.

Ein Deutscher wollte er sein. Aber er scheint sehr schnell begriffen zu haben, daß man ihm dies nicht erlauben werde. Der kaum zweiundzwanzigjährige Student Heine bezeichnete – in dem kleinen Aufsatz ›Die Romantik‹ – das deutsche *Wort* als »unser heiligstes Gut«, denn es sei »ein Vaterland selbst demjenigen, dem Torheit und Arglist ein Vaterland verweigern«.[6]

In einem ganz anderen Zusammenhang schrieb er viele Jahre später, daß die Juden die Bibel »im Exile gleichsam wie ein portatives Vaterland mit sich herumschleppten«.[7] – Gewiß, das Deutsche – die Sprache, die Literatur, die Philosophie, die Geschichte – erwies sich, wie Heine wiederholt betonte, als sein Lebenselement. Nur daß er genötigt war, sich aus dem Deutschen nicht mehr und nicht weniger als eben ein »portatives Vaterland« zu schaffen. Diese besondere Situation des Juden innerhalb der deutschen Gesellschaft vermochte Heine zu sublimieren und zu kompensieren und – wie keiner vor ihm und wie nach ihm nur einer: Kafka – für sein Werk zu nutzen. Er machte also aus der Not eine Tugend, wobei die Frage, wann und inwiefern es sich um einen bewußten Prozeß handelte, irrelevant ist.

1824 bemerkte der junge Heine, sein zweites Buch – die Tragödien ›Almansor‹ und ›Ratcliff‹ nebst einem lyrischen Intermezzo – sei im Unterschied zu seinem ersten »nur innerlich deutsch«. Und er erklärte: »Daß aus Unmut gegen das Deutsche meine Muse sich ihr deutsches Kleid etwas fremdartig zuschnitt, ist wahrscheinlich.«[8] Was er Unmut nannte, war nichts anderes als die ihm von der deutschen Umwelt aufgezwungene kritische Distanz. Diese aber half ihm zu überwinden, woran ein großer Teil der deutschen Literatur seiner Epoche litt: dem Provinzialismus.

Nichts Deutsches war dem Juden Heine fremd, Deutschland jedoch nötigte ihn, mehr als ein deutscher Autor zu werden. Was einem Mörike, einem Eichendorff versagt blieb und worauf sie freilich auch nicht angewiesen waren, gelang ihm: Er wurde ein europäischer Schriftsteller – der einzige wohl, den Deutschland zwischen Goethe und Thomas Mann hatte. Wie sehr er an seiner Situation, an seinem Judentum und an seinem Deutschtum, gelitten hat, können wir nur ahnen. Man hielt ihn für einen Poseur und Komödianten. In der Tat rettete er sich mitunter ins Komödiantische. Und er brauchte die Pose, um das Leben bestehen zu können. Er stilisierte seinen Schmerz, um ihn zu ertragen. Bisweilen wurde die Stilisierung peinlich. Doch der Schmerz war deshalb nicht weniger echt.

Am häufigsten suchte er Schutz bei der Ironie. Auch das, was manche für seinen Zynismus hielten, diente ihm nur als Maske oder Zuflucht. Er war weder ein Zyniker noch ein koketter Dandy oder ein eitler Troubadour – auch wenn er sich gelegentlich in diesen Rollen gefiel. In Wirklichkeit gehört er – wie Kleist und Hölderlin, wie Kafka – zu den einsamen und zerrissenen, zu den tragischen Figuren der deutschen Literatur.

Nirgends kommt die Einsamkeit des Juden Heine unter den Deutschen stärker zum Vorschein, nirgends wird seine Verzweiflung deutlicher spürbar als gerade in jenem Teil seines Werks, in dem von Juden überhaupt nicht die Rede ist – in seiner erotischen Dichtung. Sie spricht immer wieder – anders als die Lyrik etwa Goethes – von enttäuschter und unglücklicher Liebe, von den Leiden des Verschmähten und des Abgewiesenen. Unterscheiden sie sich gar von den Qualen eines verliebten Nichtjuden? Nein, natürlich nicht. Schon die Tatsache, daß ganze Generationen von Deutschen, von Franzosen und Russen, die ja in ihrer überwiegenden Mehrheit keine Juden waren, in seinem ›Buch der Lieder‹ ihre intimsten Erlebnisse wiedererkennen konnten und daß sich die Liebenden ein Jahrhundert lang von Heineschen Versen führen oder, meinetwegen, verführen ließen, beweist, daß er den Ausdruck für die Empfindungen von Millionen gefunden hatte. Dies aber hat mit seinem Judentum zu tun.

Die besondere Situation des in der Gesellschaft isolierten und um seine bürgerliche Anerkennung kämpfenden Juden, des von Komplexen bedrängten und stets den Widerstand oder die Schikanen der Umwelt befürchtenden Neuankömmlings oder Parvenüs steigerte und vervielfachte auch seine Liebesleiden. Diese spezifische Lage, für die Heine das empfindlichste und reizbarste Sensorium hatte, gab seiner erotischen Lyrik einen neuen und scharfen Akzent, eine bisher unbekannte Dimension.

Während sich die anderen – Max Brod hat darauf hingewiesen – aus solchen Leiden immerhin in eine Gemeinschaft flüchten konnten, war dem Juden, der ein Deutscher sein wollte, dieser Ausweg versperrt. Denn »Heine steht allein, ohne Hintergrund. Das Judentum in seinem damaligen Entwicklungsstadium bot keine Eingliederungsmöglichkeiten, keinen Trost. Die jüdische Situation verschlimmerte vielmehr noch den Einsamkeitsaffekt, den die verschmähte Liebe hervorrief.«[9]

So erweist sich als geheimer Untergrund der erotischen

Dichtung Heines die Entfremdung des Juden: Die hoffnungslose Liebe wird zum Sinnbild der Situation des Ausgeschlossenen, des Verstoßenen und Heimatlosen. Als letzte Verteidigungswaffe und als Rettungsring blieb ihm auch hier die Ironie, genauer gesagt, die melancholische Selbstironie. Daraus ergab sich, was Heine weltberühmt gemacht hatte: das Elegisch-Alarmierende der Verse, die seine Verzweiflung mit größter Suggestivität und doch ohne Hysterie artikulierten und zugleich mit Geist und Grazie relativierten.

Mit Heines Judentum hat auch die widerspruchsvolle und höchst zwiespältige Wirkungsgeschichte seines Werks in Deutschland zu tun. Machen wir uns nichts vor: Es ist nur partiell und sehr bedingt rezipiert und schließlich eben nicht integriert worden. Weil Heine Jude war? Der Popularität des Violinkonzerts von Mendelssohn und seiner Musik zum ›Sommernachtstraum‹ stand bis 1933 das Judentum des Komponisten nicht im Wege. Berthold Auerbach war, obwohl Jude, einer der erfolgreichsten deutschen Schriftsteller seiner Zeit. Schließlich wurden viele Verse Heines, zumal jene, die Schubert und Schumann, Mendelssohn-Bartholdy, Brahms und Hugo Wolf vertont hatten, vom deutschen Publikum enthusiastisch akzeptiert.

Aber so gewiß Heine mit manchen seiner Arbeiten den Erwartungen der Leser entsprach und ihrem Geschmack auf bisweilen höchst bedenkliche Weise entgegenkam, so sicher ging er mit dem größeren und ungleich bedeutenderen Teil seines Werks – mit der späten Lyrik und mit seiner gesamten Prosa – eigene und eigenwillige Wege. Er ignorierte die Rezeptionsgewohnheiten des deutschen Publikums. Was er ihm zumutete, empfand es offenbar als fremd und schockierend. Es wollte sich von ihm nicht brüskieren lassen.

Nicht den Juden also lehnte man ab, sondern den Juden, der ein Provokateur war, ein ewiger Ruhestörer. Doch müßte man blind sein, um nicht zu sehen, daß

Eigenart und Besonderheit seines Werks zusammenhängen mit Heines Herkunft und mit seiner Situation als Repräsentant der ersten Generation emanzipierter deutscher Juden.

6

Wer in Deutschland über Heine schreibt, schreibt immer noch für oder gegen Heine. Noch hat man ihn nicht ins Museale entlassen, noch ist der Streit nicht beendet. So wirkt Heine – ähnlich wie Karl Marx, ähnlich wie Richard Wagner – tief ins zwanzigste Jahrhundert hinein.

In der Tat scheint es mir angebracht, die Bedeutung des Lyrikers und Satirikers, des politischen Autors und des Journalisten Heine für die deutsche Literatur mit jener zu vergleichen, die Marx für die deutsche Philosophie und Wagner für die deutsche Musik haben. Nur daß die Genialität Heines noch nicht ganz erkannt wurde.

Aber es spricht nicht gegen ihn, daß sein Werk uns immer wieder beunruhigt. Daß es noch ist, was es war: eine Provokation und eine Zumutung.

(1972)

III
Ludwig Marcuse, ein Querkopf mit Format

Ganz sicher bin ich nicht, ob es richtig ist, in ein Buch mit dem Titel ›Vorbilder für Deutsche. Korrektur einer Heldenlegende‹ einen Aufsatz über Ludwig Marcuse aufzunehmen. Was hat er, dieser Philosoph und Kulturhistoriker, Biograph und Essayist, Zeitkritiker, Theaterrezensent und Journalist, hier zu suchen? Schließlich ist an eine Heldengalerie gedacht, wenn auch an eine gründlich renovierte und neuartige, an eine hoffentlich zeitgemäße. Das versteht sich. Aber wie immer man den Begriff »Held« auffassen mag – etwas Feierliches bleibt und läßt sich nicht beseitigen: Auch mit relativierenden Adjektiven oder mit ironischen und distanzierenden Anführungsstrichen versehen, ist es nach wie vor ein gewichtiges Wort.

Marcuse jedoch, dieser Berliner Jude, war kein Held, und glücklicherweise blieb es ihm erspart, je ein Held wider Willen zu werden. Zum Vorbild taugt er nicht, auf einen Sockel läßt er sich nicht hieven, als Monument kann man sich ihn am allerwenigsten vorstellen. Denkt man an ihn, an seine Leistung und seine Rolle, so drängen sich, will mir scheinen, negative Assoziationen kaum weniger auf als positive, und es sind, befürchte ich, doch seine Untugenden, an die man sich zunächst erinnert.

Reden wir offen: Ludwig Marcuse, der 1894 in Berlin als Sohn eines wohlhabenden Kaufmanns geboren wurde und der 1971 in München gestorben ist, war eine höchst fragwürdige Figur des geistigen Lebens. Er hat viele schwache Bücher und nicht wenige schlechte Artikel geschrieben. Und doch war Ludwig Marcuse ein außergewöhnlicher Mann, ein großer Literat. Er hatte allerlei Fehler und zugleich etwas, das in der Bundesrepublik Seltenheitswert beanspruchen kann: Format.

Oft wurde er als unzeitgemäß empfunden und auch abgelehnt. In der Tat mutete er im Deutschland der fünfziger und sechziger Jahre etwas anachronistisch an. Aber dies war ihm ganz recht. Und es lag auch nicht an der Epoche oder an der Bundesrepublik, sondern vor allem an ihm selber. Sein Freund Joseph Roth hatte ihn durchschaut. Er schrieb ihm am 26. August 1934: »Lieber Marcuse, viel Wissen hast Du gesammelt, viel Charakter hast Du, aber Du kehrst Deine Gaben gegen die Welt und gegen Dich selbst, wie Waffen. Gar nichts hast Du davon. Ich wiederhole Dir, daß Du ein ewiger Protestant bist, wie es den ewigen Juden gibt. Du willst Dich den Gesetzen dieser Welt nicht fügen. Du bist wie ein Gast, der sich unanständig im Hause seines Wirtes benimmt.«[1]

Eben weil Marcuse nicht daran dachte, sich den Gesetzen dieser Welt – übrigens auch nicht der literarischen Welt – zu fügen, weil er sich nicht darum kümmerte, ja, es nicht einmal merkte, daß er sich häufig anstößig oder gar »unanständig« verhielt, konnte er immer wieder gewinnen, was ihm von vielen seiner deutschen Kollegen verübelt wurde: Einfluß. Ein Querkopf war er, aber weder ein Nörgler noch ein Krakeeler, ein unermüdlicher Polemiker, aber kein kleinlicher Besserwisser, ein streitbarer Geist, aber kein Fanatiker – es sei denn ein Fanatiker des Antifanatismus. Er war kein Störenfried vom Dienst. Von dem in der Bundesrepublik der sechziger Jahre so modernen Nonkonformismus um jeden Preis hat er natürlich nie etwas wissen wollen. Aber er gehörte zu den permanenten Ruhestörern, zu jenen, die Deutschland immer gebraucht, meist gefürchtet, oft verjagt und nie geliebt hat.

Ob Marcuse für oder gegen eine These oder eine Ansicht, für oder gegen ein Buch oder einen Autor schrieb – er äußerte sich entschieden und leidenschaftlich. Denn es ging ihm stets ums Ganze. Er war nicht nur imstande, sich immer wieder über Geistiges aufzuregen, sondern besaß auch die nicht zu unterschätzende Gabe, andere zu ärgern. Die meisten seiner Artikel haben etwas Pamphletartiges, seine Bücher sind – die beiden autobiographischen nicht ausgenommen – Streitschriften. Stets zur Entrüstung und zur Begeisterung bereit, reagierte er auf alles, was er für falsch und verdammenswert hielt, zumal auf Heuchelei, Borniertheit und Dogmatismus, schnell und heftig, oft allzu heftig. Gelassenheit war seine Sache nie. Sein bestimmt richtiger Satz »Schöpfer sind immer auch Übertreiber«[2] gilt zunächst und vor allem für ihn selber.

Schon seine Monographien und Theaterkritiken aus der Weimarer Zeit – er schrieb für das ›Berliner Tageblatt‹ und die ›Vossische Zeitung‹ und war von 1925 bis 1929 Feuilletonchef des ›Frankfurter General-Anzeigers‹ – lassen einen intellektuellen Draufgänger und großartigen »Übertreiber« erkennen. Ein intellektueller Draufgänger und ein großartiger »Übertreiber« blieb er fast bis zuletzt. Er liebte die provozierende Einseitigkeit und die bewußte Vereinfachung. Aber oft war es gerade die einseitige Betrachtungsweise Marcuses, die die Vielseitigkeit der Phänomene erkennbar machte. Seine Vereinfachungen sollten nicht die Komplexität der Fragen unterschlagen, sondern sie betonen. »Was nicht eindeutig vor sich geht« – meinte Marcuse kurzerhand –, »muß in die Sprache der Eindeutigkeit übersetzt werden, um der Mitteilung willen.«[3] Seine Übertreibungen dienten der Klarheit.

Charakteristisch ist in dieser Hinsicht Marcuses ebenso engagierte wie enragierte, fast schon polternde Verteidigung der Massenkultur in seinem Buch ›Aus den Papieren eines bejahrten Philosophie-Studenten‹ (1964). In dem scharfen Plädoyer, das offensichtlich gegen den hier kein einziges Mal genannten Adorno gerichtet ist, heißt es: »Man kann die Kultur nur manipulieren, weil die manipulierte Kultur auch echte Bedürfnisse, weil nur sie einige dringende Bedürfnisse befriedigt. Die sogenannte Unkultur leistet denen, die an ihr teilnehmen, mehr als die sogenannte Kultur ... Von dem Käufer der Bibel wird

kaum als ›Konsument‹ gesprochen, obwohl sie ein Bestseller ist; sie wird nicht als ›Ware‹ bezeichnet, obwohl ein
Massenverbrauch vorliegt ... Es ist arrogant, den Hörer
des Musicals ›My fair Lady‹ einen Konsumenten zu nennen – und zu übersehen, daß auch der Proust-Leser kon-
sumiert, falls er nicht nur kommentiert ... Vielleicht sind
die Bildungs-Inhaber die unvitalste Schicht einer Gesellschaft, weil ihre Sinne weniger verlangen ... In der Mas-
sen-Kultur kam manches zum Durchbruch, was nichts
mit der Masse zu tun hat – eher mit dem, was die Gebil-
deten-Kultur nicht mehr leistete: die Feier der Sinne, der
Leidenschaften, der Sehnsüchte.«

Daß derartige Thesen nicht nur subjektiv, sondern auch
anfechtbar sind, liegt auf der Hand. Jedenfalls bedürfen
sie der Begründung. Sie ist in seinen Schriften überhaupt
nicht oder nur in Ansätzen zu finden. Zum Gründlichen
wollte sich Marcuses Naturell nie bequemen. Für das Sy-
stematische hatte der unruhige Mann weder Zeit noch
Lust. In seinem Selbst-Nekrolog ›Nachruf auf Ludwig
Marcuse‹ (1969) bekannte er: »Er schrieb zu viele Bücher; sie können nicht verglichen werden mit Früchten,
die reiften ... Er hatte nie die Geduld, in Bibliotheken zu
arbeiten; und versagte sich manches Thema, das ihn lock-
te.«[4] So wagte er es, ein Simplifikateur zu sein – und er
war bisweilen in der Tat ein schrecklicher, oft ein mei-
sterhafter Simplifikateur.

Dieses erstaunliche Temperament ist allen Büchern
Marcuses zugute gekommen – und hat fast allen auch
sehr geschadet. Zu nennen sind vor allem die Monographien über Börne (1929 und 1968) und Heine (1932, 1951
und 1970), ferner über Büchner (1922), Strindberg (1924)
und Freud (1956). In einer Biographie mit dem Titel ›Soldat der Kirche‹ (1937 und 1956) zeigte Marcuse Ignatius
von Loyola als »den radikalsten Verkünder und Exekutor
des Gehorsams und der Gleichschaltung«[5]. In dem Buch
›Plato und Dionys‹ (1950 und 1968) wollte er nachweisen, daß der griechische Philosoph »der erste große Mar-

xist gewesen ist, sowohl in der Entdeckung des Klassenkampfs als auch in der Verknüpfung von Interpretation und Aktion.«[6] Im ›Denkwürdigen Leben des Richard Wagner‹ (1963) versuchte er, »einen Deutschen nachzuzeichnen, der wie kein anderer Künstler die deutsche Politik schlimm beeinflußt hat«[7]. Überdies verfaßte Marcuse großzügige Abrisse philosophischer und kulturgeschichtlicher Entwicklungen – wie etwa ›Philosophie des Glücks – Zwischen Hiob und Freud‹ (1949 und 1962), ›Pessimismus – Ein Stadium der Reife‹ (1953, unter dem Titel ›Unverlorene Illusionen‹, 1965), ›Amerikanisches Philosophieren‹ (1959), ›Obszön – Geschichte einer Entrüstung‹ (1962) und schließlich die erwähnten ›Papiere eines bejahrten Philosophie-Studenten‹ (1964).

Es sind, versteht sich, sehr unterschiedliche, doch, alles in allem, außerordentlich anregende und oft provozierende, fast immer geistreiche und leicht lesbare Arbeiten (die beste Monographie ist wohl die über Börne, die schwächste die über Wagner), denen man Elan, Witz und Anschaulichkeit nachrühmen kann.

»Die Fach-Philosophie und der Popularisator wurden meine Scylla und Charybdis« – bekannte Marcuse[8]. Alle diese Bücher belegen, wie ernst es ihm damit war. Aber sie zeugen ebenso von enormer Bildung und authentischem Engagement wie auch von Leichtsinn und Fahrlässigkeit. Sie sind streckenweise sehr oberflächlich, und nicht immer kann man sie ganz ernst nehmen. Marcuses freimütiges Geständnis: »Er konnte nicht warten auf das Wort, das er suchte. So setzte er das parate hin ...«[9], gilt nicht nur für die Sprache seiner Bücher und Artikel: Die Leser wurden genötigt, zusammen mit seinen Geistesblitzen und mit seinen beneidenswert pointierten Formulierungen stets auch Liederliches und Schlampiges hinzunehmen.

Er hat immer vom Schreiben gelebt. Und doch merkt man nahezu allen seinen Arbeiten etwas Dilettantenhaftes an: »Er hatte nie die Chance« – heißt es in seinem

›Nachruf‹ –, »ein Fachmann zu werden: auch, weil es ihm immer schwerfiel, Bücher zu lesen; wer ihn nicht hinriß (wie Kierkegaard, wie Nietzsche, wie der junge Marx, wie Freud), war ihm versagt. Er hatte nicht die Geduld, sich auch langweilen zu lassen; so war ihm Wichtiges verschlossen.«[10] In ihrem Charme und in ihrer Fragwürdigkeit erinnern seine Arbeiten oft an Improvisationen.

Aber alle Versuche Marcuses verweisen, ungeachtet ihrer Qualitätsschwankungen, auf einen gemeinsamen gedanklichen Ursprung. Er hatte in Berlin und Freiburg studiert und 1917 über ›Die Individualität als Wert und die Philosophie Friedrich Nietzsches‹ promoviert. Der »Individualität als Wert« blieb Marcuse bis ans Ende seiner Tage treu – und übrigens auch der Philosophie Nietzsches. Nie ging es ihm um die Menschheit, immer nur um die Menschen, und beharrlich lehnte er es ab, sie als »Ideenträger« zu interpretieren. Somit war Geistesgeschichte für ihn nichts anderes als die Geschichte von Individuen. Daher steht in seinen Büchern mehr über Schriftsteller und Philosophen als über Literatur und Philosophie.

Mit dem Blick auf die Vielschichtigkeit des Daseins (»Es ist immer komplizierter« – lautete sein Motto) hat er Ideologien, Systeme und Doktrinen immer wieder kritisiert und auch verspottet. Es war wohl die größte Leidenschaft seines Lebens, Theoreme anzuzweifeln und ideologische Lösungen und Rezepte in Frage zu stellen. In seinem Buch ›Mein zwanzigstes Jahrhundert‹ (1960) heißt es: »Die Ideen von 1776, 1789, 1830, 1848, 1917 bewegten ganz gewiß die Wirklichkeit. Aber die Richtung, in die sie bewegt wurde, ist nicht aus den Ideen zu erschließen: die Entwicklung Amerikas nicht aus der Constitution und die Entwicklung Rußlands nicht aus dem Kommunistischen Manifest. Die Intellektuellen aber kennen leider die Ideen besser als die Wirklichkeit, die sie ihnen subsumieren, und verleihen der Realität einen Ideen-Gehalt, der ihr nicht zukommt.«[11]

Von den Ideen jedoch, die Marcuse bekämpfte, konnte er sich auch faszinieren lassen: Viele seiner Arbeiten verdanken ihre Intensität und ihre Originalität einer authentischen Haßliebe. Natürlich hatte er seinen Lesern keine rettenden Wahrheiten zu bieten. Oder doch eine, und es war eine fundamentale: daß es eben keine rettenden Wahrheiten gibt und geben kann. Philosophieren verstand er als »die Annäherung an eine Offenbarung, die nie stattfindet«[12]. Von Revolutionen wollte er nichts wissen, denn er meinte, daß sie noch nie ein Übel kuriert hätten, ohne weitere Übel zu schaffen, die nur neue Versionen der alten waren: »Das lehrte mich die amerikanische Revolution, vorher die französische, nachher die russische. Ich habe mich zu sehr zur Zurückhaltung erzogen, um zu sagen: es muß so sein; ganz gewiß war es bisher so.«[13]

Er bewunderte Marx und warnte vor den Marxisten. Er attackierte die Linke, wo sie ihm reaktionär erschien: Er hielt »unterdrückende Befreier« für schlimmer als »schlichte Unterdrücker«[14], die immerhin den Feind sehen lassen. Zornig wandte er sich sowohl gegen die antikapitalistische als auch gegen die antikommunistische Kreuzzugs-Mentalität – und setzte sich damit, wie schon oft in seinem Leben, zwischen alle Stühle. Nie hat Marcuse bei einer Weltanschauung oder einer Organisation Schutz gesucht, nie sich auf ein Programm oder ein System gestützt. Das habe ihn zwar – laut eigener Aussage – »tausend Anfälligkeiten ausgesetzt«, aber er sei auch immer frei gewesen, »sich ohne Gewissensbisse zu widersprechen«[15].

Er war und blieb ein Einzelgänger, der sich, wie der von ihm verehrte amerikanische Philosoph Henry Adams, für einen »konservativen Anarchisten« hielt, er war ein romantischer Rationalist, der nicht aufhören konnte, an die Vernunft zu glauben, ein militanter Liberaler, dessen Militanz oft beanstandet wurde, weil man seinen Liberalismus verkannte und seine Toleranz unterschätzte, ein passionierter Atheist, der den Atheismus vor der Mythologisierung zu bewahren suchte, ein unbeirrbarer Aufklärer, der, wo andere systematisch zwar, doch unkonsequent dachten, den Mut hatte, sich Konsequenz ohne Systematik zu leisten.

Das Unpopuläre hat dieser »ewige Protestant« nie gescheut. Im Gegenteil: Es machte ihm Freude, gegen den Strom zu schwimmen. Je häufiger in den bundesrepublikanischen Kulturbeilagen der sechziger Jahre das Wort »Gesellschaft« vorkam, desto nachdrücklicher verteidigte er das Private und Individuelle. Er verspottete die »ideologische Verdrängung des Privaten« und berief sich hierbei gern – zur Verärgerung übrigens mancher seiner Leser – gerade auf Karl Marx, zumal auf die Briefe an seine Frau Jenny. Schon in seiner Börne-Monographie hatte Marcuse erklärt, was als sein Kredo gelten kann: »Der Mensch ist nicht zum Kämpfen geboren, sondern zum Leben – und zum Kämpfen nur verurteilt.«[16]

Zwei scheinbar private Bücher sind denn auch seine schönsten, seine, neben der Börne-Monographie, wohl wertvollsten: die virtuose Autobiographie ›Mein zwanzigstes Jahrhundert‹ und der ›Nachruf auf Ludwig Marcuse‹. Diese beiden viel zuwenig bekannten und, wie mir scheint, auch von der Kritik unterschätzten Selbstporträts zeigen noch einmal, daß Marcuse mehr Journalist als Wissenschaftler und mehr Schriftsteller als Philosoph war.

In der Autobiographie verbirgt sich ein Stück deutscher Kulturgeschichte von der Wilhelminischen Zeit bis zur Bundesrepublik. Wichtig vor allem, was Marcuse über das geistige Leben in der Weimarer Republik berichtete: Indem er mit klischeehaften Vorstellungen aufräumte, widersetzte er sich einem bequemen und schädlichen Mythos. Nicht weniger aufschlußreich ist seine vorurteilsfreie Darstellung der Verhältnisse im Exil, in der sich höchst Bemerkenswertes über Heinrich Mann, Joseph Roth und Stefan Zweig, über Brecht, Döblin, Werfel und Feuchtwanger findet. Hier fällt auch jener für Marcuse so charakteristische Widerspruch auf: Er ergibt sich aus seinem permanenten Unbehagen an der Kultur und aus seiner unzerstörbaren Liebe zu ihr, aus seiner passionierten Abneigung gegen Ideen und aus seiner intensiven Teilnahme an ihnen. Nur daß dieser Widerspruch den Reiz des Buches ›Mein zwanzigstes Jahrhundert‹ nicht beeinträchtigt, sondern steigert.

Härter und strenger und wohl noch ungewöhnlicher ist die abschließende Selbstdarstellung ›Nachruf auf Ludwig Marcuse‹, die ich für ein Meisterwerk halte. Die Frage »Wer bin ich?« beantwortete der Fünfundsiebzigjährige ohne Eitelkeit und ohne Larmoyanz mit schlechthin bewundernswerter Aufrichtigkeit. Das rücksichtslose und erschütternde Selbstporträt geht unmerklich in eine letzte, nicht minder erschütternde Kampfschrift über; sie bietet Einblicke in unsere Epoche, wie sie kein anderer deutscher Autor dieser Jahre zu geben fähig oder bereit war.

Dem ›Nachruf‹ kann man auch entnehmen, wie schwer er es nach seiner Rückkehr aus dem Exil hatte. 1933 hatte Marcuse keine Illusionen gekannt: Dieser Skeptiker war sofort geflüchtet, zunächst nach Frankreich; später, 1939, in die USA. Hier wie da lebte er vor allem im Milieu emigrierter Schriftsteller und Künstler und brauchte übrigens keine übermäßigen finanziellen Schwierigkeiten zu überwinden. Ab 1945 war er Professor für Philosophie und deutsche Literatur an der Southern University of California in Los Angeles. Daß aber dieser preußische Jude, dessen Muttersprache das Berlinerische war, sich im Ausland nicht heimisch fühlen konnte, versteht sich von selbst: »Wir hatten zwar Englisch zur Verfügung, aber das Deutsch verfügte über uns.«[17] Und: »Meine ersten fünfundvierzig Jahre lagen vor meiner Entdeckung Amerikas – meine letzten zwanzig Jahre aber nach meiner Entdeckung Deutschlands« – heißt es in seinem ›Zwanzigsten Jahrhundert‹.[18]

Die Beiträge, die Marcuse in den fünfziger Jahren bundesrepublikanischen Zeitungen, zumal der ›Zeit‹, von Los Angeles aus zuschickte, machten ihn rasch wieder zu einem bekämpften Publizisten. Um 1960 war er hierzulande ein fast berühmter Mann. Damit mochte es zusammenhängen, daß er schließlich, siebzehn Jahre nach dem Ende des Zweiten Weltkriegs, zurückgekommen ist.

Warum hatte sich Marcuse hierzu erst 1962 entschlossen? Er sagte es sehr deutlich: »Zwischen 1949 und 1961 reiste ich zwölfmal nach Deutschland. Meine Universität bat mich jedesmal, zurückzukommen; keine deutsche bat mich zu bleiben.«[19] Hat er sich nach Deutschland gesehnt? Nein, sagen wir lieber: nach dem deutschen Kulturleben, nach dem deutschen Literaturbetrieb: »Ich wollte die Jahre, die ich noch habe« – schrieb er kurz nach seiner Rückkehr –, »deutsch-literarisch verbringen, nicht amerikanisch-akademisch. Deshalb siedelte ich über, vom Pazifischen Ozean an einen bayrischen See . . .«[20]

Er hatte in der Bundesrepublik viele Gegner und wenige Freunde. Er suchte nie Verbündete und fand immer Leser: die Redakteure druckten und sendeten seine Artikel gern (sie waren ja nie langweilig), und seine Bücher wurden nicht gerade Bestseller, aber sie blieben auch nicht liegen. Woher also Marcuses unzweifelhafte, wenn auch von ihm selber entschieden bestrittene Verbitterung? Er brauchte das Echo. Er war auf den Dialog angewiesen und sah sich zu einem monologischen Dasein verurteilt. Er haßte die Einsamkeit und mußte einsam arbeiten. Denn es stellte sich heraus, daß man für seine Manuskripte Verwendung hatte, doch nicht für seine Person. Er war mutig genug, zu sein, was er war, ohne sich mit den Folgen dieses Muts abfinden zu können. Er sah sich isoliert und verlassen. Er wußte, daß er erfolgreich war, doch kaum anerkannt wurde.

Keine einzige westdeutsche Universität hat ihm, einem geborenen, wenn auch ganz und gar unorthodoxen Pädagogen, der plaudernd dozieren und seine Hörer hinreißen konnte, einen Lehrstuhl oder eine Gastprofessur angeboten. Er wurde nie mit einem Literaturpreis ausgezeichnet. Nie hat man ihm einen Ehrendoktor verliehen. Ob das wohl auch damit zu tun hatte, daß er nie paktieren und taktieren konnte? Daß er nie vorsichtig und bisweilen schroff war, aber nur deshalb, weil er auf keinen Fall für liebedienerisch gehalten werden wollte? Daß er sich zwar oft geirrt, doch niemandem nach dem Munde geredet hat? Daß er – schließlich und vor allem – den Ordinarien und seinen Kollegen unentwegt jene Unabhängigkeit demonstrierte, zu der sich viele von ihnen nicht aufschwingen konnten? Allerdings glaubte er mitunter, sich im publizistischen Kampf (zumal gegen den von ihm gehaßten Adorno) auch solcher Mittel bedienen zu dürfen, die, kurz gesagt, indiskutabel sind.

Wie auch immer: Nicht in Frankreich und nicht in den USA, sondern im Nachkriegsdeutschland mußte Marcuse erfahren, was Heimatlosigkeit, Einsamkeit und Isolation bedeuten können. Oft von Journalisten nach seinem Verhältnis zu dem Land befragt, in dem er sich am Ende doch angesiedelt hatte, antwortete er nüchtern und ganz unsentimental, stets das Provisorische seines Aufenthalts am Tegernsee betonend. Marcuse war ein Rückkehrer auf Widerruf. In einem seiner letzten Interviews sagte er: »Jeder Emigrant ist ein Dummkopf, der nicht damit rechnet, daß er in zwei oder fünf Jahren seinen Koffer packen muß.«[21]

Er lebte in der Bundesrepublik, aber exterritorial. Seine bescheidene Wohnung in Bad Wiessee befand sich am Ende einer bergauf führenden Sackgasse. Dort hat ihn oft der Gedanke gequält, ob ihm nicht versagt geblieben ist, worauf es ankommt und was keine Literatur und keine Philosophie zu ersetzen vermag – das wirkliche Leben, dieses schon von der großen Jüdin Rahel Varnhagen schmerzhaft vermißte »natürlichste Dasein«. Gegen Ende seines ›Nachrufs‹ gesteht er: »Was alles hat er nie gesehen, nie gehört, nie gerochen, nie geschmeckt: weil in vielen Stunden, Jahren, Jahrzehnten seine Sinne und sein Mitgefühl nur indirekt lebten – in der Konzentration auf ein weißes Blatt Papier.«[22] Aber er wußte auch, was schon in seinem Plato-Buch zu lesen ist: »Es gibt keinen Unterschied zwischen Vegetieren und Leben.«[23]

Ludwig Marcuse ein Vorbild für Deutsche? Da man aus seinen Büchern, aber auch aus seinen Fehlern und Schwächen bestimmt viel lernen kann, hängt die Beantwortung dieser Frage mit einer ganz anderen zusammen, mit der nämlich, ob die Deutschen von heute wirklich bereit sind, von jenen zu lernen, die das Deutschland von gestern vertrieben hat.

(1974)

Den jungen Lesern von heute sagt sein Name nicht mehr viel. Und wer von ihnen zu einem seiner Romane oder Essaybände greift, mag sich wundern, daß deren Autor einst im Mittelpunkt unserer literarischen Öffentlichkeit stand. Wurde Kesten etwa überschätzt? Nein, keineswegs, aber sein Ansehen beruhte nur zu einem Teil auf seinen Büchern. Genauer gesagt: Hermann Kesten war ungleich mehr als die Summe seiner Werke.

Er wurde im ersten Monat unseres Jahrhunderts in Nürnberg geboren, er studierte (natürlich Germanistik) im benachbarten Erlangen und in Frankfurt und bald zog es ihn, den Sohn eines ostjüdischen Einwanderers, dorthin, wo es die meisten Verlage, Theater und Kaffeehäuser gab und wo er jene finden konnte, auf deren Gesellschaft er geradezu angewiesen war – die Schriftsteller, die Kritiker und die Journalisten. Er ging also nach Berlin. Man schrieb das Jahr 1927, vom Expressionismus wollte man nichts mehr wissen, modern war jetzt die »Neue Sachlichkeit«, man redete davon überall, ohne indes genauer erklären zu können, was denn mit dem ebenso bequemen wie verschwommenen Schlagwort eigentlich gemeint war.

In diesem Jahr 1927 debütierte der junge Kesten mit einem kleinen Roman, ›Josef sucht die Freiheit‹, dem 1929 eine Fortsetzung unter dem Titel ›Ein ausschweifender Mensch‹ folgte. Und sofort war er berühmt: Man erkannte in ihm den Repräsentanten der neuen Generation und eben der dringend benötigten »Neuen Sachlichkeit«. Einer von vielen, die den Anfänger ausgiebig lobten, war Heinrich Mann; seinen nächsten Roman (›Glückliche Menschen‹, 1931) versah Erich Kästner mit einem Vorwort. Die Bücher wurden rasch in viele Sprachen übersetzt.

Man kann sehr wohl verstehen, was den Zeitgenossen an dieser Prosa gefallen hat: der nüchtern-skeptische Ton, die ironische Gesellschaftskritik, die zornig-provozierende Satire und nicht zuletzt der mit den vielen Attacken und Sarkasmen nur notdürftig getarnte Idealismus. Denn Kesten glaubte an die Menschen und ganz besonders an seinesgleichen, nämlich an die Schriftsteller. Von Anfang an war er verliebt in die ganze Zunft. Und schon damals, in den Jahren der Weimarer Republik, hat er ihr gedient wie kaum ein anderer.

Unter seiner Ägide wurde der kleine Gustav Kiepenheuer-Verlag zum Zentrum der modernen deutschen Literatur: Innerhalb von wenigen Jahren erschienen dort die nachgelassenen Erzählungen Franz Kafkas, die ›Versuche‹ Bertolt Brechts, die Essays von Benn und Heinrich Mann, die schönsten Romane von Joseph Roth, die frühen Bücher von Anna Seghers.

Im Frühjahr 1933 mußte Kesten, versteht sich, fliehen: Er ging nach Paris und war sehr bald auch im Exil eine der zentralen Figuren des literarischen Lebens, zumal als Lektor des Emigrantenverlags Allert de Lange in Amsterdam. 1940 glückte es ihm, noch rechtzeitig Frankreich zu verlassen und nach New York zu kommen. Kaum angelangt, hat er dort unermüdlich Hilfsaktionen für emigrierte deutsche Schriftsteller organisiert. Nicht wenige verdankten ihm ihr Leben. Stefan Zweig hatte guten Grund, einen 1941 an Kesten gerichteten Brief mit den Worten zu beginnen: »Da Sie der Schutzvater und geradezu Schutzheilige aller über die Welt Versprengten sind...«[1]

Nach dem Krieg blieb Kesten zunächst in New York, lebte später einige Jahre in Rom, dann wieder in New York und schließlich in Basel. Meist wohnte er in Hotels. Er reiste viel: Nur unterwegs, so will es scheinen, fühlte er sich wirklich wohl. Doch wo immer er war, da war auch die deutsche Literatur, an seinem Kaffeehaustisch saßen Berühmte und Unbekannte, alte Leidensgenossen und junge Kollegen – und alle suchten das Gespräch mit ihm, seinen Ratschlag, seine Hilfe.

Nach Deutschland zurückkehren mochte er allerdings nicht. Doch besuchte er die Bundesrepublik oft, man traf ihn in Redaktionen und Verlagen, auf Kongressen und Symposien – und überall wurde er gern gesehen, weil er ein stets anregender und witziger, ein temperamentvoller und auch liebenswürdiger Gast war. Manchmal schienen seine Ansichten ärgerlich, seine Urteile ungerecht – aber zu den Langweilern gehörte er nie. Und wo immer er sich aufhielt, in diesen Jahrzehnten nach dem Zweiten Weltkrieg, er schrieb für Zeitungen, Zeitschriften und Rundfunksender in der Bundesrepublik, er rief nach Deutschland – klagend und anklagend, zürnend und lachend.

Er plädiert für die Vernunft und die Freiheit, er analysiert die Zehn Gebote, er protestiert gegen die Dummheit, gegen die Zensur und die Todesstrafe, er belehrt über die Juden und die Nazis und die zwanziger Jahre, er porträtiert die Schriftsteller aller Länder und Zeiten, am häufigsten freilich die deutschen Autoren unseres Jahrhunderts. Von den großen Meistern vergangener Epochen spricht er, als wären sie seine nächsten Freunde gewesen, als hätte er mit ihnen vergangene Woche gestritten und gestern friedlich gefrühstückt. Über die Schriftsteller unserer Zeit, die er fast alle gut gekannt hat, schreibt er, als wären sie unsterbliche Meister. Den Toten klopft er auf die Schulter, den Lebenden errichtet er Denkmäler. Er glaubt allen Ernstes, die Schriftsteller hätten »nie einen gewaltigeren Einfluß auf den Lauf der Welt ausgeübt als heute«.[2] Sehr schmeichelhaft ist das für die Schriftsteller von heute wohl kaum.

Jedenfalls ist er ein glänzender, wenn auch bisweilen ungerechter Porträtist. Sogar manche seiner haarsträubenden Fehlurteile sind anregend. Seine zahlreichen Schriftsteller-Porträts finden sich vor allem in zwei Bänden: ›Meine Freunde, die Poeten‹ (1953) und ›Lauter Literaten‹ (1963). Es sind Fundgruben, um die sich die deutschen Literarhistoriker bisher viel zuwenig gekümmert haben. Andere Aufsätze, darunter auch vehemente Pamphlete, enthält der Band mit dem bezeichnenden Titel ›Der Geist der Unruhe‹ (1959).

Ja, das ist er: ein Geist der Unruhe, ein aggressiver Menschenfreund und smarter Weltverbesserer, ein heiterer Sittlichkeitsapostel und schnodderiger Prediger, ein eifernder Liberaler und ein wortgewaltiger Feuilletonist. Er ist ein lustiger Schreiber, der es ernst meint, ein heilsamer Provokateur vor dem Herrn. Die Welt, erklärte er »in hellstem Übermut«, sei dazu da, »daß ich sie beschreibe...«[3] Und: »Was wir nicht aufschreiben, hat umsonst gelebt, ist wie nie gewesen ... Wir sind die Mitautoren der Menschheit.«[4] Was immer geschah, welche Enttäuschungen er auch erleben mußte – er hörte nie auf, an die Göttin seiner Existenz zu glauben, an die Vernunft nämlich, von der er meinte, sie sei »viel mirakulöser, viel göttlicher als alle Mirakel.«[5]

Für ihn – gab er freimütig zu – sieht »die ganze Welt zuletzt wie ein literarisches Kaffeehaus im größten Format aus«.[6] Damit hatte Kesten, ohne es zu wollen, auch die Grenzen seines Horizonts angedeutet. Er ist ein rührender Schwärmer, ein zuverlässiger Freund der Kunst und der Künstler, ein bewundernswerter Liebhaber der Literatur und des Geistes. Ein Liebhaber, also ein Dilettant – und etwas Dilettantenhaftes macht sich in allen seinen Schriften bemerkbar.

Die nüchterne Wertung ist seine Sache nicht, zur genauen Analyse hat er nur in Ausnahmefällen Lust. Er ist vielmehr ein lyrisch-emotionaler Essayist, am besten kommt er zum Zuge, wenn er rühmen oder anklagen kann. Die Dämmerung ist ihm verhaßt, die diskrete Beleuchtung kennt er nicht, für das Spiel von Licht und Schatten hat er keine Zeit, er taucht stets alles in überhelles Scheinwerferlicht. Er vereinfacht, um zu klären, er überspitzt, um zu verdeutlichen. Sein Temperament verleitet ihn oft zu maßlosen Übertreibungen. Denn er glaubt, man könne im Dienste der Wahrheit nicht oft genug übertreiben. Aber wie die Übertreibung zur Entstellung führen kann, so auch die Entstellung zur Lüge.

In literarischen Fehden ist Kesten ein Anhänger von Schocktherapien, denen freilich nicht immer die notwendigen Diagnosen vorangehen. Seine Methode besteht oft in der überraschenden Aneinanderreihung von Namen, Fakten und Informationen. Diese Aufzählungen, in denen Kestens Hang zum Uferlosen zum Vorschein kommt, mögen bisweilen ermüden, ergeben jedoch auch betörende Kaleidoskope. Freilich müssen in vielen seiner essayistischen und publizistischen Arbeiten und auch in seinen Biographien (etwa über Copernicus, 1946, oder über Casanova, 1952) die Behauptungen die Beweise ersetzen, und statt der Argumente werden uns Bonmots geboten. Indes wirkt sich das nicht unbedingt ungünstig aus. Ludwig Marcuse hat ihm vorgeworfen, er sei »eher ein Gaukler als ein Gelehrter«.[7] Aber er ist beides zugleich und in einem. Nicht selten sind seine Bücher – das läßt sich nicht verschweigen – allzu vordergründig, doch humorlos oder gar schwerfällig sind sie nie. Das gilt übrigens auch für seine keineswegs unoriginellen Geschichten (gesammelt in dem Band ›Die 30 Erzählungen‹, 1962), die zu Unrecht in Vergessenheit geraten sind.

Was ist nun also Hermann Kesten? Ein Romancier? Ein Essayist? Ein Biograph? Ein Novellist? Ein Kritiker? Sagen wir lieber: Ein Literat – und nichts Literarisches ist ihm fremd. Im Alter hat er (höchst überraschend für alle seine Leser und Freunde) auch noch einen durchaus nicht schlechten Lyrikband veröffentlicht (›Ich bin der ich bin‹, 1974). Daß ein solcher Mann ein geradezu idealer Anthologist ist, versteht sich beinahe von selbst, denn: »Das Kind, das seiner Mutter voller Entzücken einen Stern oder Schmetterling oder eine Blume zeigt und ruft: Wie schön! ist der Prototyp des Anthologisten. Auch er faßt seine Frau oder seinen Verleger oder das Publikum am Arm und ruft: Wie schön!«[8]

So hat Kesten mindestens ein halbes Dutzend ausgezeichneter und überaus nützlicher Anthologien herausgegeben. Im Vorwort zur frühesten, dem 1928 erschienenen Sammelband ›24 neue deutsche Erzähler‹, verkündete er kurz und bündig: »Ich bekenne mich zum Glauben an die Wirkung des Wortes. Im Anfang war das Wort. Ich glaube, daß das gesprochene Wort die Welt des Menschen ändern kann.«[9] Im Sinne dieses Kredo, dem er stets treu blieb, war er auf allen Abschnitten seines Lebens in internationalen Schriftstellerorganisationen tätig. Und schließlich hat er (von 1972 bis 1976) ein Amt bekleidet, für das er wie geschaffen war: Als wendiger und würdiger, heiterer und hurtiger Präsident des PEN-Zentrums der Bundesrepublik geriet er abermals in den Mittelpunkt der allgemeinen Aufmerksamkeit und hat abermals sehr viel Gutes getan – für die Schriftsteller und für die Literatur.

Mit seinem burschikosen Tonfall und seiner suggestiven Diktion, mit seiner agilen Leidenschaft und seiner fröhlichen Aggressivität, mit seiner Hektik und seinem Esprit, mit seinen vielen Tugenden und auch mit manchen seiner Schwächen vergegenwärtigt und verkörpert Hermann Kesten für uns Nachgeborene einen zwar längst abgeschlossenen, doch immer noch anregenden und aufregenden Zeitabschnitt der deutschen Literatur – die zwanziger Jahre.

Hat Deutschland die Verdienste dieses sprudelnden Talents anerkannt? Ja, aber Kesten mußte lange warten. Erst 1974 erhielt er den ihm längst gebührenden Georg-Büchner-Preis, dem andere Ehrungen folgten. Ist jemand in Bonn auf den Gedanken gekommen, Kesten zu bitten, er möge sich doch wieder in Deutschland niederlassen, hat man ihm ein Haus angeboten? Nein, aber München hat es Ende der siebziger Jahre getan. Er schwankte und lehnte schließlich dankend ab.

Geschlagen und gesegnet mit der Unruhe und der Vitalität, der Verletzbarkeit und der Sensibilität der Juden, will Hermann Kesten bleiben, was er seit einem halben Jahrhundert ist: ein Emigrant, der sich aus der Literatur eine Heimat gemacht hat, ein »portatives Vaterland«.

(1963/1980)

Als Manès Sperber, der am 5. Februar 1984 in einem Pariser Krankenhaus im Alter von 78 Jahren gestorben ist, im Oktober 1983 mit dem Friedenspreis des Deutschen Buchhandels geehrt wurde, begann seine Dankansprache, die er nicht mehr persönlich halten konnte, mit den Worten: »Ich bin der zweite Laureat des Frankfurter Friedenspreises, der durch Abstammung wie Wahlverwandtschaft ein Ostjude und trotzdem ein der deutschen Kultur in schmerzlicher Untrennbarkeit verbundener Schriftsteller geblieben ist.«[1]

Ähnlich wie Joseph Roth, mit dem man ihn gelegentlich verglichen hat, kam auch Sperber aus dem östlichsten Winkel der alten österreichischen Monarchie: Er wurde 1905 in dem ostgalizischen Städtchen Zablotow geboren, wuchs jedoch in Wien auf, lebte einige Jahre in Berlin und emigrierte 1933 über Jugoslawien nach Paris, wo er (nahezu ohne Unterbrechung) ein halbes Jahrhundert wohnte. Manche seiner Arbeiten, publizistische zumal, sind in französischer Sprache geschrieben. Auch war er längst französischer Staatsangehöriger, er wurde an der Seine geschätzt und bisweilen bewundert. Wenn es aber jetzt in Agenturmeldungen heißt, er sei ein französischer Schriftsteller gewesen, dann stimmt das eben nicht. Er war vielmehr ein deutscher Schriftsteller, einer, der sich von seiner Heimat nie losreißen konnte – der Welt zwischen Wien und Berlin.

Literatur und Philosophie haben in seinem Leben eine enorme Rolle gespielt. Will man indes mit zwei Stichworten die entscheidenden Ereignisse, die zentralen Abenteuer Manès Sperbers andeuten, dann sind es doch andere Begriffe, die sich hier aufdrängen, nämlich: Psychologie und Kommunismus. Nachdem er in Wien Psychologie studiert hatte, wurde er Mitarbeiter Alfred Adlers, mit dem er sich 1926 in seiner ersten Publikation befaßte. Viele Jahre später, 1970, widmete er seinem Lehrmeister Adler eine umfangreiche Monographie. Damals, in den zwanziger Jahren, gehörte Sperber auch zu den Intellektuellen, die sich die radikale Lösung der Fragen der Gegenwart von jener Bewegung versprachen, die ebenso mit einer Universalideologie wie mit kaum zu überbietenden Utopien aufwartete. Aber so begeistert sich der junge Sperber der kommunistischen Bewegung angeschlossen hatte, so enttäuscht und bestürzt wandte er sich 1937 wieder von ihr ab.

»Nur durch eine einzige Tür verläßt man die Revolution, sie öffnet sich ins Nichts.« Diese Behauptung, die sich in Sperbers Hauptwerk, der Trilogie ›Wie eine Träne im Ozean‹, findet, wird durch seinen weiteren Lebensweg und durch die Existenz seines Werks grandios widerlegt. Gewiß, auch er stand 1937 vor einem so tiefen wie düsteren Abgrund. Doch klammerte er sich an die Feder: Die schriftstellerische Betätigung, die sich bis dahin auf Arbeiten am Rande der politischen Aktivität beschränkte, rückte nun in den Mittelpunkt seines Daseins. Das gesamte literarische Werk Sperbers ist als Fortsetzung jenes Kampfes zu verstehen, den er in den zwanziger und dreißiger Jahren in den Reihen der Kommunistischen Partei geführt hat oder, richtiger gesagt, zu führen glaubte.

Der ehemalige Revolutionär Sperber hörte nicht auf, ein politischer Erzieher und ein militanter Moralist zu sein. Nicht nur sein intellektuelles Format hinderte ihn, sich mit der Enthüllung von Tatsachen und Zusammenhängen zu begnügen. Darüber hinaus war es ihm gegeben, als ein einsamer Lehrmeister schreibend zu wirken, gleichsam als ein zeitgenössischer Prophet, der nicht nur verneint und verdammt, sondern auch warnt und mahnt. Seine Erkenntnisse und Einsichten vermochte der Schriftsteller und Politiker, der Philosoph und Historiker, der Psychologe und Soziologe Manès Sperber in Essays darzulegen, deren bestechende Logik und außergewöhnlicher Glanz sogleich seine (damals noch nicht allzu zahlreichen) deutschen Leser verblüfften und begeisterten. Gemeint sind hier vor allem die in dem Band ›Die Achillesferse‹ (1960) vereinten Arbeiten.

Auch in seiner Romantrilogie, die bereits 1951 abgeschlossen war, zunächst in französischer Übersetzung erschien und in der deutschen Originalfassung erst mit großer Verspätung (1961) publiziert wurde, war Sperber vor allem daran gelegen, in klärender und offenkundig didaktischer Absicht Lebenssummen zu ziehen.[2] Die Handlung dieses (übrigens auch mit Erfolg verfilmten) epischen Riesenfreskos spielt von 1931 bis 1945 in neun europäischen Ländern. Aber so groß die Zahl der Personen und Aktionen, der Motive und Konflikte – es gibt doch nur eine einzige Frage, die unentwegt das Ganze beherrscht und die immer aufs neue formuliert, veranschaulicht und analysiert wird: Sperbers ›Wie eine Träne im Ozean‹ ist die Tragödie des politischen Gewissens in unserem Jahrhundert, demonstriert an den Schicksalen von Kommunisten. Sie, die aufbrechen, die Welt zu erlösen, müssen scheitern. Doch werden sie nicht von ihren Feinden besiegt, gehen vielmehr als Opfer ihrer eigenen Genossen unter, jener nämlich, welche die Ideen und Ideale konsequent verunstalten, mißbrauchen und schänden.

Im Mittelpunkt der Trilogie steht der Widerspruch zwischen dem, was den kommunistischen Kämpfern Moral und Gewissen, Vernunft und Logik diktieren, und dem, was ihnen die Moskauer Zentrale befiehlt. Ist also diese Trilogie eine »Saga der Komintern« (so wurde sie von Arthur Koestler genannt), ist sie ein antistalinistisches episches Werk? Das trifft zwar zu, nur wird mit einer solchen Kennzeichnung die generelle Absicht Sperbers unzulässig eingeengt. Denn über das Politische und Zeitbedingte hinausgehend, führt er die Konflikte seiner (mitunter schon tragischen) Helden auf einen fundamen talen Zwiespalt zurück, der die Weltliteratur seit Jahrtausenden beschäftigt – auf jenen von Traum und Realität, Theorie und Praxis, Geist und Macht. So lautet Sperbers zentrale These, daß in Revolutionen der Sieg überhaupt nicht existieren könne, denn: »Der sogenannte Sieg schafft neue Umstände, die ihn konsumieren. Der Höhepunkt jeder Revolution ist erreicht, ehe sie gesiegt hat – ihr Sieg ist aber bereits der Beginn der Konterrevolution, die sich anfangs unter revolutionärer Flagge vollzieht.«

In seinem Vorwort sagt Sperber, er habe Charaktere und Ereignisse, Erfahrungen und Erlebnisse nur dann behandelt, »wenn sie in sich ein Gleichnis bergen«. Im Endergebnis ist dieses Romanwerk ein politisches Gleichnis und eine psychologische Analyse, ein moralpolitisches Plädoyer und ein zeitgeschichtlicher Rechenschaftsbericht. Ihre Höhepunkte erreicht Sperbers Prosa in den diskursiven Partien, in den großen Streitgesprächen, die er meisterhaft zu schreiben wußte.

Aber in diesem Epos des vergeblichen Kampfes und der Niederlage dominiert, aller Erwartung zum Trotz, nicht etwa Verbitterung, sondern ein leiser und vorsichtiger Glaube an den Sinn des Daseins. Über den jungen Intellektuellen Dojno Faber, der auf unverkennbare Weise dem Autor Sperber ähnelt, heißt es: »Er war verdammt zu hoffen.« Doch nicht nur dieser Faber drückt Sperbers Gedanken und Gefühle aus, seine Zweifel und Befürchtungen – er hat sie auf alle wichtigeren Gestalten der Trilogie verteilt, zu denen auch Geistliche, auch zynische Funktionäre gehören. Sogar den Henkern hat er intelligente, nachdenklich stimmende Argumente in den Mund gelegt. So erweisen sich viele Diskussionen und Auseinandersetzungen in dieser Trilogie als Selbstgespräche des Autors. Eine Autobiographie ist ›Wie eine Träne im Ozean‹ natürlich nicht, aber in einem tieferen Sinne doch ein Autoporträt. »Kein deutscher Schriftsteller unseres Jahrhunderts« – so urteilte Sperbers Generationsgenosse Hermann Kesten – »hat politische Schicksale treffender beschrieben.«[3]

Gleichwohl hat sich Sperber in den siebziger Jahren entschlossen, auch eine regelrechte Autobiographie zu verfassen. Sie kann neben der Trilogie und neben seinen Aufsätzen und Studien (die 1981 erschienene, umfangreiche Sammlung trägt den bezeichnenden Titel ›Essays zur täglichen Weltgeschichte‹) als sein drittes Hauptwerk gelten. Es ist wiederum eine Trilogie: ›Die Wasserträger Gottes‹ (1974), ›Die vergebliche Warnung‹ (1975) und ›Bis man mir Scherben auf die Augen legt‹ (1977). Farbenprächtig und phantasievoll, pädagogisch und poetisch sind diese Erinnerungen zugleich. Sie knüpfen an eine ostjüdische Erzähltradition an, die mittlerweile ausgestorben ist und die man höchstens noch in den Romanen des in den Vereinigten Staaten lebenden Isaac Bashevis Singer finden kann. Charakteristisch für diese Tradition ist einerseits die ständige Bemühung, Einsichten in Geschichten zu vermitteln, und andererseits die gleichsam selbstverständliche Verbindung von Witz und Weisheit, von Scherz und Schwermut. Was Sperber, sein eigenes Leben souverän beschreibend, beabsichtigt hat, hat er selber bei verschiedenen Gelegenheiten angedeutet: Er wollte das Exemplarische eines extremen Weges zeigen. Auch hier bewährte er sich als großer Lehrmeister.

In der Bundesrepublik und auch in Österreich wurde seine Leistung spät zwar, doch dann auf angemessene Weise anerkannt und gewürdigt. Er erhielt unter anderem den Georg-Büchner-Preis, freilich erst als Siebzigjähriger. Und er war schon über siebzig Jahre alt, als man ihn schließlich doch mit dem Großen Österreichischen Literaturpreis auszeichnete. Als Sperber 1983 mit dem Friedenspreis des Deutschen Buchhandels geehrt wurde, hat seine Rede, in der er noch einmal seine Kühnheit und seine Unabhängigkeit demonstrierte, nicht allen gefallen. Die Rede hat viel Aufsehen erregt und wurde lebhaft diskutiert. Ein ebenso törichter wie unverschämter deutscher Autor hielt es damals, da ihm einige zentrale Gedanken Sperbers nicht paßten, für angebracht, öffentlich zu verlangen, der Laureat solle den ihm verliehenen Preis wieder zurückgeben. Auf diese Weise wurde die erschreckende Intoleranz sichtbar, die Sperber ein Leben lang bekämpft hatte. Und es zeigte sich noch einmal, wie wenig der vielfach Preisgekrönte im Alter zu einer Art Denkmalsfigur geworden war.

Bis zuletzt hatte er mit seinen Mahnungen und Warnungen die Zeitgenossen beunruhigt und aufgerüttelt und nicht selten auch geärgert. Denn Manès Sperber war vom Geschlecht der Ruhestörer, denen Deutschland viel zu verdanken hat. Sie werden uns in Zukunft immer weniger stören und immer mehr fehlen. Denn sie sterben aus. Sperber war einer der letzten. In der Trilogie ›Wie eine Träne im Ozean‹ heißt es am Ende: »Wir sind verloren, aber die Sache selbst ist unverlierbar. Wir waren Nachfolger. Wir werden Nachfolger haben.« Schon im ersten Band ist zu lesen: »Die geheime Verschwörung des Gedankens macht Fortschritte, sie wird vielleicht nie ans Ziel kommen, aber auch nie beendet, solange ein Mensch fragt: Warum leiden wir?«

Den Friedenspreis 1983 erhielt Sperber, weil er – so die Begründung des Stiftungsrates für diesen Preis – »die zentralen europäischen Erfahrungen seiner Generation aufgenommen« habe und »wie nur wenige ohne Leugnen der geschichtlichen Ereignisse einen kritischen skeptischen Humanismus« vertrete.[4] Unvergeßlich die Feier in der Frankfurter Paulskirche, unvergeßlich die Laudatio, die Siegfried Lenz hielt. Es war eine Lob- und eine Dankrede. In wessen Namen dankte Siegfried Lenz dem Schriftsteller Manès Sperber? Man kann wohl sagen: Im Namen jener, die von ihm gelernt haben, im Namen der Besten der nächsten Generation.

(1984)

Friedrich Torberg: Jude, Österreicher, Europäer

Der Schriftsteller Friedrich Torberg, der am 10. November 1979 im Alter von 71 Jahren gestorben ist, war in seiner großen Zeit eine Wiener Institution, ein österreichisches Wunder und ein deutsches Ärgernis. Denn ihm gelang es, Unvereinbares zu vereinen: Er war ein Querkopf mit Esprit, ein gutmütiger Eiferer, ein witziger Fanatiker, ein Humorist mit missionarischen Tönen.

Er wurde in Wien geboren, lebte später einige Jahre in Prag, emigrierte 1938 in die Schweiz, meldete sich 1939 in Frankreich zur tschechischen Armee, landete schließlich in den Vereinigten Staaten und kehrte 1951 nach Österreich zurück. Er war dann etwa zwei Jahrzehnte lang eine der zentralen Figuren des österreichischen Kulturlebens und eine der markantesten Persönlichkeiten der deutschen Literatur unserer Zeit.

Befragt, was er denn eigentlich sei, pflegte Torberg zu antworten: ein europäischer, ein deutscher, ein österreichischer, ein jüdischer Schriftsteller. Deutsch war die Sprache, die er virtuos zu handhaben wußte, österreichisch die literarische Tradition, an die er immer wieder anknüpfte, jüdisch das ethische Fundament, dem er sich verpflichtet fühlte. Und europäisch? Nun ja, auf Europa berufen sich gern jene Heimatlosen, deren einzige wirkliche Heimat der Geist ist.

Sicher ist, daß sein Leben und sein Werk zwischen zwei Polen schwankten – zwischen dem Österreichischen und dem Jüdischen. Aber sein Bekenntnis zum heutigen Österreich, wo er in den letzten Jahren ausgiebig geehrt und gefeiert wurde, war eher zurückhaltend: Er lebe, sagte er, in Wien, weil er hier »in begrenztem Maße zu Hause« sei. Ungebrochen und demonstrativ war hingegen schon von seiner frühesten Jugend an sein Verhältnis zum

Judentum: »Ich wußte, daß ich Jude war. Ich habe Hitler dazu nicht gebraucht.«

Seine literarische Laufbahn begann früh und stand unter einem glücklichen Stern: Max Brod war sein Mentor und Förderer, er schickte ein Romanmanuskript des einundzwanzigjährigen Torberg (ohne dessen Wissen) an den Zsolnay Verlag, wo das Buch 1930 unter dem Titel ›Der Schüler Gerber hat absolviert‹ erschien. Eine ganze Generation hat in diesem Roman ihre eigenen Erlebnisse wiedererkannt und nicht nur in Österreich: Er wurde ein Welterfolg; einen vergleichbaren hat Torberg nie wieder erzielt.

Der ›Schüler Gerber‹ ist ein typischer Erstling jener Zeit: stark autobiographisch, sentimental und keß, pathetisch und kühl zugleich. Torberg, der bei der Abiturientenprüfung durchgefallen war, schilderte mit Wut und Verve das tragisch endende Schicksal eines jungen, frühreifen, doch an der Mathematik scheiternden Menschen, der, von sadistischen Lehrern schikaniert, schließlich an sich selbst verzweifelt. Die erbitterte Auseinandersetzung mit dem österreichischen Gymnasium geht – und ebendeshalb war der Roman überall so erfolgreich – in ein suggestives Gleichnis über: Torberg kritisierte mehr als die Schule, nämlich die Gesellschaft, die Welt der Erwachsenen.

Dieses meisterhafte Psychogramm, das man mit Musils ›Verwirrungen des Zöglings Törless‹ verglichen hat, ist Torbergs originellstes Prosawerk geblieben. In seinen späteren Romanen und Novellen zeigte er sich als ein traditioneller Erzähler. Natürlich kannte er die Wege und Irrwege der modernen europäischen und amerikanischen Prosa, aber in seiner schriftstellerischen Praxis hat er sich um die Errungenschaften der bahnbrechenden Epiker unseres Jahrhunderts nicht gekümmert.

Dem Sportroman ›Die Mannschaft‹ (1935) folgte der in Wien spielende erotische Roman ›Abschied‹ (1937). Bedeutender als beide Romane, die heute eher der behandelten Stoffe wegen von Interesse sind, ist die 1942 im Exil geschriebene Erzählung ›Mein ist die Rache‹, in der ein Jude, ein Flüchtling aus einem deutschen Konzentrationslager, berichtet, was er dort erlebt hat. Wichtig sind hier nicht die äußeren Umstände und Fakten, sondern die psychischen Vorgänge, die moralischen Konflikte und Verstrickungen, in die der Mensch vom Terrorstaat gedrängt wird.

Mit dieser immer noch aktuellen und immer noch erschütternden Geschichte hatte Torberg sein Thema gefunden: das Individuum als Opfer des totalitären Staates, sei es nun westlicher, sei es östlicher Prägung. Um diese Frage kreisen seine Nachkriegsromane ›Hier bin ich, mein Vater‹ (1948) und ›Die zweite Begegnung‹ (1950) und die besten seiner Novellen (›Golems Wiederkehr‹, 1968).

Torbergs letzter Roman (›Süßkind von Trimberg‹, 1972) ist sein ehrgeizigstes, aber auch sein fragwürdigstes Werk: Der angeblich jüdische Minnesänger Süßkind von Trimberg, über dessen Leben wir in Wirklichkeit nichts wissen, ist der liebevoll geschilderte Held einer poetischen Biographie, die als Gleichnis vom Juden inmitten der nichtjüdischen Welt und als eine Art Epitaph der deutsch-jüdischen Kultursymbiose verstanden werden soll. Indes konnte der ›Süßkind‹-Roman, dessen Prosa in würdevoller Feierlichkeit erstickt, den Ruf Torbergs nicht schmälern. Denn er war eine Wiener Institution wohl doch nicht als Epiker, sondern vor allem als Publizist in des Wortes weitester Bedeutung.

Unvergessen ist seine Leistung als Herausgeber der von ihm gegründeten Zeitschrift ›Forum‹, die er von 1954 bis 1965 mit Temperament und Umsicht redigierte. Sie bot Aggressivität mit einer leicht melancholischen Note, war maßvoll österreichisch und fast europäisch. Die Zeitschrift bewies, daß Torberg, der damals als unermüdlicher Kommunistenfresser galt und den viele in der Bundesrepublik für reaktionär hielten, im Grunde ein Libera-

ler war – allerdings ein mitunter auf skurrile Weise ver-
bohrter Liberaler. Immerhin: Die Skala der Mitarbeiter
des ›Forums‹ reichte von Franz König bis Georg Lukács,
also vom offiziellen katholischen Kardinal-Erzbischof
von Wien bis zum inoffiziellen marxistischen Kardinal-
Erzbischof von Budapest.

Aus dieser Zeit stammen auch die meisten jener kleinen
journalistischen Arbeiten, die Torberg in den Nach-
kriegsjahren berühmt und berüchtigt gemacht haben –
also der ›Pamphlete, Parodien, Postscripta‹ (1964) und
der Theaterkritiken (›Das fünfte Rad am Thespiskarren‹,
1966/67). Als Theaterkritiker war er nicht ohne Grund
umstritten. Er schrieb geistreich, anschaulich und poin-
tiert, er konnte mit wenigen Worten das Klima eines
Stücks oder die Leistung eines Schauspielers glänzend
charakterisieren. Aber er war witzig. Warum aber? Weil
Torberg seinem Witz zwar unzählige Leser verdankte,
ihm jedoch oft genug alle anderen Elemente seiner Thea-
terkritik unterordnete.

Die polemischen und pamphletistischen Aufsätze lassen hingegen den oft segensreichen Einfluß jenes Mannes
erkennen, den Torberg als sein Vorbild und seinen Lehrmeister gerühmt und oft gegen Anfeindungen verteidigt
hat – den Einfluß von Karl Kraus. Doch was hätte der
gestrenge Magier Karl Kraus dazu gesagt, daß sein Schüler Torberg die Satiren des israelischen Autors Ephraim
Kishon übersetzt und zu deren außergewöhnlichen und
eher betrüblichen Verbreitung viel beigetragen hat? Am
Ende seines Lebens konnte Torberg noch einmal einen
großen Erfolg buchen: Zwei Sammlungen der von ihm
überlieferten und nacherzählten Anekdoten, Witze und
Schnurren – ›Tante Jolesch oder Der Untergang des
Abendlandes in Anekdoten‹, 1975, und ›Die Erben der
Tante Jolesch‹, 1978 – fanden viel Zuspruch und landeten
auf den Bestsellerlisten.

Alles in allem: ein umfangreiches, ein schillerndes, ein
zwiespältiges Werk, voll kurioser Irrtümer (dazu gehört

Torbergs langjähriger Kampf gegen Brecht) und brillanter Einzelleistungen. Keine Höhepunkte (es sei denn der frühe ›Schüler Gerber‹), kein geschlossenes Œuvre, das die in den sechziger Jahren erfolgte Ausgabe der ›Gesammelten Werke‹ legitimiert hätte, kein nennenswerter Beitrag zu den Bemühungen der modernen Literatur um neue Wege und Ausdrucksmittel. Und doch: Welch ein Mann, welch ein Literat! Ein halbes Jahrhundert lang hat er als Einzelgänger demonstriert, was ihm oft genug verübelt wurde: Unabhängigkeit. Er war immer ein militanter Schriftsteller, der allen Ideologien mißtraute, einer, der mit Leidenschaft und Humor für Gerechtigkeit und Gedankenfreiheit kämpfte.

Die österreichische Literatur von 1890 bis zum Zweiten Weltkrieg wurde zu einem großen Teil von Juden geschrieben – von Schnitzler, Roth, Werfel, Broch und Stefan Zweig, von Altenberg, Kraus, Polgar und Friedell. Und jenen wollen wir nicht vergessen, der sie alle mit seinem düsteren Glanz überstrahlt – das Jahrhundertgenie Franz Kafka. Dies ist die Tradition, an die Friedrich Torberg angeknüpft hat und die er zwar mit wechselndem Erfolg, doch nie ohne Würde fortzusetzen bemüht war. Sein Tod erinnert uns, daß ein großes, ein unvergleichliches Kapitel der österreichischen, der deutschen Kultur sich seinem Ende nähert. Wir haben Anlaß zu trauern.

(1979)

Es ist eine alte Geschichte: Der Schauspieler, der als Falstaff oder Tartuffe brilliert, träumt insgeheim vom Othello oder Macbeth oder gar vom Hamlet. Keinem Komiker genügen die Triumphe in seinem Fach, jeder möchte auch als Tragöde reüssieren. Bei den Schriftstellern ist es kaum anders: Viele von ihnen wollen sich mit ihrer Domäne nicht zufriedengeben, das Fremde lockt sie, auf einem anderen, ihnen bisher unzugänglichen Gebiet möchten sie sich bewähren.

Nichts wäre törichter, als jene zu verurteilen, die zu machen versuchen, was sie noch nie gemacht haben. Nicht selten verdanken wir gerade solchen Seitensprüngen oder Grenzüberschreitungen originelle und bedeutende Werke. Aber die Zahl der Fehlschläge ist wohl hier erheblich größer. Thomas Mann, Robert Musil, Alfred Döblin oder Arnold Zweig waren, wie man weiß, geborene Erzähler. Als Dramatiker indes blieben sie so erfolglos wie in der nächsten Generation Böll oder Nossack. Lyriker möchten das Publikum auch mit erzählenden Arbeiten erreichen oder auf der Bühne – doch will es nicht recht gelingen. Man denke an Celan, Eich und Krolow, an Enzensberger oder Rühmkorf. Und die Kritiker, die Essayisten? Wenn sie bisweilen mit einer Novelle aufwarteten oder sich gar an einen Roman heranwagten, ging es beinahe immer schief. Ein Glück ist es, daß manch ein epischer Versuch der Kritiker nie gedruckt wurde.

Hilde Spiel hatte als Erzählerin begonnen. Sie war kaum 21 Jahre alt, als ihr kleiner Roman ›Kati auf der Brücke‹ gern gelesen und sogar mit einem Preis ausgezeichnet wurde. Bald folgte die Erzählung ›Verwirrung am Wolfgangsee‹ (1935) und dann der in Italien spielende Roman ›Flöte und Trommeln‹, der erst 1939 gedruckt werden konnte und zunächst nur in einer englischen Fassung. Liest man diese leichtgewichtigen und auch durchaus unterhaltsamen Bücher heute, dann versteht man sogleich zweierlei auf einmal: Das freundliche Echo, das sie damals hatten, ebenso wie die Tatsache, daß sie den Zweiten Weltkrieg nun doch nicht überleben konnten.

In Wagners ›Meistersingern von Nürnberg‹ singt Hans Sachs:

> Mein Freund! In holder Jugendzeit,
> wenn uns von mächt'gen Trieben
> zum sel'gen ersten Lieben
> die Brust sich schwellet hoch und weit,
> ein schönes Lied zu singen
> mocht' vielen da gelingen:
> der Lenz, der sang für sie.

So war es auch mit Hilde Spiel: Ihre frühen Erfolge hatten nicht nur mit ihrer schriftstellerischen Leistung zu tun, sondern auch mit ihrer Jugend. Der Lenz, der sang für sie – aber sie weigerte sich hartnäckig, dies zu erkennen, ein Leben lang wollte sie sich mit der Eigenart und mit den Grenzen ihres Talents nicht abfinden.

Und je mehr sie als Essayistin und Journalistin geschätzt und gerühmt wurde, desto nachdrücklicher beklagte sie die geringe Beachtung ihrer belletristischen Hervorbringungen. Nicht wenige dieser zum Teil schon erheblich früher entstandenen Bücher wurden in den achtziger Jahren publiziert – so ›Mirko und Franca‹ (1980), ein Film-Drehbuch und zugleich eine Erzählung, so der noch aus der Kriegszeit stammende Roman ›Die Früchte des Wohlstands‹ (1981), so die Geschichtensammlung ›Der Mann mit der Pelerine‹ (1985), so schließlich ein größeres Film-Drehbuch, das zwar nie realisiert wurde, aus dem aber das Stück ›Anna und Anna‹ (1988) hervorgegangen ist.

Trotz eines also, zumindest was den Umfang betrifft, keineswegs kargen belletristischen Werks – es sind ja im-

122

merhin acht Buchpublikationen – hörte Hilde Spiel nicht auf, sich in elegischer Stimmung über ihr Schicksal zu beschweren. Dies zielte immer wieder auf die lästige »Tagesarbeit« ab: Sie gönne ihr nicht die Muße, die sie für ihre epischen und dramatischen Vorhaben dringend brauche. An Einfällen mangele es ihr nicht, nur würde sie stets von den laufenden Pflichten erdrückt, sie ertrinke im »Meer der Zeitungswörter«, sie sei »eingebettet und vergraben in, überflutet und zugedeckt von, zur Erschlaffung der Geisteskraft getrieben durch Kleinkraft, Windspruch, Tagesgestammel«, sie zapple »im Netz der notwendigen Überflüssigkeiten«, sie verausgabe sich in »lebensunwichtigen Sicherungen des Lebens«, die nur durch den »täglichen Detailverkauf« ihres Wortbesitzes und ihres Bilderreichtums zu erwerben seien.[1]

Tatsächlich war Hilde Spiel überzeugt, ungünstige Lebensbedingungen, zumal die Abhängigkeit von der Tagesarbeit, würden es ihr unmöglich machen, zu vermitteln, was nur sie vermitteln könne, sie allein. Das hingegen, was sie »erhelle, durchleuchte, kommentiere, kritisiere«, das könne auch jeder andere erhellen, durchleuchten, kommentieren und kritisieren. Das Gegenteil trifft zu. Das soll heißen: Ob das, was in ihren Romanen und Geschichten, ihren Drehbüchern und gelegentlichen Gedichten, ausgedrückt ist, nur sie mitteilen konnte, braucht gar nicht geklärt zu werden. Denn in allen diesen Arbeiten ist die künstlerische Kraft, die sie zu beglaubigen imstande wäre, nur sehr schwach.

Wo aber Hilde Spiel darauf aus war, Phänomene unterschiedlichster Art zu erhellen und zu durchleuchten, zu kommentieren und zu kritisieren, wo sie dem Leser zeigen und verdeutlichen, spürbar und bewußt machen wollte, was sie gelesen, gesehen und gehört, erlebt und empfunden hatte, wo sie, die kleine Form bevorzugend, über Literatur und Theater schrieb, über Filme und Ausstellungen, über Städte und Landschaften, vor allem aber über Menschen, über Schriftsteller, Maler und Schauspieler – da glückten ihr Prosastücke von hoher, ja bisweilen von höchster Qualität: Essays und Feuilletons, Kritiken und Porträts, Reiseschilderungen und Tagebücher, Skizzen und Glossen.

Richtig ist, daß viele dieser Beiträge Pflichtleistungen waren, die mitunter innerhalb von nur wenigen Stunden geschrieben werden mußten. Routinearbeiten also? Das trifft schon insofern zu, als es Hilde Spiel, die jahrzehntelang als Kulturkorrespondentin tätig war, an journalistischer Routine nicht gefehlt hat. Aber was immer sie aus der Hand gab, die kurze Besprechung einer belanglosen Premiere, die Glosse zu einem Vorfall, der schon einige Tage später vergessen war, der Hinweis auf einen alten Mimen, an den man sich kaum noch erinnern konnte, dessen Tod jedoch in der Zeitung nicht unerwähnt bleiben sollte – alles ist in jenem wohlklingenden Deutsch formuliert, das sich trotz der meist erforderlichen Knappheit ebenso durch Anmut auszeichnet wie durch Sachlichkeit. Auch ihre kürzeste Notiz, kaum mehr als zehn oder zwanzig Druckzeilen umfassend, ist geprägt von Hilde Spiels melodiösem, von ihrem unverwechselbaren Stil.

Eine Fülle dieser kleinen Arbeiten, zwischen 1963 und 1990 für die ›Frankfurter Allgemeine Zeitung‹ verfaßt, vereint der von Hans A. Neunzig herausgegebene Band ›Die Dämonie der Gemütlichkeit. Glossen zur Zeit und andere Prosa‹ (1991). In einer editorischen Nachbemerkung heißt es: »Die Auswahl haben die Autorin und der Herausgeber miteinander diskutiert und abgestimmt.«[2] So war es: Noch auf ihrem Totenbett – sie starb am 30. November 1990 – hat sie dem Herausgeber Wünsche hinsichtlich der Auswahl mitteilen lassen. Wir ihr Stoizismus blieb auch ihr Verantwortungsbewußtsein ungemindert.

In einem ihrer Aufsätze unterscheidet Hilde Spiel zwischen dem kreativen Schriftsteller und dem kritischen – als habe sie nicht gewußt, daß es oft gerade die kritischen

Schriftsteller waren, die sich als die wahrhaft kreativen erwiesen. Um diese Behauptung zu belegen, muß man nicht unbedingt auf Walter Benjamin zurückgreifen, auf Kurt Tucholsky oder Alfred Polgar. Vielmehr bietet sich sogleich das Werk Hilde Spiels an. Sie, der so daran gelegen war, als Romanautorin zu gelten, hat tatsächlich ein vorzügliches episches Werk geschrieben – das freilich nicht ein Roman im landläufigen Sinne ist: Ich meine die große Biographie ›Fanny von Arnstein oder die Emanzipation. Ein Frauenleben an der Zeitenwende 1758–1818‹ (1962). Dieses viel zu wenig bekannte Buch weist seine Autorin als Wissenschaftlerin und als Künstlerin aus, als Historikerin und als Erzählerin.

Ihre Memoiren (›Die hellen und die finsteren Zeiten‹, 1989, und ›Welche Welt ist meine Welt?‹, 1990), die sie sich, an der tödlichen Krankheit leidend, in den letzten Jahren und Monaten ihres Lebens abgerungen hat, sind nicht ganz frei von Durststrecken und Schönheitsfehlern. Dennoch: Diese Selbstdarstellung, die scharfsinnige Reflexion mit zarter Impression verbindet und nüchterne Chronik mit äußerst anschaulicher Erzählung und in der an den Höhepunkten erkennbar wird, wonach sich Hilde Spiel immer gesehnt hat: die Poesie – diese Autobiographie ist mit Sicherheit ihren Romanen vorzuziehen.

Aber sie empfand die beiden Bände mit den Erinnerungen und das starke Echo, das sie hatten – nie hat ein Buch Hilde Spiels so viele Leser gehabt –, nun doch nicht als Krönung ihres Lebens. Und es ist so verwunderlich wie aufschlußreich, daß in ihrer Vorstellung diese Rolle und Bedeutung einem ganz anderen Umstand zukam. Das Film-Drehbuch ›Anna und Anna‹, eine redliche Arbeit, der man allerdings den Vorwurf, sie befände sich in der bedenklichen Nähe zeitgeschichtlicher Schulfunk-Sendungen, kaum ersparen kann, wurde im April 1988 in Wien uraufgeführt. Nun ja, man spielte eine stark gekürzte Fassung, nicht einmal die Hälfte des Textes, und man spielte nicht auf einer regulären Bühne, sondern bloß in einem winzigen Raum, in einem Vestibül. Aber es war ein Raum im Hause des Burgtheaters, es war ein Vestibül, in dem einst die kaiserlichen Hoheiten sich versammelt hatten, bevor sie hinauf in die Hofloge stiegen.

Man darf nicht vergessen, daß Hilde Spiels Verhältnis zu Österreich schwierig und auch kompliziert war. Es ist ihr, alles in allem, im englischen Exil besser ergangen als anderen, die dort in den dreißiger Jahren Zuflucht gesucht hatten. Materielle Sorgen hat sie damals nur vorübergehend gekannt und in relativ erträglichem Ausmaß. Sie sprach und schrieb ein Englisch, das den in dieser Hinsicht so anspruchsvollen Inselbewohnern Respekt abnötigte. Sie verkehrte, anders als die meisten Emigranten, in einem Milieu, das ihrem Umgang in der Heimat ähnlich war – unter Schriftstellern, Journalisten, Künstlern. Und sie scheint, nachdem sie auch noch britische Staatsbürgerin geworden war, überzeugt gewesen zu sein, daß sie von den Einheimischen akzeptiert wurde und in die Londoner literarische oder intellektuelle Öffentlichkeit integriert war.

Die Enttäuschung und die Verbitterung kamen gleich nach dem Ende des Zweiten Weltkrieges. Doch erst in den siebziger Jahren, als sie längst wieder in Österreich ansässig war, äußerte sich Hilde Spiel über die Erfahrungen des Emigranten: »Niemand, der nach dem Ende der Kindheit verpflanzt wurde, kann die Züge ... des Entwurzelten verleugnen«, alle müßten die gleichen quälenden Erfahrungen machen: »Heimweh, das Gefühl des Ausgestoßenseins, des Unverstandenseins, der unüberbrückbaren Barrieren von Sprache, Tradition, Erziehung, Gewohnheit, familiären Bezügen, die den Emigranten von jenen trennen, unter denen er Asyl gefunden hat.«[3]

Aber anders als etwa Friedrich Torberg oder Hans Weigel, die sofort nach Kriegsende wieder in Wien waren, konnte sich Hilde Spiel viele Jahre lang zur Rückkehr nicht entscheiden. Und als sie sich 1963 endgültig wieder in Österreich ansiedelte, mußte sie sich rasch davon überzeugen, daß sie nicht mehr in ihrer alten Heimat war: »Es begannen sich Sprünge und Risse zu zeigen in dem Boden, auf dem ich vermeintlich wieder so sicher stand, in dem Erdreich, aus dem ich einst meine Wurzeln gerissen und in das ich sie von neuem eingegraben hatte ... Die Daheimgebliebenen und die Fortgegangenen ... kamen nie wieder ganz zusammen, blieben in Wahrheit durch eine unsichtbare Linie für immer getrennt«, unheilbar sei der Bruch vor allem für jene – und Hilde Spiel sprach aus eigener Erfahrung –, »die zu lange gezögert und zu spät begriffen hatten, daß ein noch so freundliches Asyl keine Heimat war«.[4]

Von der inneren Emigration ist die Rede, in der es sich aber immer noch besser leben lasse als in der Fremde, im Exil. In einem bekenntnishaften Aufsatz mit dem Titel ›Ich lebe gern in Österreich‹ schrieb Hilde Spiel den verräterischen Satz: »Ich bin eins mit der Stadt, der Landschaft, der Musik, der Literatur, nicht immer und unter allen Umständen mit den Menschen.«[5] Da rührte sie wieder einmal an einer ihrer nie geheilten Wunden. Denn Österreich ist ohne die Österreicher nicht zu haben, das gibt es eben nicht.

Doch Hilde Spiel suchte Schutz hinter einer nicht ganz glaubwürdigen, einer schwermütig-koketten Frage: Wer brauche denn Menschen, wenn er den Umgang haben könne mit Kari Bühl und Genia Hofreiter, mit Editha Pastré und Oberleutnant Siverstolpe? Dies indes sind keine realen Personen, sondern Figuren aus Stücken von Hofmannsthal und Schnitzler, aus Romanen von Doderer und Lernet-Holenia. Die Literatur also als Lebensersatz? Nicht neu ist diese Lösung, schon Heine sprach vom »portativen Vaterland«. Aber machen wir uns nichts vor: So schön sie auch sein mag, eine Notlösung ist es allemal.

Die Versöhnung zwischen Hilde Spiel, ihrem Vaterland und ihrer Vaterstadt erfolgte nicht. Dazu hat auch beigetragen – man unterschätze derartiges nicht –, daß sie zwar einige kleinere Literaturpreise erhalten hatte, nicht aber den ersehnten Österreichischen Staatspreis, der anderen Schriftstellern ihrer Generation sehr wohl zugekommen war. Und keine Filmgesellschaft und keine Fernsehanstalt zeigten sich bereit, ›Anna und Anna‹ zu drehen.

In dieser Situation wurde die längst entmutigte Autorin von der Aufführung im Burgtheater überrascht. Und fand sie auch nur in einem schmalen Nebenraum statt – Hilde Spiel, immer so ehrgeizig wie der Harmonie bedürftig, sah darin eine Geste der Wiedergutmachung: Die Gerechtigkeit habe schließlich doch gesiegt. Genauer: Sie glaubte ein Zeichen zu sehen – nämlich der ein Leben lang gewünschten und ihr immer wieder vorenthaltenen Anerkennung eben nicht als Feuilletonistin und Essayistin, sondern als Dichterin.

Wie sie bis zu Ende zwischen England und Österreich schwankte, so auch zwischen ihren beiden Sprachen. In die alte Heimat zurückgekehrt, beabsichtigte sie keineswegs, sich nun auf das Deutsche zu konzentrieren: Sie war entschlossen, in beiden Kulturen, in beiden Sprachen weiterzuleben. Das habe auf ihr Deutsch, meinte sie, einen äußerst fruchtbaren Einfluß ausgeübt; dank dem Englischen, das ihr die falsche Tiefe austrieb, vermochte sie das Deutsche erst richtig zu handhaben. Das leuchtet ein, das trifft gewiß zu. Nur fragt es sich, ob der Wunsch, gleichzeitig hier wie da zu wirken, eine deutsche und doch auch eine englische Schriftstellerin zu sein, ihrem Werk zuträglich war. Jedenfalls hielt sie bis zuletzt an dieser Zweigleisigkeit fest: So schrieb sie Mitte der achtziger Jahre für einen englischen Verleger in englischer Sprache ein kulturgeschichtliches Buch, das 1987 unter dem Titel ›Vienna's Golden Autumn‹ in London erschien – und noch im selben Jahr unter dem Titel ›Glanz und

Untergang – Wien 1866–1938‹ in München. Hier freilich in einer »autorisierten Übersetzung aus dem Englischen«. Indes war es nicht etwa Hilde Spiel selber, die diese wichtige und kenntnisreiche Darstellung ins Deutsche übersetzt hatte.

Noch in einem anderen Sinne gehörte sie, ob sie es wollte oder nicht, mehr als einer Sphäre an. Der Titel des nur wenige Wochen vor ihrem Tod veröffentlichten Memoirenbandes ›Welche Welt ist meine Welt?‹ trifft ihre Existenz mitten ins Herz. So war Hilde Spiel die Tochter von Juden, die vor ihrer Geburt zum katholischen Glauben übergetreten waren. Sie selber wurde im christlichen Geist erzogen, doch war sie im Sinne der Nürnberger Gesetze eine Jüdin und wäre der Vergasung kaum entgangen, wenn sie sich nicht rechtzeitig in Sicherheit gebracht hätte. Nach ihrer Rückkehr hat man sie auffallend oft in Österreich und auch in Deutschland nach ihrer jüdischen Herkunft befragt und auf diese Herkunft, wie sie einmal sagte, »festgenagelt«. Und nicht selten wurde sie in Artikeln oder Interviews als »jüdische Schriftstellerin« apostrophiert. Sie reagierte hierauf zunächst verwundert und später wohl resigniert.

Im Fazit ihres Buches ›Glanz und Untergang‹ sagt Hilde Spiel, es wäre ihr lieber gewesen, in diesem Bericht über eine große Kulturepoche »nicht in jedem einzelnen Fall hinzufügen zu müssen, welche der Männer und Frauen, die sie mitbewirkt hatten, jüdischer Herkunft waren. Sie selbst hätten vorgezogen, ganz einfach als österreichische Dichter, Maler, Komponisten oder Wissenschaftler angesehen zu werden. Das war und ist immer noch ein utopischer Wunsch.«[6] Von anderen sprach hier Hilde Spiel und meinte zugleich sich selber: Auch ihr wäre es lieber gewesen, »ganz einfach« als österreichische Schriftstellerin zu gelten. Aber niemand kann sich seine Epoche aussuchen.

Bestattet wurde sie nach katholischem Ritus in Bad Ischl. Ihrem Wunsch gemäß fand die Beerdigung nur im

Kreis der Familie und der nächsten Freunde statt. Kein Vertreter des Staates durfte ihrem Sarg folgen. In der Todesanzeige war nicht ein religiöser Spruch zu lesen, sondern ein Wort Shakespeares:

> »Dulden muß der Mensch
> Sein Scheiden aus der Welt, wie seine Ankunft:
> Reif sein ist alles.«

(1991)

Peter Weiss, der Poet und Ermittler

Der weltberühmte deutsche Dramatiker und Erzähler Peter Weiss starb am 10. Mai 1982 in der Stadt, in der er einst Zuflucht gefunden hatte und in der er seit Jahrzehnten lebte – in Stockholm. Er wurde 1916 in Nowawes bei Berlin geboren. Sein Vater war ein jüdischer Textilfabrikant österreichisch-ungarischer Herkunft, der nach dem Ersten Weltkrieg die tschechoslowakische Staatsangehörigkeit erhalten hatte. Damit ist schon ein fundamentales, ein entscheidendes Element angedeutet, unter dessen Einfluß Leben und Werk des Peter Weiss standen. Wie ist das zu verstehen?

In Bremen und Berlin wuchs er auf. 1934 emigrierte er mit seiner Familie über England nach Prag. Nicht Schriftsteller wollte er werden, sondern Maler. Er studierte an der Prager Kunstakademie, eines seiner Bilder wurde preisgekrönt. 1939 kam Peter Weiss nach Schweden, 1945 wurde er schwedischer Staatsbürger. Er wollte ein Schwede oder zumindest ein schwedischer Künstler und später auch ein schwedischer Schriftsteller sein. Er malte und zeichnete, er drehte experimentelle Filme, er schrieb Erzählungen in schwedischer Sprache, die er makellos beherrschte. Das Echo war schwach; in dem Land, dem er verdankte, daß er den Zweiten Weltkrieg überlebt hat, blieb er ein Fremdling.

In einem seiner schönsten Bücher, dem ›Abschied von den Eltern‹, spricht Peter Weiss von seiner »Verlorenheit«, seiner »Entwurzelung«, vom »Ausgeliefertsein« und von der »Unzugehörigkeit«, die er von frühester Kindheit an zu erfahren hatte. Hier heißt es: »Als Gottfried dann erklärte, daß mein Vater Jude sei, war mir dies wie eine Bestätigung für etwas, das ich seit langem geahnt hatte … Ich dachte an die Rudel der Verfolger, die mich auf der Straße verhöhnt und gesteinigt hatten, in instinktiver Überlieferung der Verfolgung anders Gearteter, in vererbtem Abscheu gegen bestimmte Gesichtszüge und Eigenarten des Wesens … Und so war ich mit einem Male ganz auf der Seite der Unterlegenen und Ausgestoßenen, doch ich verstand noch nicht, daß dies meine Rettung war.«

Als 1965 der Verleger Klaus Wagenbach viele deutsche Autoren aufforderte, den für sie wichtigsten Ort zu beschreiben, da schilderten die meisten die Stadt ihrer Kindheit oder ihrer Jugend oder irgendeinen Ort, an dem sie etwas Bemerkenswertes erlebt hatten. Auch Peter Weiss steuerte einen Beitrag für diese Anthologie bei: Aber er schrieb über den Ort, für den er bestimmt und dem er entkommen war – über Auschwitz.[1] Der Einfluß dieser Erlebnisse und Komplexe auf sein Werk läßt sich kaum überschätzen.

Immer wieder hatte Weiss die Rückkehr nach Deutschland geplant oder zumindest im Freundeskreis erörtert, zuletzt noch im vergangenen Jahr. Er konnte sich dazu nie entschließen: Ihm erging es wie jener griechischen Königstochter, von der Goethe sagt, daß ihr die Fremde nicht zur Heimat, wohl aber die Heimat zur Fremde geworden war. Überall war er erfolgreich, und doch blieb er überall, auch und vor allem in dem Land seiner Sprache, ein Außenseiter, ein Fremdling.

Denn zur deutschen Sprache war Peter Weiss schon um 1950 zurückgekehrt. Seine frühen Bücher, den Mikroroman ›Der Schatten des Körpers des Kutschers‹ und die autobiographische Erzählung ›Abschied von den Eltern‹, wollte kein deutscher Verlag drucken. Als sie aber Anfang der sechziger Jahre erschienen, erkannte die junge Generation, auch wenn sich der Publikumserfolg zunächst in bescheidenen Grenzen hielt, in dem Emigranten Weiss einen Erzähler, der ihr Lebensgefühl und ihre Ängste zu artikulieren imstande war. Er, zu dessen Vorbildern so unterschiedliche Schriftsteller wie Kafka und Hesse gehörten, hatte in diesen Büchern (auch im

›Fluchtpunkt‹) von der eigenen Heimatlosigkeit und der Entfremdung, von seiner Verlorenheit und seiner Entwurzelung erzählt. Doch die von ihm, dem Verstoßenen, dem ewigen Außenseiter erzählten persönlichen Erlebnisse wurden von den Lesern, deren Zahl ständig wuchs, als Extrembeispiele der menschlichen Existenz verstanden. Anders ausgedrückt: als Parabeln von der Situation des Individuums nach dem Zweiten Weltkrieg.

Aber erst das dramatische Werk machte Weiss zu einem europäischen Schriftsteller, dessen Bühnenstücke schließlich in allen Erdteilen gespielt und leidenschaftlich diskutiert wurden. Unvergeßlich ist für alle, die daran teilgenommen hatten, jener Abend im Herbst 1963, als Weiss auf der Tagung der »Gruppe 47« mit einer Trommel zwischen den Beinen den Versammelten lesend, singend und trommelnd ein Stück präsentierte, dessen Titel schon die Zuhörer verblüffte: ›Die Verfolgung und Ermordung Jean Paul Marats, dargestellt durch die Schauspielgruppe des Hospizes zu Charenton unter Anleitung des Herrn de Sade‹. Wenige Monate später, im April 1964, fand die Uraufführung im Schiller-Theater in Berlin statt: Es war, wie Friedrich Luft damals schrieb, ein »Geniestreich«, ein »Ereignis für das Theater unserer Epoche«.[2]

Im Jahre 1808 werden in der Irrenanstalt Vorgänge aus dem Jahr 1793 aufgeführt, aus der Zeit der Revolution also. Doch spielt das Stück von Peter Weiss nicht auf zwei, sondern auf drei verschiedenen Zeitebenen – die dritte, das ist unsere Gegenwart. Mit dem zentralen Konflikt, verkörpert in den Personen des Marat und des de Sade, hatte Weiss unsere Epoche mitten ins Herz getroffen. Denn dem unbeirrbaren Revolutionär Marat, der nur an die Sache und an die Idee glaubt, stellte Weiss de Sade gegenüber, den Verfechter des Individualismus, der die Veränderbarkeit der Welt skeptisch beurteilt.

Eine solche Wiedergabe dieses Stückes kann freilich den Eindruck erwecken, es handele sich um ein zwar gedankenreiches, doch eher dürres oder trockenes, auf jeden Fall recht abstraktes Werk. In Wirklichkeit verdankt dieses Drama seine Kraft der Vielfalt und der Vitalität eines außergewöhnlichen Bühnentalents, eines Autors, der gewiß viel von Brecht gelernt hatte, jedoch souverän und temperamentvoll die unterschiedlichsten Stilmittel anzuwenden und zu einer wahrhaft komödiantischen Einheit zu verschmelzen wußte.

In den Mittelpunkt der öffentlichen Diskussion geriet Weiss nicht nur durch dieses Stück, das man sehr bald in Ost und West (übrigens in verschiedenen Fassungen) spielte, sondern auch und vor allem durch seine spektakuläre politische Entscheidung: 1965 erklärte er, in einem »Offenen Brief«, er könne an eine »unabhängige künstlerische Region« nicht mehr glauben.[3] Wenig später konnte man im ›Neuen Deutschland‹ das Kredo von Peter Weiss lesen: »Zwischen den beiden Wahlmöglichkeiten, die mir heute bleiben, sehe ich nur in der sozialistischen Gesellschaftsordnung die Möglichkeit zur Beseitigung der bestehenden Mißverhältnisse in der Welt.«[4] Die Schriftsteller im Westen seien, meinte er damals, vom kapitalistischen System abhängig. Und in der kommunistischen Welt? Von der dort existierenden Abhängigkeit des Schriftstellers wollte Weiss lange nichts wissen, freilich erklärte er damals unmißverständlich, daß seiner Ansicht nach der Sozialismus »Selbstkritik und volle Redefreiheit« voraussetze.

Nun hatte Peter Weiss in einem großen Kollektiv der Gleichgesinnten Zuflucht gefunden – er fühlte sich geborgen unter den Vorzeichen einer vereinenden Idee von universalem Anspruch. Weiss, der Einsame, der Ausgestoßene, der Heimatlose, glaubte die Küste des Gelobten Landes zu sehen. Doch die Erkenntnis, daß jenes Gelobte Land einer Fata Morgana gleicht, blieb ihm nicht erspart. Einige Jahre lang wurde er in den östlichen Hauptstädten gespielt und gerühmt. Seine Stücke waren willkommen: so die ›Ermittlung‹, ein ›Oratorium in elf Gesängen‹

(1965), in dem Weiss, die Akten des Auschwitz-Prozesses verwendend, die einzelnen Stationen des Vernichtungslagers zu zeigen versucht hatte, so ferner das Agitationsstück ›Gesang vom lusitanischen Popanz‹ (1967), das gegen das portugiesische Kolonialregime in Angola gerichtet ist, so der höchst umstrittene und von manchen Beobachtern als bare Propaganda abgelehnte ›Vietnam-Diskurs‹ (1968).

Nach der sowjetischen Intervention in der Tschechoslowakei revidierte Weiss seine politischen Anschauungen – aber nicht etwa in Artikeln oder Interviews, sondern mit Hilfe eines Bühnenwerks. In dem Stück ›Trotzki im Exil‹ (1970) befürwortete er zwar die kommunistische Weltrevolution, aber er distanzierte sich von den Methoden des Stalinismus. Das künstlerisch mißratene und mit allzu simplen Mitteln arbeitende Drama hatte, wie nicht anders zu erwarten war, den Konflikt zwischen Weiss und der kommunistischen Welt zur Folge: In Moskau (und bald auch in Ost-Berlin) warf man ihm »ideologische Sabotage« vor. Man übertreibt nicht, wenn man sagt, Weiss habe sich von dieser Enttäuschung nie erholt. Sein Spätwerk, zumal seine Romantrilogie ›Ästhetik des Widerstands‹, ist in diesem Zusammenhang zu sehen.

Zunächst hatte er in dem Stück ›Hölderlin‹ (1971) den immerhin originellen und kühnen Versuch unternommen, Hölderlin nicht nur als Revolutionär, sondern schon fast als einen Vorläufer von Karl Marx zu interpretieren. Die zwiespältige Reaktion auf dieses (wiederum in West und Ost gespielte) Bühnenwerk mag dazu beigetragen haben, daß Weiss sich in den siebziger Jahren fast ausschließlich der Epik zuwandte.

Von den drei Bänden der ›Ästhetik des Widerstands‹ hatte der erste, 1975 veröffentlicht, wohl das stärkste, jedenfalls das freundlichste Echo. Die Trilogie ist eine Art Erziehungsroman und zugleich die »Wunsch-Autobiographie« des Schriftstellers Peter Weiss, der seinen tatsächlichen Lebenslauf ins Proletarische überträgt. Sein

Ich-Erzähler ist ein Mann des Jahrgangs 1917, der aus Deutschland emigriert, doch (anders als Weiss) am Spanischen Bürgerkrieg teilnimmt und später nach Schweden flieht. Was ist diese Trilogie? Ein Bewußtseinsprotokoll? Eine essayistische Auseinandersetzung mit unserer Epoche? Eine Chronik? Oder vielleicht eben doch – der Begriff ist ja weit genug – ein Roman? Auf jeden Fall eine strenge und streckenweise fast monomane Selbstanalyse, geschrieben von einem, der nicht zögert, sich selber auf die Anklagebank zu setzen.

Der zwiespältige Eindruck, den diese ›Ästhetik des Widerstands‹ hervorrief und hervorrufen mußte, hat weniger mit den ideologischen und politischen Aspekten des Werks zu tun als mit seiner Sprache. Denn gerade da, wo er Denkprozesse wiedergibt, wo er sich mit Zeitgeschichtlichem und Politischem direkt auseinandersetzt, vermochte Weiss adäquate künstlerische Ausdrucksmittel nur selten zu finden. Seine Prosa lebt hingegen da, wo er seinen Helden mit der Kunst konfrontiert – mit dem Pergamon-Altar etwa, mit Picasso oder Breughel, mit einer Kathedrale in Barcelona.

Gleichzeitig mit dem dritten Band der ›Ästhetik‹ erschien 1981 ein weiteres Buch von Peter Weiss: seine ›Notizbücher 1971–1980‹. Es ist ein höchst intimes Journal, aufschlußreich, belehrend und ergreifend, in mancherlei Hinsicht wohl auch überzeugender als die überaus ehrgeizige, hier und da die Möglichkeiten des Autors doch wohl überschreitende Trilogie. Ein höchst persönliches Werk ist auch das Stück, dem Weiss ebenso als Autor wie auch als Regisseur seinen letzten Erfolg zu verdanken hatte: die in Stockholm uraufgeführte Bühnenfassung des ›Prozeß‹ von Kafka, ein Drama, das als »ein moderner Totentanz am Rande das Abgrunds«[5] zu verstehen ist.

Wie die besten seiner Werke mutet auch die Biographie des Peter Weiss gleichnishaft an: Es ist die Geschichte des Mannes, der ein Leben lang auf der Suche nach einer

Heimat war – und der sie schließlich gefunden hat. Aber seine Heimat war nicht ein Land und nicht etwa eine Ideologie. Vielmehr war es die Kultur, die ihm schließlich Schutz bot.

Die Kritiker und Literaturhistoriker werden sich noch lange mit seinem vielschichtigen Werk befassen. Sie werden ihn zu jenen deutschen Schriftstellern zählen, die, aus Deutschland vertrieben, zum Ansehen, ja zum Ruhme der deutschen Literatur unserer Epoche beigetragen haben.

(1982)

Kein anderer Lyriker hat die westdeutsche Öffentlichkeit im vergangenen Jahrzehnt so beharrlich und in so hohem Maße irritiert wie Erich Fried. Und keiner wurde häufiger beschimpft und häufiger bekämpft: Er war und ist auf jeden Fall ein Ärgernis.

In dem Land, aus dem er stammt, in Österreich, hat er immerhin zwei Literaturpreise erhalten. Doch da, wo er unermüdlich wirkt, wo seine vielen Bücher erscheinen und wo es unzählige Auszeichnungen für Schriftsteller gibt, in der Bundesrepublik also, hielt man es, sieht man von einer bescheidenen Fördergabe im Jahre 1965 ab, niemals für angebracht, ihn preiszukrönen. Aber beklagen kann sich Fried schwerlich: Man hat ihn hierzulande sehr wohl geehrt, wenn auch auf andere Weise.

Von ihm war gelegentlich ebenso im Bundestag die Rede wie in Landesparlamenten – allerdings stets in wenig schmeichelhaftem Zusammenhang. Auch mußten sich mit diesem Poeten ordentliche Gerichte befassen. Daß man seine Arbeiten in Schullesebücher aufgenommen hat, ist nicht ungewöhnlich: Dessen können sich andere zeitgenössische Lyriker ebenfalls rühmen. Frieds Gedichte jedoch wurden – und das ist nicht mehr alltäglich – aus manchen Lesebüchern auf höhere Weisung wieder entfernt. In Bremen gar hat ihm ein törichter Politiker den großen Gefallen getan, öffentlich die Verbrennung seiner Verse zu fordern – effektvoller hätte man ihm und seinem Werk kaum dienen können.

Die Auflagen seiner Gedichtbände sind enorm und lassen fast alle seine Konkurrenten vor Neid erblassen. Von den ›Liebesgedichten‹ (1979) wurden über 60000 Exemplare verkauft, von dem Band ›Lebensschatten‹ (1981) innerhalb weniger Monate schon über 20000. Sogar die aus dem Jahre 1966 stammende Sammlung ›und Vietnam und‹, deren Titel einst Martin Walser »die Zeile des Jahrzehnts« genannt hat, die aber heute, so will es scheinen, bestenfalls Literarhistoriker oder Zeitgeschichtler interessieren kann, findet gleichwohl in unseren achtziger Jahren immer noch viele Leser oder zumindest Käufer. Und schließlich: Wer nicht nur die publizierten Gedichtsammlungen der Debütanten kennt, sondern auch die den Zeitungen angebotenen und für Wettbewerbe eingereichten Verse, der weiß, daß kein deutscher Lyriker unserer Tage so häufig nachgeahmt wird wie Erich Fried.

Zu seinem Werk gehören epische, dramatische und essayistische Arbeiten sowie zahlreiche, oft gelobte Übersetzungen (darunter 23 Shakespeare-Dramen), doch besteht es vor allem aus Lyrik-Sammlungen. Es sind insgesamt 21, und sie werden von den Interpreten fast immer in zwei große Gruppen eingeteilt. Die erste reiche – so hören wir – von seinen Anfängen noch während des Krieges bis zu den ›Warngedichten‹ von 1964. Dann folge, heißt es weiter, die entscheidende Wende im Leben Frieds, aus der sich rasch die mit den Vietnam-Gedichten einsetzende zweite Epoche seines lyrischen Werks ergeben habe.

So sei Mitte der sechziger Jahre aus dem Individualisten und Traditionalisten Fried, aus einem verspielten Wortjongleur und Sprachvirtuosen unter dem Einfluß aktueller Ereignisse ein Politlyriker und Protestsänger geworden, ein poetischer Agitator und ein strenger Zeitkritiker. Und ob man diesen Wandel als erfreuliche Entwicklung begrüßt oder als bedauerlichen Verfall abtut – auf jeden Fall kann man sich auf des Dichters eigene Worte berufen.

Denn als 1968 seine zehn Jahre früher erschienenen ›Gedichte‹ neu aufgelegt wurden, fügte ihnen Fried erläuternde und ergänzende ›Gegengedichte‹ hinzu. Mehr noch: er hat sich in einem Vorwort unmißverständlich von seinen einstigen Versen distanziert. Es seien »unengagierte« und »versponnene« Gedichte, in denen »Flucht und Hoffnungslosigkeit« den Ton angaben und »Aufklärung und Protest bis zur Unkenntlichkeit verschlüsselt waren«.[1] Aber Frieds Werk (und zwar das vor wie nach jener angeblichen Wende entstandene) läßt uns doch zweifeln, ob von einer so scharfen und so übersichtlichen Zweiteilung wirklich die Rede sein kann.

Denn seine neuere Dichtung hat sich keineswegs vom Traditionellen gelöst, auch in ihr ist der Sprachvirtuose zu Wort gekommen. Und von der Hoffnungslosigkeit, die er in den sechziger Jahren schon glücklich überwunden glaubte, konnte er sich so einfach nicht befreien: Allen kühnen Absichten zum Trotz ist sie in seinen Versen nach wie vor vernehmbar und vielleicht sogar deutlicher denn je. Andererseits darf man den Autor trösten, daß auch seine früheren Gedichte, die ihm 1968 »versponnen« schienen, durchaus nicht unengagiert sind und daß sich schon in ihnen die Elemente finden, die Fried selber später vermißte – also die Auflehnung, der Protest gegen das Unrecht. Auch vor dem Vietnamkrieg bildeten Trotz und Mitleid (oder genauer: sein trotziges Mitleid) das Fundament seiner Lyrik.

Nein, Frieds tiefes Bedürfnis nach Protest und Widerstand hat seinen Ursprung nicht in der Welt der sechziger Jahre. Diese hartnäckige Sehnsucht nach Radikalität ist uralt, sie ist ungleich älter als die Kriege, gegen die er sein Publikum zu mobilisieren versucht: Er stammt aus einer jüdischen Familie. Aber erst der Anschluß Österreichs im Frühjahr 1938 habe ihn – berichtet Fried – »aus einem österreichischen Oberschüler in einen verfolgten Juden« verwandelt.[2] Damals wurde sein Vater von der Gestapo ermordet. Er selber konnte wenig später, im August 1938, nach England entkommen.

Als man ihn in London im Komitee, das sich der Flüchtlinge aus dem »Dritten Reich« annahm, nach seinen beruflichen Wünschen und Plänen befragte, verblüffte er die amtlichen Betreuer: Der Siebzehnjährige erklärte ganz ungeniert, er sei entschlossen, »ein deutscher Dichter« zu werden. Die Empörung über seine Absicht wurde, erinnert sich Fried, »nur durch Zweifel an meinem Geisteszustand gemildert.«[3]

Wovon zeugt denn diese prompte Antwort? Von rührender Naivität und pueriler Selbstgefälligkeit? Von der Lust an der Provokation oder von mangelndem Sinn für die Realität, von jugendlicher Weltfremdheit? Oder verbarg sich hinter den forschen Worten des Halbwüchsigen gar alles auf einmal? Sicher ist, daß hier einer, der allein gelassen war, der den Boden unter den Füßen verloren hatte, sich auf seine Weise gegen die Welt der Erwachsenen oder doch jedenfalls gegen eine ihm fremde Sphäre zu behaupten suchte.

Seine frühen Erlebnisse sind es, die Frieds geistigen Habitus entscheidend geprägt haben: Die nach dem Krieg geschriebenen und erst mit einiger Verspätung erschienenen Prosabücher ›Ein Soldat und ein Mädchen‹ (1960) sowie ›Kinder und Narren‹ (1965), die beide unzweifelhaft autobiographische Elemente enthalten, enthüllen mit großer und übrigens nicht immer rühmlicher Direktheit, in wie hohem Maße seine künstlerische Mentalität von Anfang an im Zeichen traumatischer Erfahrungen stand. Mit ihnen haben ebenso die Vorzüge wie die Schwächen seiner Poesie zu tun, hier liegen die Wurzeln ebenso der Suggestivität wie auch der auffallend starken Labilität seines Werks.

Daß jegliche Dichtung Selbstverteidigung und Selbstbehauptung des Einzelnen ist und daß es daher schlechthin unsinnig wäre, dessen Lebensumstände und das sich daraus ergebende Lebensgefühl zu ignorieren und den literarischen Text also (wie es einst der *New Criticism* verlangte) gleichsam als Flaschenpost zu behandeln, bedarf heute keiner Begründung mehr. Doch nur selten wurde in der deutschen Nachkriegsliteratur der Zusammenhang zwischen den biographischen Voraussetzungen eines Autors und den dichterischen Resultaten so offenkundig, ja fast schmerzhaft spürbar wie eben im Fall Erich Fried.

Seine ersten selbständigen Veröffentlichungen sind Dokumente bemühter und beharrlicher Selbstbehauptung und zugleich unmißverständliche Provokationen. Eine kleine, mitten im Krieg (1944) in London in deutscher Sprache gedruckte Gedichtsammlung versieht der Jude und Emigrant Fried mit einem wahrhaft herausfordernden Titel. Er lautet: ›Deutschland‹. Eigenwillig und querköpfig ist auch die Tendenz dieser Verse: Denn hier gibt es weder Rachegefühle noch Regungen des Deutschenhasses. Die nächste, nur wenige Monate nach Kriegsende publizierte Lyriksammlung Frieds trägt wiederum einen höchst anspruchsvollen Titel: ›Österreich‹.

Nicht die Anklage dominiert in den Versen dieser beiden Bändchen, sondern die Klage eines Menschen, dem man Selbstgerechtigkeit am wenigsten vorwerfen kann. Vor allem ist es ein Verlust, der hier in noch konventionellen, oft pathetischen, doch nicht immer unbeholfenen Strophen besungen wird – der Verlust der Heimat. Wie solle er – fragt der Autor in einer Elegie – »zu einem Dichter taugen«, da die Heimat ihm, dem Verbannten, fremd geworden sei. Das Fazit ist eine treuherzig-flehentliche Bitte: »Nimm, Heimat, einen, der dich spät erkannte, / nimm den Verlornen Sohn als Schüler hin.«

Aber es ist, wie wir wissen, alles anders gekommen: Weder wollte sich Österreich um den Emigranten Fried kümmern, noch schien es ihm je möglich, England zu verlassen und in den deutschsprachigen Raum zurückzukehren. Indes entwickelte sich seine Dichtung auch ohne Heimat, ja gerade dank der Heimatlosigkeit: »Ich hatte das Glück« – schrieb er 1958 –, »in eine Zivilisation verschlagen zu werden, die den Fremden kaum heimisch werden läßt. So blieb mir meine Sprache erhalten, bereichert und zugleich bedroht und fruchtbar in Frage gestellt durch die Möglichkeit des Abstandes vom Gebrauch und Mißbrauch des Alltags...«[4]

Die unvergleichliche Chance, die ihm, dem Lyriker, das Leben im Exil bot, wußte er konsequent zu nutzen.

Inmitten der englischen Welt wuchs Frieds Empfindlichkeit für die Eigenart des deutschen Wortes, es verfeinerte sich seine ohnehin eminente akustische Reizbarkeit. Diese außergewöhnliche Sensibilisierung läßt ihn manches wahrnehmen, was keiner vor ihm wahrgenommen hatte. Es irritieren und faszinieren ihn Lautübereinstimmungen oder zumindest Lautähnlichkeiten, jene vor allem, denen keinerlei Sinnverwandtschaften entsprechen oder zu entsprechen scheinen. Neugierig und mißtrauisch betrachtet er jede Vokabel und jede Redensart: Das Wort nimmt er beim Wort, und jede Redewendung wendet er hin und her.

So sucht er den Sinn der, wie er zu zeigen bemüht ist, nun doch nicht sinnlosen Mechanismen der Sprache. Ihre Autonomie will er aufdecken, weil er hofft, auf diesem Weg zu Einsichten in das Wesen der Phänomene gelangen zu können. Daraus ergibt sich eines der zentralen Elemente der Friedschen Poesie und zuweilen auch seiner Prosa – das Wortspiel. In ihm läßt er nicht nur den Gedanken Sprache werden, sondern zugleich die Sprache denken. Seine Wortspiele zielen nicht auf das Wort ab, seine Sprachkritik meint mehr als die Sprache. Angestrebt ist stets ein Erkenntnisprozeß: Das Wortspiel soll die Welt verdeutlichen und deuten, sichtbar und durchsichtig machen. Mit dem Wortspiel greift er das Leben an, um es zu begreifen. Hier ein Beispiel aus Frieds früher Periode:

> Das Wort ist mein Schwert
> und das Wort beschwert mich
>
> Das Wort ist mein Schild
> und das Wort schilt mich
>
> Das Wort ist fest
> und das Wort ist lose
>
> Das Wort ist mein Fest
> und das Wort ist mein Los

Neben solchen Bravourstücken, in denen die klangasso-
ziierende Technik triumphiert und der Sprache Frappie-
rendes abgewinnt, fallen in seiner Lyrik vor allem geistreiche, vorbildlich prägnante Sprüche auf, die zeitkritische oder auch philosophische Fragen blitzartig beleuch-
ten: Meist gehen sie von einer allgemeinen Beobachtung
aus und steuern sofort eine überraschende gedankliche
Schlußfolgerung an, eine intellektuelle Pointe. Sehr möglich, daß der Autor dieser raffinierten Wort- und Gedankenspiele bewußt oder unbewußt an eine uralte jüdische
Tradition anknüpft – an die spitzfindigen Talmud-Kom-
mentare.

Exemplarisch für seine epigrammatische Schärfe und
Knappheit ist der schon Ende 1945 geschriebene Vierzei-
ler:

Ich bin der Sieg
mein Vater ist der Krieg
der Friede ist mein lieber Sohn
der gleicht meinem Vater schon

Indes hatten Frieds Gedichte, innerhalb von einem Vier-
teljahrhundert in England verfaßt, doch augenscheinlich
an deutsche Leser adressiert, in der Bundesrepublik (von
den anderen deutschsprachigen Ländern ganz zu schweigen) kein nennenswertes Echo. Sechs seiner Bücher, vier
Lyriksammlungen und die beiden erwähnten Prosabän-
de, erschienen zwischen 1958 und 1965 in Hamburg und
München in angesehenen Verlagen. Sie wurden nicht
ignoriert, aber nur kühl und höflich, bestenfalls respektvoll registriert. Jede dieser Veröffentlichungen war – wie
Fried selber feststellte – »ein Versuch, Rilkes Wort zu
überwinden, daß einer, der fortgeht, nicht mehr nach
Hause kommt«.[5] Die Versuche scheiterten.

Offenbar empfand man in Deutschland die meist abstrakte Lyrik und die passionierte Wortgläubigkeit dieses
Emigranten und seine bisweilen rabulistisch anmutenden

Gedankenspiele als fremd. So blieb Fried, was er gewesen war: ein Vertriebener oder doch zumindest ein Außenseiter. Das deutsche Publikum kannte ihn nur als glanzvollen Übersetzer, zumal des walisischen Poeten Dylan Thomas und später auch zahlreicher Dramen Shakespeares. Aber Fried ist nicht der erste Dichter, der die Veränderung seiner Rolle in der Öffentlichkeit einer schwachen und fragwürdigen, wenn auch nicht ohne Grund erfolgreichen Publikation zu verdanken hatte.

Die Kritik allerdings wollte von dem Band ›und Vietnam und‹ (1966) nichts wissen: Keine große deutsche Zeitung hielt es für nötig, das Buch zu rezensieren. Erst mit einiger Verzögerung meldeten sich Kollegen zu Wort, vor allem Günter Grass und Peter Härtling, die sich aber beide – der erste in einem Poem, der andere in einer Polemik – entschieden gegen diese militante Lyrik aussprachen. Wieder einmal schien bestätigt, daß politische Dichtung ein Widerspruch in sich selbst sei: Was politisch wirkt, ist keine Dichtung, und was Dichtung ist, hat keinen Einfluß auf die Politik.

Wenn es unter den 41 Gedichten dieses Bandes auch solche gibt, denen sich literarische Qualität nachsagen läßt, dann sind es am ehesten jene, die Frieds in vorangegangenen Sammlungen geübte Sprachkritik kontinuieren: Hatte er früher Sprichwörter, Kinderreime oder Spruchweisheiten abgehorcht und in Frage gestellt, so prüft und entlarvt er in einigen seiner Vietnam-Gedichte die Diktion der Meldungen und Berichte der amerikanischen Streitkräfte und anderer offizieller Verlautbarungen.

Indes entsteht nicht der Eindruck, der Autor habe auf diese Verse viel Mühe verwendet: Offenbar war ihm vor allem daran gelegen, sie möglichst rasch an den Mann zu bringen. Ihre Sprache ist simpel und oft nachlässig. Weder will diese Lyrik ästhetischen Ansprüchen gerecht werden, noch soll sie zum Denken anregen. Hier wird vielmehr – Härtling hat darauf 1967 hingewiesen – »eine vorgefertigte Moral« geboten: Fried frage »niemals nach der Gegenseite, will nicht wahrhaben, daß auch nordvietnamesische Soldaten Kinder und Frauen töten, foltern...«[6]

Doch so zurückhaltend und skeptisch die Reaktion der Zunft, so stark war der Beifall eines überwiegend jüngeren Publikums, das er jetzt zum ersten Mal erreichte. Leser, die seine Gedichte aus Zeitungen kannten und die sich um die Urteile der Kritik nicht kümmerten, kauften sein Buch und kamen zu seinen öffentlichen Veranstaltungen. Was andere beanstandeten – die sprachliche Dürftigkeit, die holzschnittartige Weltdeutung –, das gerade war ihnen recht: Nichts erschwerte den Zugang zu diesen Versen, niemandem wurde die geringste Anstrengung abverlangt. Denn hier war die Welt von vornherein säuberlich geteilt: Jedermann wußte, was weiß und was schwarz, was gut und was böse war. Fried triumphierte, aber es war ein Triumph der Einäugigkeit.

Wenn er nun in Buchhandlungen, Clubräumen oder Schulaulen seine Gedichte las, spürte er, wonach er sich seit Jahrzehnten gesehnt hatte: die Sympathie Wohlmeinender und die Zustimmung Gleichgesinnter. In diesen nicht selten überfüllten Sälen wurde sein elementares Bedürfnis nach Resonanz, nach Zuneigung und Herzlichkeit befriedigt: Der ein Leben lang unter seiner Einsamkeit und Isolierung, seiner Nichtzugehörigkeit zu leiden hatte, glaubte, endlich eine Heimat gefunden zu haben. Doch nicht die Bundesrepublik hielt er für seine neue Heimat, sondern die westdeutsche Linke. »Ich hab ein neues Schiff bestiegen / Mit neuen Genossen...« – jubelte einst Heine in dem Gedicht ›Lebensfahrt‹. Nur machte Heine sich keine Illusionen: Zu seiner Euphorie gesellten sich sogleich, noch im selben Gedicht, düstere Akzente.

Das starke Echo auf den Vietnam-Band zeitigte bald Folgen – in Frieds Leben ebenso wie in seinem Werk. Während Böll damals, 1967, in einem Interview erklärte, er habe es satt, als ein »etablierter Aufpasser« und als »einer der ›funktionalisierten Schreihälse‹ vom Dienst«

146

verschlissen zu werden[7], akzeptierte Fried gern die ihm zugefallene Rolle: Unermüdlich schrieb er nun Protestgedichte, nahm er an Protestveranstaltungen teil, hielt er Protestreden, machte er Protestreisen.

Er hatte seinen Wohnsitz weiterhin in London, aber wie ein Handelsvertreter, der seine Waren absetzen will, reiste er alljährlich wochenlang durch die Bundesrepublik und offerierte lesend und redend seine Empörung: über den Vietnamkrieg, über Kambodscha und Chile, über den Radikalenerlaß und die Berufsverbote, über Stammheim und Isolationshaft, über Zensur, Verfassungsschutz und Notstandsgesetze. Er wurde, wovor Böll graute: ein sich in Versen artikulierender »etablierter Aufpasser«. Anders als Enzensberger oder Rühmkorf, die sich der Rolle des Poeten vom revolutionären Überwachungsdienst verweigerten, war Fried eine lyrische Kontrollinstanz: Er verkörperte den permanenten Protest.

Seine Gedichte erschienen nun in einem erschreckenden Tempo – mindestens ein Band jährlich und überdies eine Vielzahl lyrischer Arbeiten, die nur in Zeitungen oder Zeitschriften gedruckt waren. Aber diese fast manische Produktivität hatten nicht die Ereignisse um 1968 verursacht. Schon seit seiner Jugend schrieb Fried unaufhörlich, wie unter einem neurotischen Zwang. Jetzt wurde dank einer günstigen, leider allzu günstigen Konjunktur sein Mangel an Selbstkontrolle öffentlich sichtbar.

Damit hat es auch zu tun, daß dieser hochbegabte Dichter sich vielfach unter Preis verkaufte und allerlei Texte verfaßte, die seine Freunde erröten und seine Bewunderer erblassen ließen. In seinen Sammlungen aus den späten sechziger und aus den siebziger Jahren finden sich Verse (auch der Respekt vor Erich Fried kann das nicht verschweigen), die zu den geschmacklosesten gehören, die in dieser Zeit in deutscher Sprache publiziert wurden. Doch sollte man nicht übersehen, daß ihm zusammen mit vielen mißratenen oder sogar peinlichen Gedichten hier und da auch solche glückten, die auf ihre Art

147

vollkommen sind – und der Rang eines Lyrikers richtet sich immer nach seinen besten Arbeiten.

Im Vordergrund stehen, wie eh und je bei Fried, betont didaktische Gedichte, die meist von aktuellen politischen Nachrichten ausgehen, doch weniger auf bestimmte Fakten oder Vorfälle abzielen als vor allem auf Verhaltensmuster, die er für bezeichnend und bedenklich hält. Mit anderen Worten: Er will den politischen Motiven Elemente abgewinnen, die mehr erkennen lassen sollen als die tägliche Politik. Wenn nahezu alle in jenen stürmischen Jahren entstandenen politischen Gedichte Frieds schnell veraltet sind und heute wie leblos wirken, so liegt das nicht unbedingt an ihren Themen, an den mehr oder weniger ephemeren Motiven. Die Wahrheit ist vielmehr, daß sie nie lebendig waren und nur von jenen goutiert wurden, die in ihnen die Formulierung ihrer eigenen Ansichten fanden und sich von der flüchtigen, oft billigen literarischen Verpackung nicht stören ließen.

Dieser Lyrik, die alarmieren und mobilisieren wollte, kam es zustatten, daß Fried ein Dichter ist, der weniger evoziert als vor allem polemisiert. Seine Verse befassen sich häufiger mit Zuständen und Verhältnissen als mit Individuen. Wir verdanken ihnen eher Reflexionen als Impressionen. Nicht das Bild dominiert, sondern der Gedanke, nicht das Konkrete, sondern das Abstrakte. Hierin liegt beides – die Originalität seiner Dichtung wie auch die Gefahr, von der sie immer wieder bedroht wird.

Obwohl mittlerweile über sechzig Jahre alt und krank überdies, reist Fried wie jene Wanderrabbis, die einst predigend und agitierend durch Palästina zogen, immer noch alljährlich durch die Bundesrepublik, überall von einer treuen Gemeinde begrüßt, zu der auch solche gehören, die seinen politischen Idealen eher mißtrauen und die dennoch an seine eifernd-besorgte Menschlichkeit glauben, an seine Güte und Anteilnahme. Sein Bedürfnis, unentwegt Verse zu schreiben, hat nicht nachgelassen: Allein im Jahre 1981 sind zwei neue Sammlungen erschie-

148

nen – ›Lebensschatten‹ und ›Zur Zeit und zur Unzeit‹ –,
die zusammen nahezu zweihundert Gedichte enthalten.
Wieder einmal zwingt uns Fried, sich über den für seine
Lyrik so charakteristischen Widerspruch zwischen Wortgläubigkeit und Wortverschwendung zu wundern und
auch über die eher harmlose und doch ärgerliche Unart,
die er leider mit vielen zeitgenössischen Autoren gemein
hat: Er meint bisweilen, der Zeilenbruch und der Ver-
zicht auf Interpunktion würden genügen, um gewöhnli-
che Prosasätze in Verse zu verwandeln.

Und nach wie vor reagiert Frieds Dichtung regelmäßig
und mit großer Emphase auf Tagesereignisse, genauer:
auf Nachrichten, die (seiner Ansicht nach) politische
Mißstände erkennen lassen. Von Rudi Dutschke und Rudolf Bahro hören wir, von Ulrike Meinhof und Gudrun
Ensslin, Andreas Baader und Peter Paul Zahl. Doch im
Grunde werden diese Namen um ihres Signalwerts willen
verwendet, sie dienen meist nur als Reizworte und Ver-
ständigungsvokabeln. Fried schreibt über die Aufrüstung
und den Kapitalismus, über Hausbesetzungen und die
freie Marktwirtschaft. Er macht sich Sorgen um Südafri-
ka und die Palästinenser und auch um San Salvador. Er
kann jede Zeitungsmeldung zu einem Gedicht verarbeiten, vorausgesetzt freilich, daß ihm diese Meldung politisch willkommen ist. Denn offenbar ist er immer noch
auf die so bequeme einäugige Optik angewiesen. Jedenfalls hat er sie nicht aufgegeben.

Er ist gegen die Neutronenbombe, die sowjetischen
Bomben dagegen beunruhigen ihn nicht. Er ist gegen die
Nato, doch zu dem Warschauer Pakt hat er nichts zu
sagen. Er klagt das Weiße Haus an, da, meint er, sitzen
die Schuldigen. Und im Kreml nur Unschuldige? Kein
Zweifel, Gewalt und Terror lehnt er entschieden ab. Er
hat, allerdings vor langer Zeit, gegen die Hinrichtung Ir-
ma Greses, der Wärterin aus dem Konzentrationslager
Bergen-Belsen, öffentlich protestiert. In jedem Terrori-
sten erkennt er die leidende Kreatur und (das versteht

sich von selbst) ein Opfer der Klassengesellschaft, des Imperialismus und des Monopolkapitalismus. Gewiß wäre es ungerecht, Fried vorzuwerfen, seine Barmherzigkeit wolle von den Opfern des Terrorismus nichts wissen. Nur hat diese Barmherzigkeit in seiner Dichtung keinen Platz gefunden.

Aber das Missionarische, das nicht jedermanns Geschmack ist, vermag er wie eh und je durch das Artistische zu relativieren. Frieds Lust am Wortspiel, seinem Erkenntnisinstrument und seiner Zuflucht, ist unverwüstlich. Sie verleitet ihn zwar mitunter zu schlimmen Kalauern (»Der Apel fällt nicht weit vom Strauß / Und damit Bastian!«), führt aber auch zu Versen, in denen Schlichtheit und hohe Kunstfertigkeit eine makellose Einheit bilden:

> Weil du mich rührst
> darf ich dich vielleicht
> berühren
>
> weil du mich arm machst und reich
> darf ich dich vielleicht
> umarmen
> vielleicht erreichen

Die besten Verse gelingen Fried, wenn er die Leiden der Menschen, der uralten Tradition der Lyrik folgend, an einem einzigen Beispiel zeigt – am Beispiel seiner eigenen Person:

> Der leidet an seinem Reichtum
> und der an seiner Macht
> Ich leide an meinem Mitansehn
> wie der Tag an der Nacht
>
> Der leidet an seiner Liebe
> und der an seiner Not

Ich leide an meinem Drandenkenmüssen
wie das Leben am Tod

Der leidet an seiner Habsucht
und der an seiner Lust
Ich leide an meinem Nichthelfenkönnen
wie das Herz an der Brust

Was diese Strophen aus dem Band ›Die bunten Getüme‹ (1977) ankündigten, ist ungleich häufiger noch und stärker in der Sammlung spürbar, deren Titel ›Lebensschatten‹ nicht auf die dort in der Überzahl vorhandenen, um den üblichen linken Zukunftsoptimismus bemühten Gedichte verweist, sondern auf die persönlichen, aber deshalb noch nicht unpolitischen Verse. Sie klingen allesamt düster, wenn nicht resigniert.

»Wie lange kann ich noch leben / wenn mir die Hoffnung / verlorengeht?« So beginnt die schöne, nachdenkliche Parabel ›Die drei Steine‹. Und im Gedicht, das Fried als ›Bericht‹ verstanden wissen will, bescheidet er sich mit dem Trost:

Denen ich helfen wollte
mit meinem Mut
helfe ich vielleicht
mit meiner Verzweiflung

Vor diesem Hintergrund scheinen die meisten jener neueren Texte, die es auf direkte Belehrung und Warnung abgesehen haben, kaum mehr als (bisweilen routinierte) Pflichtleistungen, als fast automatisch entstandene und daher in der Regel auch austauschbare Produkte.

Wie auch immer: Von einer Krise des Lyrikers Erich Fried kann glücklicherweise überhaupt nicht die Rede sein. Wohl schwindet seine Zuversicht, doch nicht seine poetische Ausdruckskraft. Die ›Inschrift‹ etwa – man sollte sich hier des altmodischen Worts »innig« nicht schämen – gehört zu den zartesten erotischen Gedichten dieser Jahre. Und das Gedicht ›Bevor ich sterbe‹ ist mehr als ein schlichtes und ebendeshalb ergreifendes persönliches Bekenntnis; es ist und wird sein: das Gedicht einer Generation:

Noch einmal sprechen
von der Wärme des Lebens
damit doch einige wissen:
Es ist nicht warm
aber es könnte warm sein

Bevor ich sterbe
noch einmal sprechen
von Liebe
damit doch einige sagen:
Das gab es
das muß es geben

Noch einmal sprechen
vom Glück der Hoffnung auf Glück
damit doch einige fragen:
Was war das
wann kommt es wieder?

In einem seiner elegischen Gedichte aus letzter Zeit fragt Fried: »Doch was bleibt übrig / von dem / was ich / mir vornahm?« Aber es kommt nicht darauf an, was ein Dichter sich vorgenommen, sondern was er geleistet hat.

Die Ärgernisse, die dieser heimatlose deutsche Poet oft angerichtet hat, sind beinahe schon vergessen – wie ungezählte seiner Verse. Aber einige seiner Gedichte voll Wut und Witz, voll Gram und Geist werden ihn, Erich Fried, werden uns alle überleben.

(1982)

Jurek Becker und die DDR

Nun ist also auch Jurek Becker im Westen. Auch er, der Nationalpreisträger der DDR, der mit diesem Preis vor noch gar nicht langer Zeit, nämlich vor knapp zwei Jahren, ausgezeichnet wurde, der Autor des ebenso in der DDR wie in der Bundesrepublik außerordentlich erfolgreichen und mittlerweile weltberühmten Romans ›Jakob der Lügner‹, der langjährige überzeugte und begeisterte Anhänger der SED, will nicht mehr in dem Land leben, dem er zweifellos viel verdankt und das er nun doch verläßt, ohne sich von ihm ganz trennen zu können. Wie viele andere, die ihre Jugend oder Kindheit in Konzentrationslagern oder Gettos verbringen mußten, sieht es auch Jurek Becker sehr ungern, wenn man an diese seine Zeit erinnert. Man sollte eine solche Empfindlichkeit respektieren, aber man darf es nicht. Denn erst seine Vergangenheit macht den Weg dieses in vielerlei Hinsicht aus dem Rahmen fallenden Schriftstellers verständlich.

Becker, der 1937 in Lodz geboren wurde, wuchs in dem (von den deutschen Behörden im Herbst 1939 errichteten) Getto in seiner Geburtsstadt auf und war dann in den Konzentrationslagern von Ravensbrück und Sachsenhausen. Als er 1945 nach Berlin kam, konnte er noch nicht sprechen: Daher wurde Deutsch seine Muttersprache. In einer unveröffentlichten autobiographischen Skizze schreibt Becker: »Der Umstand, daß ich erst mit acht Jahren Deutsch zu lernen anfing, könnte verantwortlich dafür sein, daß mein Verhältnis zu dieser Sprache ein ziemlich exaltiertes wurde. So wie andere Kinder meines Alters sich für Maikäfer oder Rennautos interessierten und sie von allen Seiten betrachteten, so drehte und wendete ich Wörter und Sätze. In einer extrem intensiven Beschäftigung mit der Sprache sah ich das einzige Mittel, dem Spott und den Nachteilen zu entkommen, die sich daraus ergaben, daß ich als einziger Achtjähriger weit und breit nicht richtig sprechen konnte.« So begann sein Weg zur Literatur. Und so wurde später der polnische Jude Jurek Becker ein deutscher Schriftsteller und einer der besten seiner Generation.

Doch nicht nur sein Verhältnis zur deutschen Sprache war »ein ziemlich exaltiertes«, sondern auch zu Deutschland, genauer gesagt (denn sein Vater hatte sich in Ost-Berlin niedergelassen): zur DDR. Die Schule und die FDJ, die Universität (er studierte Philosophie) und die SED, in die er 1957 aufgenommen wurde, machten aus dem Neuankömmling einen bewußten, wenn nicht leidenschaftlichen Staatsbürger. Dem großen Erziehungsprozeß leistete er, versteht sich, keinen Widerstand. Im Gegenteil: Er war glücklich. Denn der Entwurzelte hatte eine Zuflucht, der Heimatlose eine Heimat, der Fremde ein Vaterland gefunden. Mehr noch: Er sah sich in einem großen Kollektiv der Gleichgesinnten und fühlte sich geborgen. Er lernte die ungeheuerliche Faszination der vereinenden nationalen Aufgabe und internationalen Idee kennen.

Die beruflichen Erfolge ließen nicht lange auf sich warten: Für seine Kabarettexte, Fernsehspiele und Filmdrehbücher gab es genug Abnehmer. Denn Becker hat zu bieten, was in deutschen Landen – ob gestern oder heute, ob kommunistisch oder kapitalistisch – selten und kostbar ist: Witz und Humor. Und fast durch Zufall entdeckte er die starke Seite seines Talents: Als sich die Realisation eines seiner Drehbücher immer wieder verzögerte, entschloß er sich kurzerhand, den Stoff zu einem Roman zu verarbeiten. Auf diese Weise entstand das Buch ›Jakob der Lügner‹, welches sofort erkennen ließ, daß Becker vor allem Erzähler (genauer: Geschichtenerzähler) ist.

Gut ging es also Jurek Becker im ersten deutschen Arbeiter- und Bauern-Staat. Er gehörte zu den Privilegierten mit Landhaus, Auto und vielen Auslandsreisen, und daß er zu ihnen gehörte, war nur recht und billig. Warum konnte es ihm dennoch nicht gelingen, mit seinem Land in Frieden zu leben? Warum mußte es zum Bruch zwischen ihm und der Partei kommen?

Für Becker war es selbstverständlich, sich an die strengen Regeln der kommunistischen Parteidisziplin zu halten: Stets hat er darauf geachtet, die von den Statuten der SED geforderte Loyalität zu wahren und also seine etwaigen Bedenken und Meinungsunterschiede einzig und allein innerhalb der Partei zu klären. Doch bei diesen internen Auseinandersetzungen wurde den Genossen klar, daß Becker bei aller Heiterkeit und Liebenswürdigkeit ein unbequemer, wenn nicht gar gefährlicher Mann ist. Denn er stammt vom Geschlecht der Ruhestörer, der Provokateure. Er sah, was sich täglich um ihn abspielte, und meinte, »daß ein Gespräch über Bäume fast ein Verbrechen ist, weil es ein Schweigen über so viele Untaten einschließt« (Brecht). Und Becker war nicht bereit zu schweigen.

Er wurde zu einem Ärgernis, dessen sich die Funktionäre zu erwehren versuchten, indem sie ihn wie ein *Enfant terrible* behandelten, wie einen charmanten, aber etwas leichtsinnigen und allzu temperamentvollen Künstler. Kurz: wie einen, den man bei aller Anerkennung seines Talents nicht sonderlich ernst zu nehmen brauche. Der Provokateur sah sich provoziert. Der Konflikt war unvermeidbar und wurde im Herbst 1976 deutlich sichtbar. Nachdem Reiner Kunze im Oktober 1976 aus dem DDR-Schriftstellerverband ausgeschlossen wurde, hat Jurek Becker diese Maßnahme öffentlich scharf kritisiert – als erster und, wenn ich recht informiert bin, auch als einziger in der DDR lebender Autor. Im November 1976 gehörte er zu den zwölf prominenten DDR-Autoren, die gegen die Ausbürgerung Wolf Biermanns protestierten und ihre Petition den westlichenAgenturen gaben.

Es ist nicht wahr, daß die SED damals entschlossen war, Becker aus ihren Reihen auszustoßen. Im Gegenteil: Die Partei wollte ihrem berühmten, doch leider ungebärdigen Sohn gnädig verzeihen. Nur erwartete man von ihm ein Wort der Selbstkritik, das übrigens einige der anderen Unterzeichner keineswegs verweigert haben. Eine winzige Geste der Unterwerfung hätte wahrscheinlich genügt – und die Partei hätte den reuigen Sünder in ihren Schoß wiederaufgenommen. Becker lehnte trotzig ab. Er wußte, was er tat. Und er wußte es auch, als er wenige Monate nach dem Parteiausschluß seinerseits dem Schriftstellerverband der DDR die Mitgliedschaft kündigte. Dieser Provokation folgte bald die nächste: Im Juli 77 erklärte Becker in einem Interview,[1] er sei nicht mehr bereit, »aus einer – wie ich heute meine – falsch verstandenen Solidarität zu schweigen... Den Mund zu halten, setzt die Überzeugung voraus, daß die Partei im Grunde auch das will, was ich will. Und diese Überzeugung ist ziemlich ins Wanken geraten.«

Nun hatte Becker die üblichen Konsequenzen zu tragen: In den Buchhandlungen der DDR waren seine Bücher nicht mehr zu finden, ein längst von der DEFA akzeptiertes Filmskript wurde nicht mehr gedreht, einen neuen Kurzroman lehnte der Hinstorff Verlag ab, andere Schikanen kamen hinzu. Man war offenbar entschlossen, Becker in die Rolle eines Staatsfeinds zu drängen. Natürlich, Becker ließ sich nicht zum Staatsfeind machen. Aber in eine Art Isolation geriet er allmählich doch. Die Freunde, sie waren noch da, doch das Vaterland wurde von Tag zu Tag fragwürdiger. Denn er hatte ja in der DDR sein Vaterland nicht etwa deshalb erkannt, weil ihm die Mecklenburgische Seenplatte oder der Thüringer Wald besonders gut gefielen, sondern weil er – laut eigener Aussage – glaubte, »an etwas beteiligt zu sein, das mir wichtig ist«.

Mit anderen Worten: Es war zunächst und vor allem der Kommunismus, der ihn an die DDR gebunden hatte. Er meinte, an der Veränderung der Welt mitzuwirken. Das tat er wohl auch, nur eben nicht in der von ihm erwünschten Richtung und mit den von ihm erhofften

Ergebnissen. Was er für ein Gelobtes Land hielt, erwies sich, vorerst jedenfalls, als eine Fata Morgana. Die logische Folgerung war der Entschluß, die DDR zu verlassen. Was bleibt zurück, was hinterläßt er dort? Viele Freunde und nahestehende Menschen, Hoffnungen, die er nicht missen möchte, Träume, die er nicht vergessen kann, Illusionen, auf die er doch nicht ganz verzichten will. Er geht also den Weg, den vor ihm Ernst Bloch und Peter Huchel und erst unlängst Sarah Kirsch und Reiner Kunze gegangen sind.

Ein Unterschied freilich sollte nicht übersehen werden: Becker möchte es vermeiden, daß man seinen Schritt als einen endgültigen begreift. Zwar hat er beschlossen, seinen Wohnsitz für mindestens zwei Jahre im Westen zu haben, doch bleibt er vorläufig Staatsbürger der DDR. Man würde ihn, meine ich, verkennen, wollte man diese Entscheidung lediglich auf pragmatische Umstände zurückführen. Auch Symbolisches spielt hier eine Rolle. »Sagen Sie ihm«, heißt es im ›Don Carlos‹, »daß er für die Träume seiner Jugend soll Achtung tragen, wenn er Mann sein wird.« Niemand im Westen hat das Recht, Jurek Becker zu verübeln, daß er sich von der DDR nur zögernd trennt, daß er sich von den Träumen seiner Jugend nicht endgültig verabschieden will, daß er vielleicht im stillen hofft, es werde irgendwann einen Rückweg geben.

Die Behörden der DDR waren vernünftig genug, Jurek Becker die erbetene Genehmigung nicht zu verweigern. Dies ist eine erfreuliche Tatsache. Mit Nachdruck sei es gesagt: Wir halten nichts von jenen westlichen Kommentatoren, die empört sind, wenn die DDR ihre Schriftsteller und Künstler an der Ausreise hindert, und die sich mit schöner Regelmäßigkeit ebenso empört zeigen, wenn die DDR diesen Schriftstellern oder Künstlern die Ausreise erlaubt. Es ist leichtsinnig, wenn nicht verantwortungslos, der DDR auch ihre menschenfreundlichen Entscheidungen zu verübeln. Dabei fiel es den Kulturpolitikern keineswegs leicht, auf Becker zu verzichten. Denn seine Popularität in der DDR ist enorm. Aber hinter diesem Beschluß steht nicht zuletzt der Respekt vor einem Schriftsteller, der sich nie mißbrauchen ließ und dessen Zivilcourage schon häufig der SED Kummer bereitet hat.

Und was sucht Jurek Becker im Westen? Etwa ein neues Vaterland? Er sagt es deutlich: Er möchte hier in Ruhe arbeiten können – nicht mehr und nicht weniger. Ein Ruhestörer, ein Provokateur wird er, wie könnte es anders sein, gleichwohl bleiben. Der Kummer, dessen sich die SED nunmehr entledigt hat, den werden vermutlich (wenn auch natürlich auf ganz andere Weise) wir jetzt haben. Aber wir freuen uns auf diesen Kummer.

Wird Becker weiterhin die Welt verändern wollen? Die Hoffnung, daß sich mit der Literatur trotz allem einiges ausrichten läßt, wird er nie aufgeben. Gegen Ende seines Lebens schrieb Deutschlands größter Schriftsteller dieses Jahrhunderts: »Man arbeitet dennoch, erzählt Geschichten, formt die Wahrheit und ergötzt damit eine bedürftige Welt in der dunklen Hoffnung, fast in der Zuversicht, daß Wahrheit und heitere Form wohl seelisch befreiend wirken und die Welt auf ein besseres, dem Geiste gerechteres Leben vorbereiten können.«[2] In diesem Sinne grüßen wir Jurek Becker.

(1977)

Hans Mayers Buch ›Außenseiter‹[1] provoziert viele Fragen. Nur eine nicht: wozu es geschrieben wurde. Es hat viele Vorzüge. Sein wichtigster: Nie ist es langweilig. Es hat allerlei Fehler. Sein bedauerlichster: Obwohl es über fünfhundert Seiten umfaßt, ist es viel zu kurz.

Der Autor dieses Buches ist ein Freund des Gesprächs, ein Anhänger der Diskussion, ein Meister der Polemik. Er unterhält sich mit den Lesern, er diskutiert mit genannten und auch ungenannten Partnern, er polemisiert gegen überlieferte und landläufige Anschauungen. Ein Mann des Dialogs und gleichwohl, ob er es will oder nicht, stets ein Einzelgänger: Wer genau liest, wird bemerken, daß hier einer oft nur mit sich selber redet. Der scheinbare Dialog ist also ein großer Monolog. Diese Darstellung der Literatur, diese passionierte Auseinandersetzung mit ihren wirklichen und erfundenen Figuren ist unentwegt, bewußt oder unbewußt, auch Selbstdarstellung und Selbstauseinandersetzung. Um es auf die kürzeste Formel zu bringen: Der hier über Außenseiter schreibt, war immer schon und aus mehr als einem Grund ein Außenseiter.

Mayer plädiert so temperamentvoll wie eh und je. Doch scheint mir seine Resignation ungleich stärker als seine Rebellion. In dem Buch ist Trauer und Verbitterung. Gewiß, er will auf seine Leser Einfluß ausüben, er möchte sie belehren. Das versteht sich, denn Kritiker, die vom Pädagogischen ablassen, verraten das Gesetz ihrer Zunft. Aber der entscheidende Antrieb ist persönlicher Art: Mayer glaubt, endlich sagen zu müssen, was ihn ein Leben lang beschäftigte, woran er ein Leben lang litt. Dies ist kein verspäteter, kein nachgeholter Jugendstreich, sondern ein elegisches Resümee: Statt einer Autobiographie, die Mayer tatsächlich geplant hat, eine großzügige literarhistorische Bilanz, ein schmerzhafter Befund, frei von Illusionen, doch keineswegs frei von Melancholie. Auf jeden Fall: ein Buch in Moll.

Es geht von der Behauptung aus, daß die bürgerliche Aufklärung gescheitert sei. Sie habe vor den Außenseitern versagt, vor jenen nämlich, denen zwar die formale Gleichheit vor dem Gesetz, doch nicht die gleiche Lebenschance zugebilligt wurde: vor den Frauen, den Homosexuellen, den Juden. Dies ist das Thema der Untersuchung. Und damit wäre sowohl ihre Reichweite angedeutet als auch ihre Gliederung in drei große Teile.

Die These von der Nichteinlösung der Gleichheitspostulate, die durch das Verhältnis zu den Außenseitern so deutlich erkennbar werde, dient Mayer, journalistisch gesprochen, als »Aufhänger«. Dagegen ist nichts einzuwenden. Indes fungiert sie auch als das gedankliche Leitmotiv, das er etwas zu häufig und zu nachdrücklich betont, da nirgends jemand zu sehen ist, der diese generelle Behauptung Mayers auch nur anzuzweifeln bereit wäre. Hier rennt er mit viel Eifer Türen ein, die nie ganz geschlossen waren und schon seit einiger Zeit weit offen stehen.

Schließlich soll die zentrale These auch noch als Hilfskonstruktion dienen, als Rahmen, der die einzelnen Aufsätze zusammenzuhalten hat. Aber die Konstruktion ist überfordert, der Rahmen kann die Dreiteilung des Buches nicht hinreichend legitimieren. Denn das Außenseitertum der Frauen ist mit jenem der Homosexuellen und der Juden auf keinen Fall vergleichbar. Es genügt, an den simplen Umstand zu erinnern, daß man sich die Menschheit sehr wohl ohne Homosexuelle und ohne Juden vorstellen kann, doch schwerlich ohne Frauen. Ich bin nicht so tollkühn, ihre Diskriminierung zu unterschätzen, aber man hat schon oft alle Homosexuellen und alle Juden vernichten wollen, noch nie hingegen alle Frauen.

Natürlich ist sich Mayer dieses gewaltigen, dieses qualitativen Unterschieds bewußt. Er spricht von »existentiellen« und »intentionellen« Außenseitern. Figuren der Grenzüberschreitung seien sie allesamt, diese aber aus eigenem Willen – wie etwa Faust, Hamlet oder Don Juan –, jene indes schon durch ihre Existenz, durch die körperliche und psychische Veranlagung, durch die Herkunft, durch das Geschlecht.

Frauen gehören somit zwar zu den existentiellen Außenseitern, doch sind sie, wie sich zeigt, für Mayers Untersuchung meist nur dann von Interesse, wenn es »Grenzüberschreiter der Erkenntnis und des Empfindens« sind, wenn also erst ein Entschluß sie »ins Abseits und Außen« geraten läßt. Er behilft sich dann mit dem Hinweis, es handle sich um »Außenseiterinnen des Außenseitertums«. Sehr wohl, nur geht dieser Teil des Buches – eben weil wir es doch mit intentionellen und daher traditionellen Grenzüberschreitungen zu tun haben – über die herkömmliche Literaturbetrachtung nicht weit hinaus.

Immerhin: wie Mayer den Wandel der Jeanne-d'Arc-Figur von Shakespeare und Voltaire über Schiller und Shaw bis zu Brecht und Wischnewski zeigt und deutet, wie er in dem Kapitel ›Bürgerliche Lebensläufe als Alternativen‹ George Eliots und George Sands doppeltes Scheitern (»das der bemühten Anpassung und das des bemühten Skandals«) nachzeichnet und belegt – das macht ihm so rasch keiner nach. Noch in seinen schwachen Stunden hat Mayer mehr zu sagen als die meisten Germanisten in ihren Sternstunden.

Freilich sind die Teile über die Homosexuellen und über die Juden ergiebiger und origineller, und auch die Darstellung ist hier ungleich eindringlicher. Mayer bleibt seiner alten und oft bewährten Leidenschaft treu: Er liebt es, die Literaturgeschichte zu vergegenwärtigen und die Gegenwartsliteratur historisch zu sehen. Mit trockener Wissenschaft hat das natürlich nichts zu tun. Er beherzigt die von ihm am Ende zitierte Goethe-Maxime: »Leben wird am besten durchs Lebendige belehrt.« Das Ärgernis der Außenseiter im Laufe der Jahrhunderte demonstriert er immer wieder an konkreten Einzelfällen. Er behandelt reale Menschen, als seien sie literarische Gestalten, und literarische Gestalten, als seien sie reale Menschen.

Wie der große Egon Erwin Kisch, der rasende Reporter, der ein langsamer Schreiber war, die Länder erforschte, so durchquert Mayer in raschem Tempo (aber er hat viele Jahre an diesem Buch gearbeitet) die Literaturen der Völker und Jahrhunderte. Der Vergleich mit Kisch ist übrigens so abwegig nicht: Die ›Außenseiter‹ hat eben nicht nur ein Wissenschaftler, ein Literarhistoriker verfaßt, sondern auch ein glänzender Reporter, ein engagierter Erzähler.

Von Marlowe erzählt er und der von ihm geschaffenen Figur des homosexuellen Königs, von Winckelmann und der Enthüllung seines Doppellebens, von dem Streit zwischen Heine, dem »Outsider der Abkunft«, und Platen, dem »Outsider der Geschlechtlichkeit«: »Hier kämpften Außenseiter miteinander, die...ein Außenseitertum beim Widersacher denunzierten, das – zufälligerweise – nicht das eigene war.« Am Beispiel von Verlaine und Rimbaud, Ludwig von Bayern und Tschaikowski, Wilde und Gide, Klaus Mann und Jean Genet werden verschiedene Möglichkeiten der homosexuellen Existenz vorgeführt: vom Todesrausch bis zur verzweifelt angestrebten Gleichschaltung, vom entschlossenen Willen zum Doppelleben bis zum provozierten Skandal. Meisterhaft zeigt Mayer den Zwang zur Idealisierung und Stilisierung: »Der homosexuelle Künstler war zum Rollenspiel verurteilt, also zur ästhetischen Existenz.«

Wie ein Zauberkünstler, der zur Verblüffung des Publikums unzählige Gegenstände aus den Taschen seines Mantels hervorholt und säuberlich auf einem Tisch ausbreitet, weiß Mayer mit immer neuen Zitaten und Beispielen, Vergleichen und Argumenten aufzuwarten. Und sie alle, zeigt sich, sind nur Mosaiksteine, aus denen er ein stets übersichtliches Bild zusammenzusetzen weiß. Manche seiner Plädoyers sind geradezu vollkommen, gegen die Fülle der Beweisstücke kann es, scheint es, keinen Widerspruch geben.

Da haben wir etwa den glanzvoll geschriebenen Aufsatz über Hans Christian Andersen. Er sei, legt Mayer dar, nur von seiner Homosexualität her verständlich. Knapp und anschaulich wird sein Doppelleben dargestellt, die »Existenzspaltung in die gesittete und unauffällige Lebensführung zu Hause« und »die erotische Kreuzfahrt des unablässig Reiselustigen«, die ewige Angst vor Enthüllung und Skandal, die charakteristische Beziehung zu dem (ebenfalls homosexuellen) Bildhauer Thorwaldsen, die Furcht vor kompromittierenden Zwischenfällen bei öffentlichen Anlässen. In seinen Märchen habe sich Andersen die Möglichkeit geschaffen, von sich fast ohne Verhüllung zu sprechen. Die Geschichte von der kleinen Seejungfrau, vom falsch gegossenen Zinnsoldaten, vom Schwan, der im Ententeich zu leben hat, wo man Schwäne nicht als höhere Gattung anerkennt – das alles seien Gleichnisse vom existentiellen, vom unheilbaren Außenseitertum. Sehr überzeugend. Nur behaupten die Andersen-Forscher – und zwar einmütig –, dies sei eine längst überholte These, seine Tagebücher, deren vollständige Ausgabe seit 1971 erscheint und die Mayer nicht berücksichtigt, hätten erneut deutlich gezeigt, daß Andersen nicht homosexuell gewesen sei.

Wie auch immer: Manche dieser Essays erinnern an Gleichungen. Es sind meist, scheint es, einwandfreie Gleichungen, sie lassen sich fehlerlos auflösen. Die Perfektion der Beweisführung ist verführerisch und beunruhigend zugleich. Können diese Zitate, diese vielen Beispiele wirklich stets als Beweise gelten? Haben wir es oft nicht bloß mit Indizien zu tun? Sollte es etwa so sein, daß sich hier pure Hypothesen mitunter fast unmerklich in Thesen verwandeln? Wo hören die Tatsachen auf, und wo beginnen die bisweilen etwas leichtfertigen Spekulationen? Mayers Buch ist eine Synthese aus Analyse und

Bekenntnis. Daher bezieht es seine Stärke, daher rührt aber auch die Schwäche einiger Kapitel. Seine Konfessionen und Argumente beglaubigen und steigern sich gegenseitig. Doch ist es gelegentlich, fürchte ich, einzig die Konfession, der das Argument seine Existenz verdankt.

Gegen den Teil über die Juden braucht man diesen Vorwurf nicht zu erheben, und zwar aus einem einfachen Grund: Das Außenseitertum der Homosexuellen wird individuell begründet, das der Juden hingegen generell – durch das Judesein schlechthin. Und wer Jude war, das weiß man genau, da ist der Literarhistoriker niemals auf Mutmaßungen und Auslegungen angewiesen. Hier kann er aus dem vollen schöpfen und nicht nur deshalb, weil die Zahl der bedeutenden jüdischen Schriftsteller und der charakteristischen jüdischen Figuren in der Weltliteratur enorm ist, sondern weil alle diese Schriftsteller (hier gibt es keine einzige Ausnahme) und auch alle diese Figuren die These vom Scheitern der jüdischen Emanzipation, also vom Versagen der Aufklärung, bestätigen und beweisen.

Bemerkenswert, daß Mayer auf die sich aufdrängenden Beispiele aus der Geschichte der deutschen Literatur unseres Jahrhunderts verzichtet: Über diese Außenseiter – also über Kafka, Döblin, Schnitzler, Roth, Benjamin, Tucholsky – wird man hier kaum ein Wort finden. Vielmehr befaßt er sich zunächst mit Kunstfiguren, die er mit großer Eindringlichkeit als Phänotypen der jüdischen Existenz innerhalb der nichtjüdischen Welt porträtiert und deutet: mit Shakespeares Shylock, der sich, von der christlichen Gesellschaft geprellt, bespuckt und geprügelt, in ein Monstrum verwandelt, mit Nathan, den Lessing mit Hilfe von Wohlstand und gebildeter Humanität »aus dem Sonderdasein zu befreien« trachtete, mit dem Räuber Moritz Spiegelberg, der »als Antithese des jüdischen Messianismus zur Emanzipationsforderung der bürgerlichen Aufklärung« zu verstehen sei.

Von diesen Figuren ausgehend beschreibt und interpretiert Mayer die individuellen, oft krampfhaften und immer vergeblichen Einordnungsversuche jüdischer Künstler, Gelehrter und Schriftsteller, die im 19. Jahrhundert, in der Ära »einer scheinbaren staatsbürgerlichen Egalität, den inneren Widersprüchen aus abstrakter Emanzipationsforderung und realer Zerrissenheit« nicht entkommen können. Lessing hatte gehofft, die Emanzipation der Juden sei möglich durch Bildung und Besitz. In virtuos geschriebenen Kapiteln demonstriert Mayer die (jene hochherzige Prämisse Lessings widerlegende) »unheilvolle Provokation in der Bildung und im Besitz, in der konservativen wie in der sozialistischen Politik«. Für diese Provokation stehen die Namen Heine und Rothschild, Disraeli und Lassalle.

Nicht weniger erhellend sind die glanzvollen Darlegungen über jüdische Figuren in den Romanen von Dickens und George Eliot, Proust und Joyce, vor allem aber in der deutschen Epik in der zweiten Hälfte des 19. Jahrhunderts. Die in der Prosa Freytags, Raabes und Dahns dominierende Feindschaft gegen die moderne Großstadt und gegen den aufgeklärten bürgerlichen Intellektuellen gipfelt in der Judenfeindschaft, die beides in sich vereine: den Haß gegen die Großstadt (»also Wurzellosigkeit«) und gegen die Aufklärung (»also Glaubenslosigkeit«).

Seinen Höhepunkt erreicht das Buch in der Abhandlung über den »Genossen Shylock«: Gemeint ist Leo Trotzki, der doppelte Außenseiter – der Jude unter den Russen, der Literat unter den Revolutionären. Aber was Mayer hier darstellt, geht weit über die Person Trotzkis hinaus und wird, gleichsam unterderhand, zur Parabel von Hoffnung und Enttäuschung, von Illusion und Scheitern des jüdischen Literaten im Dienst der Revolution. Auch hier schreibt Mayer über andere und zugleich über sich selber.

Überdies zeichnet sich der dritte und wichtigste Teil der ›Außenseiter‹ durch Qualitäten aus, die hierzulande, zumal in Büchern über Literatur, nicht gar so selbstverständlich sind und ebendeshalb nicht genug gerühmt werden können – durch Souveränität, durch Unabhängigkeit: Es kümmert Mayer herzlich wenig, ob und wem manche seiner Ansichten mißfallen werden. Auch spricht es für ihn, daß er den Mut hat, auf handliche Schlußfolgerungen zu verzichten. Er bietet den Lesern lediglich einen »offenen Schluß«, er denkt nicht daran, seine Ratlosigkeit zu beschönigen.

Alles in allem: eine Phänomenologie der Außenseiter, wie es sie bisher nicht gegeben hat. Und zugleich weit mehr.

(1975)

Friedrich Torbergs Gleichnis

Daß Süßkind von Trimberg, einer von den einhundertvierzig Poeten, deren Verse in der Manessischen Handschrift vereint sind, zu den bedeutenderen Dichtern des 13. Jahrhunderts keineswegs gehört – (die meisten Literaturgeschichten und Nachschlagewerke nennen ihn überhaupt nicht, auch in Peter Wapnewskis ›Deutscher Literatur des Mittelalters‹[1] bleibt er unerwähnt) –, dessen zumindest können wir sicher sein.

Ob er tatsächlich ein Jude war, ist hingegen höchst zweifelhaft. Denn wir wissen über ihn fast nichts und das wenige nur aus zweiter und dritter Hand. So kann man hier alles vermuten und nichts beweisen. Ein Romancier, den Süßkind und das Mittelalter interessieren, mag das für eine ideale Situation halten: Seiner Phantasie scheinen keine Grenzen gesetzt, er kann aus der Figur machen, was er will – vorausgesetzt natürlich, daß er es kann. Was wollte Friedrich Torberg?

In seinem Roman[2] ist Süßkind ein Jude, der von seinem Vater, einem Arzt im Dienste der Grafen von Trimberg, im Geist der jüdischen Religion und Tradition erzogen wird. Doch wächst er, da es in dem Dorf, das jenen Grafen gehört, sonst keine Juden gibt, nur unter Nichtjuden auf. Als Dreizehnjähriger überlebt er einen Pogrom, dem seine Eltern zum Opfer fallen. Allein geblieben, geht er auf Wanderschaft: Er begleitet einen Bettelmönch, arbeitet bei einem Steinmetz, lernt die Liebe kennen, trifft gute und böse Menschen und hat das Bedürfnis, »Lieder zu machen«. Der Zufall hilft ihm: Ein Minnesänger nimmt sich seiner an, mit der Zeit wird auch Süßkind selber ein fahrender und nicht erfolgloser Sänger.

Er dichtet in deutscher Sprache, aber er bleibt dem Judentum treu. Von den Adelsherren wird er geschätzt und geschützt, denn er ist unter den fahrenden Musikanten ein einigermaßen exotischer Vogel. Von den Juden wird er geachtet, denn er kommt ja bei den Nichtjuden gut an. Als er jedoch in einem parabolischen Lied die Willkür der Mächtigen anzuklagen wagt und auch noch den eitlen Bischof von Würzburg kränkt, beginnt sein Stern zu sinken. Schließlich wird er von allen verlassen und verstoßen, übrigens auch von den Juden, die befürchten, man könnte sie für seine allzu kühnen Verse verantwortlich machen. Immer schon war er ein Heimatloser, nun ist er nur noch ein »abgewiesener Landstreicher«. Er stirbt einsam und verbittert.

Der diesen Roman geschrieben hat, ist nicht etwa – um einen Lieblingsausdruck Fontanes zu verwenden – »ein matter Pilger«, der der freundlichen Ermunterung bedürftig und auf gütige Nachsicht der Kritik (etwa im berüchtigten Wiedergutmachungstonfall) angewiesen wäre. Ich schätze Friedrich Torberg seit vielen Jahren. Auf manchen seiner Wege vermochte ich ihm nicht zu folgen, sie schienen mir bedauerliche Irrwege. Doch der Mut und die Integrität dieses streitbaren Einzelgängers waren und sind für mich ebenso außer Zweifel wie sein Scharfblick, sein Esprit, sein Witz. Und ich bewundere keineswegs nur den Publizisten, den Theaterkritiker und Polemiker, sondern auch und vor allem den immer noch nicht hinreichend anerkannten Epiker, dessen Möglichkeiten der 1968 bei S. Fischer verlegte und leider kaum beachtete Band ›Golems Wiederkehr und andere Erzählungen‹ eindrucksvoll bewiesen hat.

Ebendeshalb und weil es sich um ein sehr persönliches Buch und um das Werk wohl von Jahrzehnten handelt, fällt es mir besonders schwer zu sagen, was, glaube ich, nicht ungesagt bleiben darf und was gerade in diesem Fall nicht beschönigt werden sollte: Der Roman ›Süßkind von Trimberg‹ ist ein absolutes Mißverständnis.

Zunächst einmal: Was soll das Ganze? Wollte Torberg eine Art Künstlerroman liefern und die Geschichte eines nonkonformistischen Schriftstellers erzählen, der an der

Gesellschaft scheitert? Dies kann man hier auch finden, doch verweist schon das Motto – und die Schluß-Apostrophe ebenfalls – auf mehr und anderes: Torberg geht es (sehr allgemein ausgedrückt) um die Tragödie der Juden. Ich lese den Roman als Gleichnis vom Juden inmitten der nichtjüdischen Welt.

Inwiefern war für ein solches Gleichnis, frage ich mich, die Figur des angeblich jüdischen Minnesängers geeignet? Einerseits konnte sich Torberg von den zwölf vorhandenen (freilich recht kurzen und zum Teil eher nichtssagenden) Texten von Süßkind von Trimberg inspirieren lassen: Er hat sie denn auch neu übersetzt, in die Handlung eingebaut und auf seine Art (bisweilen recht frei) gedeutet. Andererseits aber nötigte ihn der Rückgriff auf die Süßkind-Gestalt, den Roman im dreizehnten Jahrhundert spielen zu lassen. Dies indes war – aus zwei sehr verschiedenen Gründen – eine fatale Entscheidung.

Man vergegenwärtige sich die historische Situation: Inmitten der deutschen Welt lebte eine fremde Bevölkerungsgruppe, die an orientalischen und zum Teil mysteriösen oder mysteriös scheinenden Sitten und Lebensgewohnheiten festhielt, die ihrer archaischen Religion hartnäckig treu blieb und das Christentum als Irrlehre ablehnte, die sich von der Umwelt konsequent absonderte und auch abschloß (das Getto war ursprünglich eine Erfindung der Juden und nicht der Christen!) und deren Vertreter oft genug (aus welchen Gründen auch immer) Berufe ausübten, die höchst unbeliebt waren (etwa Geldverleiher). Dies alles in finsteren Zeiten, in denen Grausamkeit und brutale Willkür an der Tagesordnung waren.

Ich denke nicht daran, die mittelalterlichen Judenverfolgungen zu rechtfertigen. Nur meine ich, daß sie diejenigen in der Geschichte der Menschheit sind, über die man sich am wenigsten wundern kann. Wer das Gleichnis vom Juden inmitten der nichtjüdischen Welt in diese Epoche grauenvoller Rückständigkeit projiziert, in die Zeit jenes religiösen Fanatismus, dem schließlich nicht nur Juden zum Opfer fielen, der nimmt unversehens der ganzen Frage ihre exemplarische Schärfe.

Als Heinrich Heine einst die (um 1500 spielende) Geschichte des ›Rabbi von Bacherach‹ erzählte, da hatte er eine aufgeklärte bürgerliche Gesellschaft, in der sich gerade die Emanzipation der Juden vollzog, warnend an die Schrecken der Vergangenheit erinnern wollen. Heute jedoch, nach Auschwitz und Treblinka, sind mittelalterliche Judenverfolgungen als Kontrastmotive schlecht brauchbar.[3] Sie wirken, so weit hat es das zwanzigste Jahrhundert eben gebracht, fast schon harmlos.

Der andere Grund, der mir Torbergs Stoffwahl unglücklich scheinen läßt, ist rein literarischer Art. Kann man sich in unseren siebziger Jahren überhaupt noch einen im Mittelalter spielenden Roman von einigem literarischen Anspruch vorstellen? Ich bin da sehr unsicher, wobei ich natürlich weiß, daß alle Bedenken der Kritik – hier wie in jedem anderen Fall – ein Epiker mit einer unerwarteten und originellen Lösung außer Kraft setzen kann. Aber ich bin ganz sicher, daß heute ein solcher historischer Roman indiskutabel werden oder jedenfalls mißlingen muß, wenn der Autor – wie Torberg – sämtliche Errungenschaften der modernen Literatur auf so großzügige wie entwaffnende Weise ignoriert und tut, als lebten wir immer noch im neunzehnten Jahrhundert.

Torberg erzählt bieder und treuherzig, meist gradlinig und gemächlich. Der Zweifel an der Darstellbarkeit der Welt ist ihm offenbar fremd, von Ironie und Parodie will er, der in seiner Publizistik oft wunderbar ironisch ist und der auch ausgezeichnete Parodien verfaßt hat, nichts wissen. Wie seine Vision des Mittelalters noch unverkennbar romantische und postromantische Züge trägt, so läßt auch seine Erzählhaltung am ehesten an die würdevoll historisierende und als realistisch geltende Epik etwa zwischen Scheffels ›Ekkehard‹ und Gustav Freytags ›Ahnen‹ denken.

Was von Torberg als Wirklichkeit ausgegeben wird,

was wir für bare Münze nehmen sollen, erweist sich als purer Kulissenzauber. Der Eindruck entsteht, als habe der vorzügliche Theaterspezialist den Ehrgeiz gehabt, jenen längst überflüssigen Kostümen und Requisiten, mit denen einst die Ritterstücke ausgestattet wurden, zu neuen Ehren zu verhelfen. Jedenfalls erinnert der Roman streckenweise nicht etwa an einen Farbfilm auf Breitleinwand, sondern an eine Festaufführung des ›Käthchen von Heilbronn‹ eben in Heilbronn und im Jahre 1872.

Nicht weniger fragwürdig als die Szenerie ist die Hauptfigur des Romans. Dieser Süßkind von Trimberg soll unbedingt ein stolzer Jude und ein deutscher Minnesänger, ein ganzer Kerl und ein zarter Dichter zugleich sein. Ein schmucker Kavalier ist er, dem die Mädchen und Damen gern und rasch Einlaß gewähren in Kammer und Schoß. Er liebt wie Heine und leidet wie Torberg. Und wenn es darauf ankommt, kann er auch kräftig zuschlagen und einen bedrohten Rabbi verteidigen: Er ist ein David mit den Muskeln Goliaths, ein strahlender Siegfried, doch mit der Trauer Kafkas und dem Lächeln Dajans. Er ist kein Ritter und doch ohne Furcht und Tadel. Er ähnelt auf fatale Weise den Protagonisten in den Romanen für die reifere Jugend von vorgestern und den positiven Helden in den Romanen des sozialistischen Realismus von gestern.

Wie in diesen Büchern werden auch hier die Leser immer wieder und sehr ausführlich belehrt – insbesondere über jüdische Sitten und Gebräuche und über allerlei Vorschriften der mosaischen Religion. Man könnte meinen, ›Süßkind von Trimberg‹ sei ein Auftragswerk der Gesellschaft für christlich-jüdische Zusammenarbeit, geschrieben zur Feier der alljährlichen »Woche der Brüderlichkeit«.

Und wie liest sich das alles? Torberg hat sich, man merkt es deutlich, viel Mühe gegeben, eine Sprache zu finden, die seiner Vision des Mittelalters gerecht werden könnte. Neben Passagen in modernem, wenn auch etwas

betulichem Deutsch fallen hier altertümliche Floskeln auf
(»Denn die Hebräer sind ein gar strenges Volk«), biblisch
getönte Sätze (»Und haben in dieser Nacht ihrer mehr als
siebzig den Tod gefunden um des heiligen Namens willen, und es war noch nicht genug«) und viele Phrasen mit
angestrengt-poetischem Anspruch (»Mittlerweile hatte
der Frühling sich allenthalben niedergelassen und eingerichtet«).

Doch ist die Uneinheitlichkeit der Diktion bei weitem
nicht so schlimm wie ihre würdevolle Feierlichkeit. Diese
Prosa erstickt am Rhapsodisch-Gewichtigen: Sie ist gesalbt mit süßem Öl. So beschreibt Torberg, wie der junge
Süßkind vom deutschen Wald zu seinem ersten deutschen Gedicht inspiriert wird: »Die Lichtung, an die er
endlich geriet, lohnte es ihm. In sanfter Abwärtsneigung
tat sie sich vor ihm auf, vom Horizont her floß ein letzter
Widerschein der untergegangenen Sonne durch die Wip-
fel, am Rand des Ovals, in schmalem Bett, wand sich ein
Wildbach über allerlei Geröll und Wurzelwerk, ein Vo-
gelruf verklang, dann war es still. Aufatmend hatte Süßkind sich niedergelassen und an einen Baum gelehnt, die
angezogenen Beine im Korb der verschränkten Hände
geborgen. Eine namenlose Zärtlichkeit überkam ihn,
nein, erfüllte ihn, nein, beides: sie drang auf ihn ein und
drang aus ihm hervor, es waren zwei Zärtlichkeiten, die
sich miteinander paarten und eins wurden, eine namenlose Zärtlichkeit... Der Wildbach rieselte aufwärts und aller Herzschlag pochte den Sternen zu und aller Wald war
seine Rückenlehne. Süßkind erhob sich und breitete die
Arme aus, um sich zu vergewissern, daß noch er selbst es
war.«

So neckisch schildert Torberg die Tochter des Meisters
Balthasar: »Sie hatte grüne Augen, die Brigitte, und brau-
nes Haar, das sie in dicken Zöpfen trug, und einen breiten
Mund mit starken weißen Zähnen, die sie beim Lachen
fröhlich herzeigte; und sie lachte oft. Auch ihre Beine
zeigte sie her, wenn ihr spielerisch danach zumut war,

sich auf einen der Steinblöcke zu schwingen, die in der Werkstatt umherstanden; und es war ihr oft danach zumut. Auch ihre weißen Schultern zeigte sie her und ihre weiße Haut, wenn sie sich nach einem Werkzeug bückte oder sonst einen Handgriff tat, daß ihr der Kittel hinabglitt; und dorthin glitt er oft und wäre wohl noch weitergeglitten, hätten sich nicht die kleinen, straffen Brüste ihm entgegengestellt und ihn aufgehalten, die Brüste und nicht das Schnürband rundum, das schien sich da immer ein wenig zu lockern, und ehe es wieder richtig saß, mußte sie lang daran herumzupfen, länger als Süßkind hinsehen konnte.«

Daß einer, der wie Torberg bei Karl Kraus in die Lehre gegangen ist, derartiges schreiben konnte, läßt sich schwer begreifen. Eine solche Liebesszene wird heute nicht einmal von der Trivialliteratur geboten: »›Warte, mein Süßkind, warte. Mußt keine Angst haben, mußt mir nichts zeigen, ich zeig's dir schon selbst.‹ Und ihre Hand an seiner Wange, und ihre Hand an seiner Schulter unterm Hemd, und ihre Hand hautnah und heiß und ihre Hand –. War sie älter geworden, Brigitte, war sie nicht immer schon älter gewesen als er? Oder war's nur die große Sicherheit, mit der sie sich ihm entdeckte und ihn aufnahm ins Heimliche und Heimatliche, darin er geborgen lag wie nirgends zuvor, darin er sich verströmte, als sollte es kein Hernach mehr geben irgend je, als wäre jetzt aller Zeiten heiliges Ende gekommen?«

Wer es mit Friedrich Torberg gut meint und wem die große Sache, um die es hier geht, wichtig ist – beides nehme ich für mich in Anspruch –, der kann ihm und uns nur wünschen, daß dieses Buch möglichst schnell vergessen wird.

(1972)

Ein höchst origineller deutscher Schriftsteller, der allerdings nicht deutsch schreiben kann – ein solches Diktum war manchen Kritiken zu entnehmen, mit denen 1962 Jakov Linds Erzählungsband ›Eine Seele aus Holz‹ in der Bundesrepublik bedacht wurde.[1] Denn nicht weniger als die ungebärdige Phantasie dieses Poeten, der in düsteren Geschichten Wirkliches mit Unwirklichem und Allzuwirkliches mit Überwirklichem auf sonderbare, meist grobschlächtige Weise zu mischen wußte, schockierte auch seine Sprache: Ihre offensichtliche Fragwürdigkeit ließ sich schwerlich als stilistische Eigenart rechtfertigen.

Die nächsten Bücher Linds, in denen sich nicht die auffallenden Qualitäten, wohl aber die Schwächen seines Erstlings wiederfanden, wurden hierzulande schroff abgelehnt, dort jedoch, wo sie in Übersetzungen erschienen, ungleich freundlicher aufgenommen. Auch damit – und nicht nur mit der benötigten Distanz zum jetzt behandelten Thema – mag es zusammenhängen, daß der ohnehin seit vielen Jahren zwischen den Sprachen pendelnde Autor sein neues Buch ›Selbstporträt‹[2] englisch geschrieben hat. Nachdem es in der angelsächsischen Welt schon sehr erfolgreich war, erreicht es uns in Günther Danehls sorgfältiger und von Lind autorisierter und ausdrücklich befürworteter Übersetzung. So geht der heimliche Wunsch jener in Erfüllung, die seine Prosa lesen wollten, ohne sein Deutsch in Kauf nehmen zu müssen.

Lind, der weder ein typischer Intellektueller noch ein feinsinniger Ästhet ist, machte bisher den Eindruck eines ziemlich wüsten und etwas wirren Naturburschen, eines zornigen und oft ungestümen literarischen Draufgängers, der zwar niemandem nach dem Munde redete, doch andererseits allzu deutlich bemüht war, das Publikum, koste

174

es, was es wolle, vor den Kopf zu stoßen. Von diesem Ehrgeiz, der vielem in der zeitgenössischen deutschen Literatur einen so unseriösen, so harmlos-konventionellen Anstrich gibt und der manches von Lind unerträglich machte, scheint er sich mit dem in einer fremden Sprache entstandenen ›Selbstporträt‹ befreit zu haben.

»Owê war sint verswunden alliu mîniu jâr!« (Wehe, wohin sind alle meine Jahre entschwunden?) – die schwermütig-einfache Klage des Walther von der Vogelweide ist heute wie vor Jahrhunderten das mehr oder weniger verborgene Motto sämtlicher Autobiographien. Aber was in den meisten Rückblicken auf die eigene Jugend unweigerlich zu sentimentalen Akzenten führt, hat sich auf den Schriftsteller Lind geradezu heilsam ausgewirkt. Denn es war wohl jene traditionelle Melancholie der Autobiographen, die diesem gehetzten und getriebenen, diesem impulsiven und unbeherrschten Mann nun doch zu einiger Ruhe und Distanz, zur Gelassenheit, ja fast schon zur Souveränität verholfen hat. Und ohne Humor und Ironie, ohne etwas Resignation und viel Distanz wäre es ihm niemals gelungen, die beklemmenden und höchst dramatischen Begebenheiten seiner frühen Jahre in einem Buch darzustellen, das erschütternd und komisch zugleich ist und das nichts verniedlicht oder verharmlost und sich trotzdem streckenweise wie eine Schelmengeschichte liest.

Allerdings muß der Leser zunächst Geduld haben. Leider lieben es viele Autobiographen, sich ausführlich über etwas zu verbreiten, worüber sie nur selten Originelles zu sagen haben – über ihre Kindheit. Wenn die entsprechenden Kapitel in vielen Selbstporträts, auch sehr bedeutender Autoren, eher zu den schwachen Partien gehören, so unter anderem wohl deshalb, weil sie nur zum Teil auf eigenen Erinnerungen beruhen.

Bei Lind kommt noch hinzu, daß er, der 1927 in Wien geboren wurde, Österreich schon 1938 verlassen mußte. Die Sphäre, der er entstammt – das kleinbürgerlich-jüdische Milieu im Wien der dreißiger Jahre –, kennt er zu wenig aus eigener Anschauung, um sie hinreichend verdeutlichen zu können. Was ihm wichtig zu sein scheint, beschreibt er sachlich und genau, doch das Ergebnis wirkt konventionell und etwas schablonenhaft. Er urteilt nicht ohne Härte und Strenge und setzt bisweilen zusammen mit seiner Familie gleich das ganze Judentum auf die Anklagebank. Dagegen wäre noch nichts einzuwenden, wenn nicht alles so vordergründig und abstrakt bliebe: Statt der offensichtlich angestrebten gesellschaftskritischen Skizze liefert er hier nur ein gereiztes Plädoyer mit forschen und leichtsinnigen Philosophemen und mit eher dürftigen Meditationen.

Doch sind es niemals die Gedanken und Argumente, die zeigen, was dieser Schriftsteller wirklich leisten kann, sondern die konkreten epischen Details und die scheinbar geringfügigen Nuancen, mit denen er fast verschwenderisch umgeht, sobald er berichtet, was ihm während des Krieges widerfahren ist. Linds Kunst besteht darin, unkommentiert mitgeteilte (nicht etwa geschilderte) Fakten und Vorgänge sprechen zu lassen. Sie symbolisieren nichts und signalisieren sehr viel, und oft ergeben sich aus ihnen, wie von selbst, Situationsbilder und Szenen, die jene Epoche erkennbar machen.

Die Epoche? Das klingt, als hätte es Lind auf den historischen Hintergrund abgesehen. Indes erzählt er nicht mehr als die Geschichte eines jüdischen Jungen, der 1938 ohne Eltern nach Holland kommt, den dort Hilfsorganisationen eher schlecht als recht betreuen und der sehr bald sich selber überlassen bleibt. Wer jedoch Rührseliges erwartet, wird nicht auf seine Rechnung kommen. Weiche und zarte Töne fehlen hier ganz, von Anne-Frank-Stimmungen kann keine Rede sein. Alles Lyrische wird von brutaler Dramatik und das Elegische von überraschender Aggressivität verdrängt.

Aggressiv ist auch der Junge selber: Verwahrlost und aufsässig, reagiert er auf alles, was um ihn geschieht, mit einer verzweifelten Wut, die sich gegen die Erwachsenen schlechthin richtet und die sich immer wieder – und sehr direkt – in Aktion, in simple Vitalität umsetzt. Die Kriegsereignisse werden nur rasch und flüchtig erwähnt, seine Sexualphantasien hingegen genau registriert: Vor den angeblich verheerenden Folgen der Onanie fürchtet er sich ungleich mehr als vor dem bevorstehenden Einmarsch der Deutschen.

Als dieser im Mai 1940 erfolgt, weiß zwar der jüdische Junge, der sich an das Jahr 1938 in Österreich erinnern kann, womit er rechnen muß, und doch freut er sich unbändig: »Von nun an hatte ich mich um mich selber zu kümmern. Wunderbar. Nur die Deutschen im Lande, sie störten mich.« Für den Halbwüchsigen hat die Okkupationszeit eben auch Vorzüge, im Sommer 1941 heißt es knapp: »Ich war frei. Endlich.«

Allerdings muß er den gelben Stern tragen. Und so beginnt er zu hassen, aber nicht etwa die Deutschen: »Ich haßte die Juden, weil ich den Anblick des Todes nicht ertrug. Ein jeder war deutlich zum Sterben bestimmt. Mit solchen Menschen wollte ich nichts zu tun haben... Ich mußte hassen, weil ich leben wollte.« Der Junge wird böse und zynisch; wenn er sieht, daß man Juden deportiert, empfindet er eigentlich nur Schadenfreude, sein Kampf ums Überleben beginnt einem Indianerspiel zu ähneln: »Die Razzien waren unsere Happenings.«

1943 gelingt es dem mittlerweile Sechzehnjährigen, seine Identität zu wechseln. Mit den Papieren eines holländischen Arbeiters entschließt er sich zur Flucht aus dem besetzten Holland – aber es ist die Flucht nach vorn: Er läßt sich auf einem Rheinschlepper anheuern, kommt nach Deutschland, wandert von Stadt zu Stadt und wird nach allerlei Abenteuern sogar Mitarbeiter einer mysteriösen Dienststelle des Reichsluftfahrtministeriums.

Wiederum hängt das Außergewöhnliche des ›Selbstporträts‹ mit der unerwarteten und scharfen Optik dieses Buches zusammen: Was Lind damals inmitten von jenen

177

erlebte, in deren Namen er zum Tode verurteilt war, erzählt er jetzt nicht etwa aus der Perspektive des leidenden Opfers oder eines nüchternen Chronisten, sondern aus der eines scheinbar gut gelaunten und fast unbekümmerten Schelms, dem es Genugtuung bereitet, seine Umwelt zu täuschen.

Aus dem Verfolgten wird hier überraschend ein Verfolger: Der stets Gejagte ist selber auf einer permanenten Jagd – allerdings nur nach Mädchen, mit denen er ins Bett gehen könnte. In den nicht zimperlich geschriebenen erotischen Episoden bewährt sich Linds ausgeprägter Sinn für skurrile und groteske Situationen, sein schwarzer Humor, der auf eigenartige Weise plebejische Derbheit mit kühlem, ironischem Understatement verbindet. Was sich hinter dem flotten und burschikosen Tonfall verbirgt, was gelegentlich simpler Kraftmeierei ähneln mag, ist in Wirklichkeit nichts anderes als der indirekte Ausdruck der Schwermut, der Trauer, der Verzweiflung: Mit fieberhafter Aktivität, zu der auch das Sexuelle gehört, soll wenigstens für Augenblicke die panische Todesangst verdrängt werden.

Lind liebt Kontrasteffekte und das Spiel mit umgekehrten Vorzeichen und vertauschten Rollen. Wie der Junge unter den Juden ein Antisemit zu werden begann, so wird er unter den Deutschen wieder ein Jude. Doch was er noch während des Krieges klar zu sehen glaubte, gerät später in ein diffuses Licht. Das kurze, allzu hastige und doch wohl allzu viel aussparende Schlußkapitel, in dem sich Lind abermals – wie im ersten – mit der Reflexion behelfen möchte, berichtet von seinen vergeblichen Bemühungen, in Israel seßhaft zu werden. Auch dort ist er, was er immer schon war: ein Außenseiter, der an seinem unverschuldeten und unveränderbaren Außenseitertum leidet.

Das ›Selbstporträt‹ schont niemanden – weder den Autor noch den Leser, weder die Juden noch die Deutschen. Es mag hier und da von einem Stich ins Vulgäre und

Oberflächliche nicht frei sein, aber es ist so aufschlußreich wie aufrichtig. Und es ist nie langweilig. Von der
absoluten Ehrlichkeit dieses Buches zeugt auch sein Ende: Es zeigt vielleicht noch deutlicher, als es beabsichtigt
war, die Ratlosigkeit eines Schriftstellers auf der Suche
nach seiner Identität, seiner Sprache, seiner Heimat. Ein
Fazit fehlt. Im Grunde stehen im letzten Absatz lauter
Fragezeichen.

(1970)

Jakob der Lügner

Offen gesagt weiß ich nicht recht, wie ich diesmal anfangen soll. Wenn ich nämlich gleich verrate, worum es in Jurek Beckers Buch ›Jakob der Lügner‹[1] geht, wird es niemand in die Hand nehmen oder auch nur meinen Artikel weiterlesen wollen.

Wenn ich jedoch zugebe, daß es sich um ein sehr unerfreuliches und düsteres Thema handelt, aber eilig hinzufüge, der Roman sei trotzdem leicht und amüsant, dies sei ein Stück Literatur mit Charme und Grazie und mit viel Humor – dann wird man mir doch nicht ganz glauben, ja, man wird mich noch verdächtigen, daß ich hier nicht nur einem jungen DDR-Autor die Stange halten, sondern obendrein auch der Werbeabteilung des Luchterhand Verlags zu Hilfe kommen möchte. Unter uns: Ebendas will ich. Denn dieser kleine und bescheidene Roman hat es mir angetan.

Kurz und gut: Von der Ermordung der Juden wird hier erzählt, vom Leben und Tod im Getto einer polnischen Kleinstadt in den Jahren des Zweiten Weltkriegs. Natürlich ist dieses Thema nach wie vor besonders riskant. Die wichtigsten der vielen Fallen, in die hier jeder Schriftsteller geraten kann, heißen einerseits Pathos, Larmoyanz und Sentimentalität und andererseits Verharmlosung und Verniedlichung.

In dieser fatalen Situation wollen sich manche Autoren mit konsequenter Nüchternheit und Trockenheit behelfen. Das ist in der Tat kein schlechter Ausweg. Er hat nur einen Fehler: Er führt oft zur Dürre, zur Farblosigkeit und schließlich zur Langeweile. Und es läßt sich bekanntlich der Teufel nicht mit dem Beelzebub austreiben. Aber so gewiß das Unvorstellbare nicht darstellbar ist, so kann es die Literatur doch indirekt zeigen oder wenigstens andeuten.

Den Autor Jurek Becker, einen polnischen Juden und deutschen Erzähler, von dem wir in der Bundesrepublik bisher nichts gehört hatten – er wurde 1937 in Polen geboren und verbrachte seine Kindheit meist in Gettos und Konzentrationslagern, er wuchs auf und studierte in der DDR und lebt jetzt in Ostberlin –, braucht man über diese Schwierigkeiten nicht zu belehren. Er scheint sehr genau zu wissen, daß die »Endlösung« zu jenen extremen Themen gehört, denen gerade mit extremen künstlerischen Mitteln überhaupt nicht beizukommen ist, und daß hier die Bemühung um formale und sprachliche Originalität – zumal im Roman – gleich extravagant oder selbstherrlich wirken kann und peinlich sein muß.

Wo angesichts eines Stoffes laute Töne und grelle Farben gänzlich versagen und wo Elegisches statt die Leser aufzurütteln sie eher ermüdet, da bleibt dem Schriftsteller nichts anderes übrig, als mit besonders leiser Stimme zu sprechen, konsequente Zurückhaltung zu üben und dem Understatement und der Ironie zu vertrauen. Bei einem so düsteren Thema läßt sich mit Düsterkeit am wenigsten ausrichten, eher schon mit hellen und heiteren Kontrasteffekten, mit Witz und Komik. Das allerdings ist sehr schwierig und nahezu waghalsig. Aber Becker hat es geschafft.

Zunächst einmal: Statt vom verzweifelten Kampf und vom heroischen Untergang zu berichten, was von ihm vielleicht erwartet wurde, macht er zum Schauplatz seines Romans ein kleines Getto, in dem es überhaupt keinen bewaffneten Widerstand der Juden gegeben hat. Er zeigt den Alltag in einer Welt, in der sich beide Seiten – die Verfolger und die Verfolgten – sogar an das Entsetzlichste gewöhnt haben, wo es mittlerweile längst zur Regel und zur Routine geworden ist.

Deshalb wählt Becker für die dargestellten Vorgänge, wie makaber sie sein mögen, stets einen unbekümmerten und ostentativ gemächlichen Plauderton – als ginge es nur um Selbstverständliches. Daher bleibt auch die direkte Klage fast immer ebenso ausgespart wie die direkte Anklage. Beiläufige, oft in Nebensätzen verborgene Bemerkungen genügen hier, um das Grauen zu verdeutlichen. Es bildet ein unüberhörbares, doch nie aufdringliches, ein meist diskretes Ostinato für allerlei behaglich erzählte Episoden und Anekdoten.

Aber so lose der Roman komponiert scheint – er hat doch eine Achse, um die Becker die einzelnen Humoresken und Miniaturen gruppiert: Es ist die Geschichte eines keineswegs mutigen Mannes, der sich als einziger im Getto wehrt – wenn auch ganz ohne Waffen und auf etwas wunderliche Weise. Dem braven Jakob Heym, in dessen Bude man früher im Sommer Eis und im Winter Kartoffelpuffer haben konnte, wird befohlen, sich in einem deutschen Revier zu stellen, aus dem ein Jude noch nie lebend herausgekommen ist. Doch diesmal geschieht ein unbegreifliches und unerklärliches Wunder: Der verschlafene Soldat, der dort Wache hat, schickt Jakob nicht in den Tod, sondern wieder nach Hause. An ein solches Wunder wird man im Getto nicht glauben wollen, ja, man könnte ihn sogar verdächtigen, er sei nun ein Spitzel der Deutschen. Daher sagt er niemandem, wo er wirklich war.

Doch eine in diesem Revier zufällig gehörte Rundfunkmeldung, aus der unzweifelhaft hervorging, daß die sowjetische Armee sich nähere – und mit ihr der Tag der Befreiung –, kann Jakob den Leidensgefährten nicht vorenthalten; und da sie der frohen Botschaft nicht recht trauen und die Quelle wissen wollen, sagt er, er habe in seiner Wohnung ein Radio versteckt, was im Getto, versteht sich, mit dem Tode bestraft wird. Wie es angeblich der Fluch der bösen Tat ist, daß sie fortzeugend immer Böses muß gebären, so ist es in der Epik der Segen des guten Einfalls, daß sich aus ihm wie von selbst weitere gute Einfälle ergeben.

In der abgeschlossenen Welt, zu der die sehnsüchtig erwarteten Nachrichten von den Kriegsschauplätzen nicht dringen können, wird der vermeintliche Besitzer eines Radios seines Mutes wegen bewundert und aus praktischen Gründen umworben: Alle suchen seine Freundschaft, weil sie von ihm das Neueste zu erfahren hoffen. Er wiederum kann sich nicht entschließen, die Wahrheit aufzudecken: Er erfindet jetzt laufend Meldungen von der Front, meist erfreuliche.

So wird Jakob, der Mann, der noch unlängst auf der untersten Sprosse der sozialen Leiter stand, plötzlich zur zentralen Figur des Gettos. Aber er spielt die ihm überraschend zugefallene Rolle nicht nur deshalb, weil sie seiner Eitelkeit schmeichelt. Er erkennt auch seine gesellschaftliche Funktion: »Die Leute brauchen keine Medizin so sehr wie Hoffnung.« Die Nachrichten, die der barmherzige Lügner Jakob täglich verbreitet, verändern das Leben im Getto: Ein Mädchen leistet ihrem Freund keinen Widerstand mehr, ein alter Schauspieler fertigt ein Verzeichnis der Rollen an, die er nach dem Krieg spielen will, man schmiedet allerlei Pläne und erträgt auch das Schlimmste etwas besser. Die Selbstmorde hören jedenfalls auf, nur einer erhängt sich: ein Freund Jakobs, der erfährt, daß dieser überhaupt kein Radio hat.

Sollte Jakob, der sympathische Flunkerer, der mit Worten, nur mit Worten auf die Menschen Einfluß auszuüben versucht, zugleich – wie schon vermutet wurde – die Literatur symbolisieren? Das würde freilich bedeuten, daß Becker sich nicht die geringsten Illusionen macht. Denn Jakob kann mit allen seinen Erfindungen schließlich doch nichts ändern: Zwar hat er seinen Leidensgefährten ihre letzten Wochen etwas erleichtert, aber sie werden mit ihm zusammen abtransportiert. Und was man mit dem Wort »Transport« im Getto bezeichnete, wissen die Leser dieses Romans genau.

Jurek Becker erzählt sehr einfach und sehr ruhig. Nur daß seine Geschichte nichts vereinfacht und niemanden beruhigen kann. Sie ist poetisch und mutet bisweilen märchenhaft an. Indes wird hier nichts poetisiert oder

verklärt. Dieses Buch kennt weder Haß noch Groll, es ist
weder aggressiv noch zornig, vielmehr erstaunlich sanft.
Aber es wirkt niemals besänftigend: Beckers Gelassenheit
hat nichts mit lauwarmer Versöhnlichkeit zu tun. Hinter
seiner Heiterkeit verbirgt sich nichts anderes als Schmerz
und Schwermut. Dieser junge Schriftsteller ist vom Geschlecht der traurigen Humoristen. Sein Roman beweist,
daß man auch vom Grauenvollsten leicht und unterhalt-
sam erzählen kann.

(1970)

Der Boxer

Jurek Beckers Roman ›Der Boxer‹ wurde von unserer
Literaturkritik im Herbst 1976 entschieden abgelehnt.
Am weitesten ging Karl Corino, der in der ›Stuttgarter
Zeitung‹ von einem »miserablen, langweiligen und über-
flüssigen Buch« sprach und kurzerhand erklärte, sein in
Ost-Berlin lebender Autor sei »ein total angepaßter
Schriftsteller«[3].

Es stimmt, der ›Boxer‹ ist ein schwacher, ja sogar miß-
ratener Roman. Aber Becker ein angepaßter Schriftsteller? Bisher jedenfalls war er es nicht. Sein Buch ›Jakob der
Lügner‹ (1969) ist in zehn Sprachen erschienen, doch gerade in dem Land, in dem seine Handlung spielt, nämlich
in Polen, wurde und wird es nicht zufällig ignoriert. In
den USA war dieses kleine Meisterwerk überaus erfolgreich, in der Sowjetunion hingegen darf es bis heute nicht
veröffentlicht werden. In seinem zweiten (in der Bundesrepublik leider unterschätzten) Roman ›Irreführung der
Behörden‹ (1973) erzählt Becker die Geschichte eines
jungen und begabten Schriftstellers, der vom Kulturbe-
trieb in der DDR zugrunde gerichtet wird. Schon dieses
Thema konnte den Ostberliner Kulturpolitikern schwerlich gefallen.

Natürlich ließe sich erwidern: Das seien Bücher aus vergangenen Jahren und inzwischen könnte sich ja Bekker verändert haben. Gewiß doch, nur war er der einzige in der DDR lebende Autor, der den Ausschluß Reiner Kunzes aus dem DDR-Schriftstellerverband im Oktober 1976 scharf kritisiert hat und dies durch seinen Freund Wolf Biermann im Westen mitteilen ließ. Im November 1976 hat Becker den Protestbrief der zwölf prominenten DDR-Autoren gegen die Ausbürgerung Biermanns unterzeichnet und war nachher offenbar zu keiner Selbstkritik bereit; er wurde aus der SED ausgeschlossen, während andere Unterzeichner, von Gerhard Wolf abgesehen, mit milderen Strafen weggekommen sind. Dieser Jurek Becker sollte also ein Buch verfaßt haben, das ganz aus dem Rahmen fällt und ihn als einen »total angepaßten Schriftsteller« ausweist? Ist es vielleicht eines Nichtopportunisten opportunistischer Seitensprung? So einfach liegen die Dinge nicht; und es lohnt sich, der Sache etwas genauer nachzugehen.

›Der Boxer‹, das ist die Geschichte eines Juden, der sich, nachdem er ein Getto und ein Konzentrationslager überlebt und nahezu seine ganze Familie verloren hat, 1945 in Ost-Berlin niederläßt. Die Faszination, die jüdische Figuren schon seit langem auf europäische und amerikanische Autoren (ob diese Juden sind oder nicht) ausüben, hat wahrscheinlich einen eher unkomplizierten Grund. Für Thomas Mann, den Romancier, war das Judentum, wie er 1921 in einem Beitrag schrieb, der übrigens erst 1966 in der ›Frankfurter Allgemeinen Zeitung‹ publiziert wurde, »eine pittoreske Tatsache, geeignet, die Farbigkeit der Welt zu erhöhen«; für diejenigen seiner Leser, denen ein solches Bekenntnis »unverantwortlich ästhetizistisch« vorkommen sollte, fügte Thomas Mann noch hinzu, er sehe im Judentum auch ein ethisches Symbol, »eines jener Symbole der Ausnahme und der hohen Erschwerung, nach denen man mich als Dichter des öfteren auf der Suche fand«[4].

In der Tat fällt es auf, daß jüdische Gestalten in Dramen und Romanen meist als Außenseiter und Kontrastfiguren verwendet werden, eben als Verkörperung und »Symbole der Ausnahme und der hohen Erschwerung«. Sie befinden sich fast immer innerhalb und zugleich doch außerhalb des dargestellten Lebensbereichs. Hieraus ergibt sich die (zumal für Epiker) äußerst reizvolle doppelte Perspektive. Denn so ist beides möglich: vertrauliche Nähe und skeptische Distanz, der Blick von innen und der Blick von außen. Die Individualität der Juden und ihre Situation innerhalb der Gesellschaft sollen – und das ist schließlich eine der wichtigsten Aufgaben der Literatur – das Bekannte und Gewohnte in neuer Sicht erscheinen lassen. Gerade weil sie oft Extremes anstreben oder erdulden, sind die Gestalten der Juden geeignet, das Exemplarische erkennbar zu machen: Die exzeptionelle Position erinnert an die Regel, von der Peripherie her wird die Mitte wahrnehmbar. Shakespeare brauchte den jüdischen Wucherer Shylock, um die Moral des christlichen Venedig bloßzustellen, Joyce den jüdischen Annoncenakquisiteur Leopold Bloom, um die Welt von Dublin zu zeigen.

Auch Jurek Becker hatte mit der Geschichte des Juden Aron Blank ein extremes Schicksal im Sinn, mit dessen Hilfe er exemplarische Situationen und Verhältnisse verdeutlichen möchte. Nach allem, was er erleiden mußte, will sich dieser Blank seiner Vergangenheit entledigen. Aus seinem Vornamen Aron machte er Arno, sein Alter fälschte er: als Geburtsjahr gibt er statt 1900 jetzt 1906 an, als könnte er damit die sechs im Getto und im Lager verbrachten Jahre streichen. Er möchte leben wie jeder andere. Zunächst arbeitet er als Buchhalter bei einem Schwarzmarktkönig und kündigt ihm bald. Dann ist er bei den Russen als Dolmetscher tätig und kündigt abermals. Er sehnt sich nach etwas Glück, er sucht Freundschaft, Liebe. Aber seine Frauengeschichten beginnen idyllisch und enden mit bitteren Enttäuschungen. Der Mann, der ihm am nächsten steht, verübt Selbstmord.

Alle Bemühungen Blanks scheitern, denn »... die Angst verfolgt dich. Die Würdelosigkeit verfolgt dich und die Kränkung ... Von draußen sieht es aus wie ein normales Leben, in Wirklichkeit sitzt du noch im Lager, das in deinem Kopf weiterexistiert.« Die Isolation hält Beckers unheroischer Held für sein »größtes Unglück«. Befragt, ob er nicht glaube, daß seine Einsamkeit zu einem Teil von ihm selbst verschuldet sei, antwortete er knapp: »Ich habe mir nicht ausgesucht, was mit mir geschehen ist.« Wo geschehen – in der Vergangenheit oder auch in der Gegenwart, im »Dritten Reich« oder auch in der DDR?

Jedenfalls läßt sich nicht übersehen, daß Blank es hartnäckig ablehnt, dem Ich-Erzähler Auskünfte über sein Verhältnis zur DDR zu erteilen. Für ein Bekenntnis zu diesem Staat, das der Erzähler gern hören möchte, ist er leider nicht zu haben: »Lassen wir die Frage offen, wieviel mir das Land hier bedeutet.« Mit anderen Worten: Es bedeutet ihm nichts. Dennoch bleibt Aron Blank in der DDR – wohl deshalb, weil er alt und krank, müde und resigniert ist. Oder hat etwa dem Autor Becker der Mut gefehlt, diese Geschichte einer Nichtanpassung und Verweigerung mit einer Republikflucht abzuschließen? Indes: Gerade damit endet der Roman.

Blank hat einen in der DDR erzogenen Sohn Mark, der Mathematiker werden will: Er möchte in einem Beruf arbeiten, »in welchem die Richtigkeit von Resultaten an präzisen Formeln festgestellt werden könne und nicht abhängig sei von der Meinung anderer Leute«. Dies sei, erklärte Becker, der bisweilen der Intelligenz seiner Leser nicht traut, eine politische Begründung. Mark geht in die Bundesrepublik, schreibt, er sei dort »nicht glücklich«. Er wird ausdrücklich als »Republikflüchtiger« bezeichnet, doch weder sein Vater noch der Ich-Erzähler denken daran, diese Flucht auch nur mit einem einzigen Wort zu verurteilen. Nachdem er von Land zu Land gewandert ist, entscheidet sich Mark für jenen Staat, der in der DDR seit Jahren als Objekt einer permanenten Hetzkampagne dient – für Israel: »Das Leben dort schien ihm zu gefallen.«

Vieles muß man dem Roman vorwerfen, daß er jedoch seinen Verfasser als total angepaßten Schriftsteller entlarvt habe, ist schlechthin absurd. Das Gegenteil trifft zu: Das Buch beweist abermals Jurek Beckers Mut und Integrität, seine Unbestechlichkeit. Allerdings hat er seine Möglichkeiten falsch eingeschätzt und sich daher im Stoff vergriffen. Der ›Boxer‹ konnte nicht gelingen.

Zwar verdankt Becker seinen Ruf und Ruhm zwei Prosabüchern, die man als Romane bezeichnen kann, doch ist seine starke Seite keineswegs die große Erzählung und eben nicht der Roman, sondern die lyrische Geschichte, die ironische Miniatur, das melancholische Genrebild, die surreale Humoreske. Seine Prosa beschwört die Poesie des Lebens und mit dem Poetischen zeigt er die Prosa des Alltags. Um der Realität beizukommen, erzählt Becker Märchen, Gleichnisse und Anekdoten. ›Jakob der Lügner‹ – das ist das Märchen von der Macht der Phantasie, die die Leiden der Menschen lindert. ›Irreführung der Behörden‹ – das ist das Märchen von der Macht der Liebe, deren Zauber die Welt verwandelt.

Arno Blanks Versuch, sich von der Vergangenheit zu befreien und einer von vielen Bürgern der DDR zu werden, ist schwerlich ein Märchenstoff. Es ist weit eher der Vorwurf für einen Roman, der das psychologische Porträt eines Davongekommenen, eines Einzelgängers und Außenseiters vor dem Hintergrund der sich dort formierenden und verändernden Gesellschaft zeichnet. Aber der Geschichte Blanks fehlt dieser Hintergrund fast ganz: Sie spielt sich, obwohl wir es doch unzweifelhaft mit einem realistischen Roman zu tun haben, nahezu in einem luftleeren Raum ab. Nur in den ersten Kapiteln, die die Zeit gleich nach 1945 betreffen, hat Becker die Verhältnisse immerhin skizziert oder angedeutet, so etwa den Schwarzmarkt. Später hingegen mußte er erken-

188

nen, daß seine Darstellung mit den Erfordernissen der DDR-Kulturpolitik nicht in Übereinstimmung zu bringen war.

Unübersehbar sind daher im ›Boxer‹ die vielen Lücken, Sprünge und Aussparungen. Ob die entsprechenden Abschnitte aus dem Manuskript gestrichen wurden oder erst gar nicht entstanden sind, ist unerheblich: Ohnehin läßt sich in totalitären Staaten die Grenze zwischen Zensur und Selbstzensur nie ausmachen. Zwei Beispiele: des 17. Juni wird nur in einigen auffallend belanglosen Sätzen gedacht, der Kampf des Kommunismus gegen Israel bleibt unerwähnt. Weil die Welt, zu der er im Gegensatz stehen sollte, in dem Roman nicht vorhanden ist, konnte Blank keine Kontrastfigur sein. Jene doppelte Perspektive, von der vorher die Rede war – vertrauliche Nähe und skeptische Distanz –, ist hier überhaupt nicht möglich, da sich Blank weder innerhalb der Gesellschaft der DDR befindet, noch diese von außen betrachten darf.

Im Endergebnis ist er nicht ein Symbol »der Ausnahme und der hohen Erschwerung«, seine Geschichte wächst nicht ins Parabolische. Sie bleibt vielmehr ein oberflächlich anmutender Bericht von einem individuellen Schicksal, das bedauerlich, doch nicht charakteristisch und kaum interessant ist. Und weil Becker im ›Boxer‹ nicht sagen kann, was er will, wird er redselig: der ostentativ gemächliche Plauderton, einst im ›Jakob‹ ein virtuos angewandtes Stilmittel, irritiert nicht, sondern verbreitet Behaglichkeit, und die gelenkige und geschmeidige Suada deckt, was sie verdeutlichen soll, mit vielen Worten zu.

Wahrscheinlich weiß mittlerweile auch Becker, daß es nicht richtig war, sich für den Stoff, den er im ›Boxer‹ behandeln wollte, zu entscheiden. Welche Folgerung wird er daraus ziehen? Ein unlängst publiziertes Interview beendete Becker mit den Worten: »In meinem Leben hat bisher, sofern ich das richtig einschätze, Lüge noch keine erhebliche Rolle gespielt. Höchstens Selbstbetrug.«[5] Wir werden uns hüten, diese Äußerung zu interpretieren. Wir ziehen es vor, dem Dichter Jurek Becker einen Gruß zu senden – einen respektvollen, einen zuversichtlichen Gruß.

(1977)

Im Mittelpunkt des vor bald dreißig Jahren erschienenen Romans ›Sansibar oder Der letzte Grund‹ von Alfred Andersch steht ein in Moskau geschulter kommunistischer Funktionär, ein intelligenter und sogar sympathischer junger Mann. Wenn es im Leben überhaupt noch Aufträge gebe, an die zu glauben sich lohne, dann seien es letztlich – meint er – nur jene, die seine Partei erteilt. Ungeachtet größter Gefahr (die Sache spielt 1937 in Deutschland) bemüht er sich, diese Aufträge auszuführen. Gleichwohl beginnt er zu zweifeln: Wie aber, fragt sich der einsame Kommunist, »wenn es eine Welt ganz ohne Aufträge geben sollte? Eine ungeheure Ahnung stieg in ihm auf: Konnte man ohne einen Auftrag leben?« Und kaum hat ihn der Zweifel befallen, da möchte er »aussteigen«.

Von dieser »ungeheuren Ahnung« ist die 1949 in Ost-Berlin geborene Erzählerin Barbara Honigmann vorerst noch weit entfernt. Gewiß, sie hat den Staat, in dessen Geist sie erzogen wurde – schon ihre Eltern waren Kommunisten –, 1984 verlassen; und man kann sicher sein, daß es politische, genauer: weltanschauliche Gründe waren, die sie nach offenbar langem Zögern gedrängt haben, dem Land, das sie für ihre Heimat hielt oder jedenfalls halten wollte, schließlich doch den Rücken zu kehren und in den Westen zu gehen. Aber es wäre ganz und gar falsch, wollte man sagen, sie sei – um beim Vokabular Alfred Anderschs zu bleiben – ausgestiegen. Nein, sie ist bloß umgestiegen.

Dünn und inhaltsreich ist das Buch, mit dem sich Barbara Honigmann vorstellt: Es wirft viele Fragen auf, ohne sie beantworten zu wollen oder beantworten zu können; es bietet konkrete Auskünfte nur spärlich, aber geradezu verschwenderisch Bilder und Situationen, Motive und Reflexionen. Als Erzählungen werden die sechs Prosastücke bezeichnet, die der Band ›Roman von einem Kinde‹ zusammenfaßt.[1] Aber es handelt sich eher um Skizzen und Etüden. Ihr Hintergrund wechselt: Berlin, Moskau und Straßburg, die DDR und die Tschechoslowakei. Es zeigt sich, daß diese Schriftstellerin, die zugleich Malerin ist, ihre Objekte genau sieht und ohne viel Aufwand sichtbar machen kann.

Ob sie auch Figuren zu zeichnen vermag, läßt ihr Buch noch nicht erkennen. Denn zunächst und vor allem zeugt es von einem leisen und nachdenklichen, von einem nachgerade bohrenden Umgang mit einer einzigen Person – der eigenen nämlich: Es ist auf zärtliche Weise egozentrisch, ohne sich indes dem Exhibitionismus zu nähern. Daß Barbara Honigmann den Umschlag mit ihrem Selbstbildnis (und zwar einem stilisierten Akt) versehen hat, wundert mich allerdings und ist jedenfalls aufschlußreich. So haben wir es mit lyrischer Prosa zu tun, in der, obwohl das Deskriptive nicht vernachlässigt wird, das Monologische meist dominiert. Statt eines Rechenschaftsberichts, den vielleicht manch ein Leser von der ehemaligen DDR-Bürgerin erwartet, finden wir hier das Selbstgespräch einer Außenseiterin, mit der es das Leben übrigens gar nicht so schlecht gemeint hat. Warum Außenseiterin? Weil Barbara Honigmann Jüdin ist.

Das erste und wichtigste Stück der kleinen Sammlung hat die Form eines Briefes: Die Erzählerin richtet ihn an den Vater ihres unehelichen Kindes. Wird sie ihn überhaupt abschicken? Wir wissen es nicht: Es ist einer von den langen Briefen, bei denen jene Zuflucht suchen, die – mit Rilke zu sprechen – »in den Alleen hin und her unruhig wandern, wenn die Blätter treiben«. Ob der Adressat, von dem sie sich längst getrennt hat, jung oder alt ist, ledig oder verheiratet, ein Handwerker oder ein Universitätsprofessor, erfahren wir nicht. Um so mehr hören wir über die Mutter, die von der Geburt des Sohnes spricht und von der Rolle, die er in ihrem Leben

spielt. In schmucklosen Sätzen von kaum zu überbieten-
der Schlichtheit verbreitet sie sich über ihr Glück ebenso
wie über ihre Hilfsbedürftigkeit und ihre Verlassenheit
inmitten wohlwollender Menschen: »Ich denke so oft an
Dich, und ich möchte Dich oft bitten, daß Du mir sagst,
wie ich alles machen soll.« Und: »Was hat uns eigentlich
auseinandergebracht? Habe ich Dir weh getan? Du hast
mich auch so verletzt.« Oder etwa: »Und darüber wurde
ich sehr traurig und mutlos sogar.«

Merkwürdig: Auch wenn Barbara Honigmann über ihren Sohn nachdenkt und über ihre Liebe zu ihm (es sind
sehr schöne Passagen), hat ihr Buch eine auffallend nar-
zißtische Aura. Das ist weder als Lob noch als Vorwurf
gemeint: Ohne den Narzißmus wäre ein großer Teil der
Weltliteratur ungeschrieben geblieben. Und doch darf es
als ein gutes Zeichen gelten, daß auch die beiden kurzen
Geschichten, in denen die Erzählerin ausnahmsweise von
der eigenen Person absieht, von nicht geringer Suggestivität sind, zumal das ›Doppelte Grab‹. Beschrieben wird
ein Besuch des bedeutenden jüdischen Gelehrten Gershom Scholem in Ost-Berlin. Es ist ein gewöhnlicher Bericht, sachlich und anspruchslos formuliert, in keinem
einzigen Satz verrät sich literarischer Ehrgeiz. Aber ob
das nun angestrebt war oder nicht – der nüchterne Rap-
port, in dem nie die Stimme erhoben wird und alles wie
beiläufig klingt, gewinnt unmerklich den Rang einer poetischen Parabel – über deutsche Juden in unserem Jahrhundert.

Woher rührt der Zauber dieser verblüffend einfachen
Prosa, deren Ton mitunter beinahe kindlich anmutet?
Von ihrer Naivität? Von der Anmut ihrer Natürlichkeit?
Oder von ihrer Treuherzigkeit? Wenn dies alles zutrifft,
dann haben wir es freilich mit einer Naivität der höheren
Art zu tun, mit einer erst auf Umwegen erlangten Natürlichkeit, mit einer Treuherzigkeit, die auf eine stille, eine
verhaltene oder zurückgenommene Souveränität schließen läßt. Denn Barbara Honigmann ist nicht nur eine

sensible, sondern auch eine gebildete Frau. Sie hat an der Humboldt-Universität Theaterwissenschaften studiert und war als Dramaturgin tätig – zunächst in der Provinz und später am Deutschen Theater in Ost-Berlin. Daß sie in der Literatur Bescheid weiß, versteht sich von selbst: »Ich verehre einige Dichter, aber keinen so wie Proust, denn Proust spricht so deutlich, daß mir ist, als lese er mir meine eigenen Gedanken vor und ich wußte vorher gar nicht, daß ich das alles denke.« Aber ihre eigene Prosa hat, will mir scheinen, mit Marcel Proust nichts gemein. Vielleicht kann man Barbara Honigmanns künstlerische Eigenart mit dem Namen eines anderen großen Schriftstellers andeuten – selbst auf die Gefahr hin, daß sie ihn überhaupt nicht kennt. Ich meine Robert Walser, den schüchternen Meister, den linkischen Virtuosen.

Der Stil ist es, der aus diesen sechs Prosastücken trotz der unterschiedlichen Themen und der nicht unerheblichen Qualitätsschwankungen ein einheitliches Buch gemacht hat, genauer: die Übereinstimmung von Sprache und Stoff. Eine gewisse Unbeholfenheit, die bei anderen Autoren eher störend wirken würde, läßt sich hier ohne Widerspruch hinnehmen, ja sie flößt sogar Sympathie und Vertrauen ein, weil sich in ihr die Ratlosigkeit der Erzählerin angesichts ihrer Umwelt auf ganz unmittelbare Weise spiegelt. Da heißt es: »Vor dieser Zeit dachte ich, wenn ein Kind hat, dann ist man geschützter und abgewehrter gegen draußen und gegen alles. Aber das ist gar nicht so, denn in allem ist gleich wieder so viel Angst und so viel Bangigkeit und man wird noch viel empfindlicher als vorher.« Und wenn ich den ›Roman von einem Kinde‹ richtig lese, dann ist es ebendiese gesteigerte Empfindlichkeit der Erzählerin, die schließlich zur Abwendung von ihrem bisherigen Lebensbereich führt. In einer Illustrierten findet sie ein Foto, das eine kleine und, man muß es sagen, keineswegs ungewöhnliche Szene aus dem Zweiten Weltkrieg zeigt: Ein deutscher Soldat legt sein Gewehr auf eine Frau an, die mit einem Kind auf dem Arm zu fliehen versucht. Da gerade eine Freundin der Erzählerin kommt, offenbar eine Nichtjüdin, versteckt sie schnell die Illustrierte. Warum? »Vielleicht, weil ich sie schonen wollte und weil uns das gemeinsame Ansehen so hilflos gemacht und uns so getrennt hätte . . .«

Eingeholt von den Schrecken der Vergangenheit, sucht Barbara Honigmann Schutz in der einzigen Ost-Berliner Synagoge. Dort fühlt sie sich fremd und doch willkommen: Das kümmerliche Gotteshaus wird der Realität der DDR entgegengesetzt. In einem anderen Prosastück des Bandes wiederholt sich diese Konstellation noch schärfer und radikaler: Die mächtige Sowjetunion wird mit der Schilderung einer chassidischen Synagoge in Moskau konterkariert, die sich in einem baufälligen, ziemlich erbärmlichen Holzschuppen befindet. Auf den ersten Blick erinnert sie an eine Räuberhöhle, indes ist sie »von heiliger Leidenschaft erfüllt«.

Der Chassidismus, eine im 18. Jahrhundert in Osteuropa entstandene mystische Bewegung, will von rationalem Denken und europäischer Kultur nichts wissen, predigt vielmehr den einfältigen Glauben und die Frömmigkeit des Herzens. Daß gerade diese alles Intellektuelle verdrängende und gegen die Aufklärung gerichtete Strömung des Judentums, die nach Ansicht vieler Juden vorwiegend als Ausbruch des baren Obskurantismus zu beurteilen ist, die Autorin aus der DDR (die Moskau-Geschichte spielt 1982) zu faszinieren vermochte, scheint mir ein so charakteristisches wie beängstigendes Generationssymptom: Der Mystizismus übt eine wachsende Anziehungskraft aus, das Irrationale wird allen Ernstes als Alternativlösung empfunden, zumal wenn es sich in exotischem Kostüm präsentiert.

Das letzte Stück der Sammlung ist das einzige, in dem Barbara Honigmann von ihrem Leben nach der Auswanderung aus der DDR erzählt. Sie hat sich mit ihrer Familie in Straßburg niedergelassen, denn dort gibt es eines der wenigen noch existierenden Zentren jüdischer (und zwar orthodoxer) Gelehrsamkeit. Nicht ohne Pathos kommentiert sie ihre Entscheidung: »Hier bin ich gelandet vom dreifachen Todessprung ohne Netz: vom Osten in den Westen, von Deutschland nach Frankreich und aus der Assimilation mitten in das Thora-Judentum hinein.«

Todessprung ohne Netz? Hinter der melodramatischen Wendung verbirgt sich wohl eine simple Wahrheit. In dem ›Roman von einem Kinde‹ heißt es einmal: »Ich wollte folgen, ich wollte mich fügen. Es ist so schön, sich zu fügen.« Das bezieht sich zwar auf einen Heiratsantrag, aber ich vermute und fürchte, daß dieses Bekenntnis über das Private hinausgeht. Mit anderen Worten: Im Leben Barbara Honigmanns hat ein Glaube den anderen abgelöst, an die Stelle der Dogmen des Marxismus sind die Gebote der mosaischen Religion getreten, statt der roten Fahne leuchtet jetzt der Davidstern. So darf man wohl sagen, daß die Autorin dieses ›Romans von einem Kinde‹, ob sie sich dessen bewußt ist oder nicht, keineswegs ausgestiegen, sondern eben nur umgestiegen ist. Und wie wird es weitergehen? Ihr Geständnis, sie habe manchmal Angst, »daß es eine richtige Erlösung gar nicht gibt«, läßt uns hoffen.

(1986)

Gespräch mit Herlinde Koelbl

*Koelbl: Herr Reich-Ranicki, in Ihrem Buch ›Über Ruhe-
störer-Juden in der deutschen Literatur‹ findet sich die
Bemerkung, daß Leben und Werk dieser Schriftsteller sicherlich von ihrer jüdischen Herkunft geprägt worden
sind. Welchen Einfluß hat Ihre jüdische Herkunft auf Ihr
Leben und Ihre Arbeit?*

Reich-Ranicki: Natürlich bin ich durch die Folgen der
jüdischen Herkunft in hohem Maße geprägt worden.
Denn den Antisemitismus habe ich von früher Kindheit
an in Polen kennengelernt – in der Kleinstadt, in der ich
geboren bin. Es war ein Antisemitismus in relativ gemä-
ßigter Form. Ich bin 1929 als Neunjähriger nach Berlin
gekommen und war in zwei Gymnasien. Das Abitur habe
ich am Fichte-Gymnasium gemacht, mitten im Dritten
Reich. Ich hatte Glück. Das Verhältnis der Lehrer und
Schüler zu den wenigen jüdischen Mitschülern war gut.
Bis zu meinem neunzehnten Lebensjahr habe ich im
Dritten Reich gelebt und bin dann nach Polen deportiert
worden. Ich war bis Februar 1943 im Warschauer Getto,
ich bin dann geflohen und lebte im Untergrund. Selbstverständlich haben mich diese Erlebnisse geprägt.

*Koelbl: Zeigt sich dieser Einfluß, diese Prägung auch in
Ihrer Arbeit?*

Reich-Ranicki: Ja, dieser Einfluß hat mit dem Judentum zu tun, ist aber kein jüdischer Einfluß. Das soll heißen: Ich bin in einer Zeit aufgewachsen, in der ein Teil
der deutschen Literatur im Deutschen Reich verfemt war.
Welcher Teil? Es wäre ganz falsch, wollte man sagen,
Bücher von Juden. Die Juden gehörten allesamt dazu,
aber bildeten nur einen Teil der verbotenen Literatur.
Verfemt war die linke Literatur, die kommunistische und
auch Bücher von Autoren, die gar nicht mal sehr links,

aber emigriert waren. Deren Prosastücke und Gedichte verschwanden zwar nicht aus den Lesebüchern. Es gab ja zunächst keine neuen Lesebücher. Aber die verbotenen Autoren wurden im Unterricht nicht mehr behandelt. Und natürlich hat ebendiese Literatur mich geprägt. Das Verbotene interessiert ja immer. Warum sollten plötzlich Thomas Mann, Arnold Zweig, Alfred Döblin, Stefan Zweig nichts mehr gelten? Das hat mich ebenso interessiert wie jene Malerei, die als entartete Kunst deklariert wurde. Wenn ich gefragt würde, welche Literatur mich in meiner Jugend geprägt hat, müßte ich zwei generelle Antworten geben: die deutsche Klassik, und hier vor allem Goethe, Schiller, Kleist, Büchner bis hin zu Fontane, und jene verbotene Literatur. Für die Schule habe ich nur den ersten Bereich verwenden können.

Koelbl: Wenn ich lese, was Sie über Börne, Heine und andere jüdische Schriftsteller schreiben...

Reich-Ranicki: Nicht jüdische Schriftsteller, sondern deutsche Schriftsteller, die zugleich Juden waren. Das ist etwas ganz anderes.

Koelbl: In vielen Ihrer Bemerkungen über diese Schriftsteller glaube ich auch Sie selbst zu erkennen. Täusche ich mich hier?

Reich-Ranicki: Jeder Autor, der über andere Schriftsteller schreibt, schreibt zugleich über sich selbst. Es ist unvermeidlich, daß viele Autoren ihre Motive im Werk und in der Biographie anderer Schriftsteller wiederfinden, und zwar desto häufiger, je größer diese Schriftsteller sind. In Goethes gigantischem, vielseitigem Werk kann man ja immer sich selbst wiedererkennen, die eigenen Sorgen, Nöte, Glücksgefühle, Leidenschaften und dergleichen. Und wenn Sie nun lesen, was ich über Juden geschrieben habe, etwa über Heine oder Börne oder Schnitzler oder Franz Kafka, dann können Sie sagen, das trifft ja auf ihn selbst auch zu. Und ich muß Ihnen ehrlich antworten, ich weiß es nicht immer. Das kann ich oft überhaupt nicht beurteilen. Denn es ist kein so bewußter

Prozeß. Außerdem kommt noch etwas anderes hinzu. Eine unendlich wichtige Frage bei Juden, die in deutscher Sprache schreiben, ist ihr Verhältnis zu Deutschland und zur deutschen Kultur. Darüber haben Heine und Börne sehr viel geschrieben, aber auch Arnold Zweig und Lion Feuchtwanger, Joseph Roth und Anna Seghers und andere. Das ist natürlich ein Thema, das mich in höchstem Maße angeht. Es füllt ja mein Leben aus. Und sobald ich auf dieses Thema zu sprechen komme, können Sie sagen, es sei auch von mir die Rede. Sie sollten aber etwas nicht verkennen. Sie haben vorhin von mir einen Satz zitiert...

Koelbl: Sicher ist, daß die jüdische Herkunft ihr Leben und somit auch ihr Werk geprägt hat.

Reich-Ranicki: Dieser Satz kann, aus dem Zusammenhang gerissen, kraß mißverstanden werden. Der Satz bedeutet nichts anderes als folgendes: Jeder deutschsprachige Schriftsteller, der Jude ist, hat eine ganz bestimmte Biographie, ob er nun im neunzehnten Jahrhundert gelebt hat wie Heine und Börne, im ausgehenden neunzehnten Jahrhundert wie etwa Schnitzler oder Karl Kraus oder im zwanzigsten Jahrhundert wie Kurt Tucholsky oder Egon Erwin Kisch, Franz Werfel oder Alfred Polgar. Ich bin der Ansicht, daß der prägende Einfluß auf das Werk dieser Schriftsteller nicht von irgendeinem jüdischen Erbe ausging. Das hat gar nichts mit jüdischem Blut oder dergleichen zu tun. Der prägende Einfluß rührt zunächst und vor allem von den Lebensbedingungen her. Ob diese Schriftsteller es wollten oder nicht, sie wurden von ihrer Umwelt immer als Juden betrachtet. Das heißt nicht, daß sie immer antisemitisch betrachtet wurden. Keineswegs. Manchmal philosemitisch. Aber sie haben in einer bestimmten Welt gewohnt, ihr Leben unter bestimmten Umständen verbracht. Diese Umstände haben ihre Biographie geprägt. Wenn ein Mann wie Walter Benjamin in Deutschland nicht Professor werden konnte, weil er Jude war, mußte dies auf ihn Einfluß haben. Die Juden konnten im Wilhelminischen Deutschland und zum großen Teil auch noch in der Weimarer Republik nicht Professoren werden, jedenfalls nicht die Germanisten. Warum wurden denn so viele Juden Literatur- und Theaterkritiker? Warum waren fast alle wichtigeren Theaterkritiker Deutschlands – mit Alfred Kerr an der Spitze – Juden? Was konnte ein Mensch werden, der Germanistik studiert und das Studium abgeschlossen hatte? Wenn er nicht Lehrer werden wollte, mußte er, wollte er Professor werden. War das nicht möglich, dann ging er zur Presse, oder er wurde Verlagslektor.

Jeder Schriftsteller spricht doch in seinem Werk von seiner Person. Das ist das Hauptthema der Schriftsteller. Nicht der Krieg, nicht das Schicksal Deutschlands, sondern das eigene, private Schicksal. Goethe hat es gesagt: Seine Werke seien Bruchstücke einer einzigen Konfession. Literatur ist in hohem Maße Selbstdarstellung, Selbstbekenntnis, Selbstrechtfertigung, Selbsterklärung. Wie erst bei jemandem, der in einem Land lebte, in dem er antisemitischen Schikanen, ernsten oder milden, kleinen oder großen oder unschuldigen, ausgeliefert war, und zwar schon in der Schule und erst recht an der Universität! Ja, das prägt die Person, und indem es die Person prägt, muß es auch das Werk prägen. Es gibt zwei Beispiele, die besten Beispiele dafür in der deutschsprachigen Literatur: Heine und Kafka. Heine hat sich taufen lassen, ohne Überzeugung. Er wollte kein Christ sein. Er hat sich taufen lassen, weil er, wie er sagte, anders am Kulturleben überhaupt nicht teilnehmen konnte. Von ihm stammt das berühmte Wort, der Taufzettel sei das Entreebillett zur europäischen Kultur.

Koelbl: Was ja auch in Österreich häufig vorgekommen ist.

Reich-Ranicki: Ja. Hat ihm aber nicht geholfen, dem Heine. Er war Jurist, promoviert in Göttingen. Er hoffte, eine Staatsstellung zu bekommen. Er hat nie eine Stellung bekommen. Als Jude war er nicht anerkannt, und er hat schließlich den Weg in die Emigration gewählt. Und natürlich ist diese Situation, die unerwiderte Liebe zur deutschen Kultur und zu Deutschland, die Basis seines Werks. Bei Kafka ist überhaupt von gar nichts anderem die Rede. Kafkas Werk beschäftigt sich im Grunde immer wieder mit Juden. Das Wort Jude kommt in seinen Romanen und Erzählungen so gut wie überhaupt nicht vor. Dennoch ist von nichts anderem die Rede. Kafkas ›Prozeß‹: Da wacht ein Mensch frühmorgens auf und ist angeklagt und verhaftet, und er weiß nicht, warum. Das ist doch die Situation des Juden. Und das ›Schloß‹: Da kommt einer und möchte anerkannt und integriert werden, und es gelingt nicht. Er bleibt als der Fremde, der gerade noch geduldet wird. Kafka hat diese Themen besonders stark empfunden. Weil er ja in doppelter Hinsicht einer Minderheit angehörte. Er gehörte der deutschsprachigen Minderheit in Prag an und innerhalb der deutschsprachigen Minderheit der jüdischen Minderheit.

Koelbl: Ist es möglich, von einer deutsch-jüdischen Literatur zu sprechen?

Reich-Ranicki: In meinem Buch über ›Ruhestörer‹ wende ich mich vor allem gegen die Vorstellung, daß die Literatur aus der Feder von Juden anders sei, weil die Juden eine andere Mentalität, ein anderes Erbe hätten. Das ist alles Unsinn. Juden haben in den letzten hundert Jahren an sämtlichen Richtungen der deutschen Literatur teilgenommen. Juden waren sehr oft linke Schriftsteller, weil sie sich von der angestrebten Verwandlung der Gesellschaft die Gleichberechtigung versprachen. Aber auch im erzkonservativen Kreis um Stefan George waren Juden dabei, etwa Friedrich Gundolf und Karl Wolfskehl. Es gibt keine Möglichkeit auf Erden, anhand eines Prosatextes oder eines Gedichtes zu sagen, dieser Stil weise auf einen jüdischen Autor hin. In keinem einzigen Fall. Es gibt keinen jüdischen Stil, es sei denn, daß einer schlecht deutsch schreibt. Aber der Einfluß ist gigantisch. Nicht der Einfluß des jüdischen Erbes oder ei-

201

ner jüdischen Veranlagung, sondern der Einfluß der Biographie des Juden innerhalb der nichtjüdischen Gesellschaft.

Koelbl: In gewisser Weise ist das tragisch und dankenswert zugleich. Unter tragischen Umständen wurden Werke geschaffen, die zu den größten Kulturleistungen zählen.

Reich-Ranicki: Ja. Kafka zeigte die Situation des Juden in der nichtjüdischen Gesellschaft von Prag, und das hat außer den Leuten in Prag niemanden interessiert. Dreißig Jahre später wurde sein Werk zum Welterfolg, weil sich herausstellte, daß es etwas zeigte, was er gar nicht beabsichtigt hatte. Nämlich die Situation des Intellektuellen in der modernen Welt. Die ganze Menschheit erkannte in Kafka den Schriftsteller unseres Jahrhunderts. Es gibt da eine sehr schwierige Frage, die ich nur stellen, nicht beantworten kann. Die Grundlagen der modernen Literatur hat Franz Kafka geschaffen. Die Grundlagen der modernen Physik Albert Einstein. Die Grundlagen der modernen Musik Gustav Mahler und Arnold Schönberg. Die Grundlagen der modernen Soziologie Karl Marx und die Grundlagen der modernen Psychologie Sigmund Freud. Alle waren sie Juden. Jetzt kommt das Mysterium, das ich nicht erklären kann. Alle waren sie deutschsprachige Juden. Nur diese Verbindung hat die Genies erzeugt. Weder die französischen Juden haben solche Genies hervorgebracht noch die italienischen oder die russischen.

Koelbl: Warum ist gerade diese deutsch-jüdische Verbindung so fruchtbar geworden? Warum keine andere?

Reich-Ranicki: Ich weiß es nicht. Sie werden keine Antwort aus mir herauspressen. Es sieht so aus, als ob eine andere Verbindung von ähnlicher Bedeutung möglich sein wird: die amerikanisch-jüdische in den USA. Aber in der Vergangenheit war es nur die deutsch-jüdische. Ich kann Ihnen keine Antwort geben, sondern nur einen Vorschlag zur Behandlung dieser Frage machen. Vielleicht hat es eine Rolle gespielt, daß die Juden, die im achtzehnten Jahrhundert überall auf Erden verfolgt worden sind, in manchen deutschen Staaten noch am ehesten die Möglichkeit zur intellektuellen Arbeit hatten. Vor allem in Preußen.

Koelbl: Und in Österreich erst später.

Reich-Ranicki: Ja. Viel später in Österreich. Die Juden hatten diese Möglichkeiten in Frankreich nicht. Die Französische Revolution hat die Juden aus den Gettos befreit. Aber der König von Frankreich hat keinen Juden an seinen Tisch gebeten. Friedrich der Große hat sehr wohl Moses Mendelssohn wiederholt eingeladen. Immerhin.

Koelbl: Aber gibt es nicht noch andere Erklärungen dafür, daß gerade die deutschsprachigen Juden zu solchen Leistungen stimuliert wurden? Heine spricht von der Wahlverwandtschaft zwischen Deutschen und Juden. Und Kafka hat gesagt, beide hätten vieles gemeinsam. Ich denke an den berühmten Satz, die Juden und die Deutschen seien die tüchtigsten Menschen auf Erden und überall gleich unbeliebt.

Reich-Ranicki: »Tüchtig, fleißig und gründlich verhaßt bei den anderen. Juden und Deutsche sind Ausgestoßene.« Dieser Satz findet sich bei Kafka. Er findet sich bei Heine und bei Benjamin auch. Die Ähnlichkeit zwischen Juden und Deutschen ist so groß, daß sie gleichsam als feindliche Brüder galten. Und aus der großen Liebe wurde der große Haß.

Koelbl: Dann stünden wir aber wiederum vor der Frage, worauf diese seltsame Affinität zurückzuführen ist.

Reich-Ranicki: Auch das weiß ich nicht. Warum haben die Juden sich ihre Sprache im Mittelalter aus dem Deutschen gemacht? Sehr merkwürdig. Das Jiddische ist nichts anderes als Mittelhochdeutsch, verballhornt mit hebräischen und slawischen Zusätzen. Warum haben die Juden auf dem Weg durch Europa nicht das alte Französisch mitgenommen, sondern das Deutsche? Ich weiß es nicht, aber es fällt mir auf. Es gibt nur noch ein anderes Beispiel dieser Art. Das ist Spaniolisch.

Koelbl: Eine Gaunersprache?

Reich-Ranicki: Nein. Spaniolisch ist die Sprache, die sich die Juden im Mittelalter aus dem Spanischen gemacht haben. Romanisten, Hispanisten hören Spaniolisch und sind glücklich. Als ob in Konservenbüchsen eine alte Sprache aufbewahrt worden wäre.

Koelbl: Lassen Sie uns auch über die Musik sprechen. Auffällig ist doch die große Zahl jüdischer Solisten und Dirigenten. Was halten sie von folgender Erklärung: In Polen und Rußland hatte ein Junge nur dann eine Chance, aus dem Getto oder der Kleinstadt herauszukommen, wenn er etwas lernte, mit dem er in der Gesellschaft Erfolg haben konnte. Eine dieser Möglichkeiten war die Musik. Nun war die Geige ein relativ billiges Instrument, das man obendrein überall mitnehmen konnte. Daher befanden sich unter den Violinvirtuosen besonders viele Juden.

Reich-Ranicki: Diese Theorien sind nicht schlecht, sie haben nur einen Fehler, sie stimmen alle nicht. Juden spielen gut Geige, weil die Geige nicht viel kostet und leicht unter den Arm zu nehmen ist... Warum aber ist Arthur Rubinstein Pianist geworden? Und warum war der größte deutsche Pianist der Weimarer Republik, Arthur Schnabel, ein Jude? Ich könnte Ihnen Dutzende von Pianisten aufzählen. Und denken Sie an die großen Dirigenten heute. Wenn Sie von Karajan absehen – Bernstein, Solti, Barenboim, Levine, Maazel, alles Juden. Also entdecken wir, daß die Juden keine spezifische Begabung für die Geige, sondern für die Musik haben. Der große Bronislaw Huberman, ein berühmter Geiger, hat gesagt: Es ist ein reiner Zufall, daß ich Geiger geworden bin. Ich habe ein Wunderkind gesehen, das Klavier gespielt hat, und ich wollte es ihm nachtun. Aber meine Eltern hatten kein Geld für ein Klavier, da haben sie mir eine Geige geschenkt. Er meinte, als Pianist wäre er genauso berühmt geworden. Mal sind es Geiger, mal Pianisten, mal Dirigenten.

Koelbl: Aber nur wenige große Komponisten. Mir fallen nur Mendelssohn und Mahler ein.

Reich-Ranicki: Auch diese Rechnung geht nicht ganz auf. Komponisten vom Range eines Mozart, Beethoven, Schubert, Brahms haben die Juden nicht. Und die Engländer und die Franzosen auch nicht und die Schweden auch nicht. Niemand, nur die Deutschen mit den Österreichern. Aber die Juden haben immerhin Mendelssohn und Offenbach. Moderne Musik ist zu einem großen Teil ein Werk der Juden – von Mahler und Schönberg sprachen wir schon. Und die Musicals? – Denken Sie an Kurt Weill, an Gershwin und Bernstein. Und viele der großen Komponisten der Gegenwart wie Ligeti und Mauricio Kagel sind ebenfalls Juden. Auch der bedeutendste sowjetische Komponist, Alfred Schnittke, ist ein Jude. Kurzum, Sie kommen mit Ihrer These nicht zu Rande. Die Juden haben eine besondere Begabung für Musik und für Juristerei und seit jeher für Medizin und für Kritik und Journalismus – und so weiter.

Koelbl: Sehen Sie auch heute noch Gemeinsamkeiten zwischen Juden und Deutschen?

Reich-Ranicki: In der Bundesrepublik Deutschland spielen die Juden im Kulturleben keine Rolle. Bilden Sie sich das nicht ein. Natürlich hat die Bundesrepublik die meisten Opernhäuser der Welt und beschäftigt sehr viele Dirigenten. Unter ihnen sind Israelis und Juden aus Amerika. Die dirigieren hier, weil gerade ein Posten frei ist. Aber sie gehören strenggenommen nicht zum deutschen Kulturleben.

Koelbl: Glauben Sie, daß der Einfluß der Juden auf die deutsche Kultur zum Erliegen kommen wird?

Reich-Ranicki: Über den Anteil der Juden an der deutschen Kultur der Gegenwart lohnt es sich nicht mehr zu reden. Da gibt es Peter Zadek, einen ehemaligen Emigranten, den Schweizer Juden Luc Bondy, den ungarischen Juden Ivan Nagel. Die meisten Schriftsteller, ich meine wiederum die Juden, sind nach 1945 nicht nach

Deutschland zurückgekommen. Erich Fried ist in London geblieben, Peter Weiss in Schweden, Canetti in England und in der Schweiz, Hildesheimer ebenfalls in der Schweiz.

Koelbl: Dann wären Sie und einige andere Ihrer Generation die allerletzten deutschschreibenden Juden?

Reich-Ranicki: Ich bin davon überzeugt, aus einem einfachen Grund. Sie können keine Literatur aus dem Boden stampfen ohne eine gewisse Bevölkerungsbasis. Es gibt doch keine Juden mehr in diesem Land. Es gibt kaum mehr als dreißigtausend, und von denen leben manche nur noch mit einem Bein in der Bundesrepublik. Deren Kinder werden schon für das Ausland erzogen.

Koelbl: Ich habe bei allen Gedenkreden über die Vernichtung der Juden, die wir in letzter Zeit gehört haben, den Eindruck, daß die Deutschen übersehen, welcher Verlust ihnen selbst durch die Vernichtung und Vertreibung der Juden entstanden ist.

Reich-Ranicki: Das kann ich nicht beurteilen. Man hat ja oft genug aufgezählt, wie viele Universitätsprofessoren von 1933 bis 1939 aus Deutschland vertrieben worden sind. Eine gigantische Zahl. Und das waren nicht nur Juden. Daß darunter die deutsche Wissenschaft bis heute leidet, wird oft gesagt. Ich hoffe, aufrichtig.

Koelbl: Aber mich erstaunt immer wieder, daß so wenige Versuche gemacht worden sind, diese Leute zurückzuholen.

Reich-Ranicki: Fragen Sie bitte nicht mich. Fragen Sie bitte andere danach. Sie haben vollkommen recht. Ich kann Ihnen nur ein Beispiel geben, das härteste. In den fünfziger Jahren haben noch alle großen deutschen Architekten gelebt. Die Jahrhundertarchitekten. Die lebten in Südamerika, in verschiedenen Ländern, und waren noch keine Greise, jünger als sechzig Jahre. Man brauchte doch diese Architekten zum Wiederaufbau der deutschen Städte. Aber keiner ist zurückgerufen worden. Ich kann Ihnen das nicht erklären. Ein anderes Beispiel. Einer der besten deutschen Germanisten war Heinz Politzer an der Universität Berkeley, aus Wien stammend. Er ist in Berkeley gestorben. Man hat ihm in Wien keine Professur angeboten. Angeblich hat man mit ihm verhandelt, aber es ist nichts daraus geworden. Auch andere bedeutende Germanisten, zum Teil Leute, die erst in den fünziger Jahren emigriert sind, hat man nicht zurückgeholt. Peter Demetz stammt aus Prag und hat hier nie eine Professur angeboten bekommen. Vielleicht gab es da simple Konkurrenzgründe.

Koelbl: Ich möchte noch einmal auf das Verhältnis von Juden und Deutschen zurückkommen. Sie haben von der unerwiderten Liebe vieler Schriftsteller jüdischer Herkunft zu Deutschland und zur deutschen Kultur gesprochen. Hat nicht diese Anhänglichkeit der Juden an ein wenig dankbares Volk auch den sogenannten jüdischen Selbsthaß verstärkt?

Reich-Ranicki: Den Begriff des jüdischen Selbsthasses hat Theodor Lessing geprägt. Aber er kennzeichnet ja nicht nur die Juden. Es gibt noch ein Volk auf Erden, das sich selbst leidenschaftlich haßt. Das sind die Deutschen. Schon wieder eine Parallele. Es gibt einen starken deutschen Selbsthaß. Sehen Sie sich das Werk eines Schriftstellers wie Heinrich Mann an. Nicht das, was er in der Zeit des Dritten Reichs geschrieben hat, sondern im Wilhelminischen Deutschland und in der Weimarer Republik. Ungeheurer Selbsthaß. Eine Verherrlichung der Italiener und Franzosen, die bisweilen schon verantwortungslos ist. Die hat er ja nur den Deutschen zum Trotz verherrlicht. Ob es heute jüdischen Selbsthaß gibt? Da es keine Juden gibt, ist diese Frage ziemlich belanglos. Mir persönlich sind diese Gefühle fremd. Vielleicht hat das auch damit zu tun, daß ich nie so richtig im Judentum verwurzelt oder engagiert war.

Koelbl: Und wie steht es mit Ihrem deutschen Selbsthaß?

Reich-Ranicki: Sie können in mir keinen Deutschen

sehen. Ich bin kein Deutscher. Machen Sie keinen Deutschen aus mir. Ich bin ein Bürger der Bundesrepublik. Selbstverständlich und gern. Mir gefällt dieser Staat, trotz allem. Ich schreibe in deutscher Sprache, ich bin ein deutscher Literaturkritiker, ich gehöre zur deutschen Literatur und Kultur, aber ich bin kein Deutscher und werde es nie werden.

Koelbl: Das führt mich zu einer anderen Frage. Sie sind in Polen geboren, nach Deutschland gekommen, wurden nach Polen deportiert und sind wieder nach Deutschland zurückgekehrt. Haben Sie unter diesen Umständen noch einen persönlichen Heimatbegriff? Heine hat gesagt, daß die Juden die Bibel als portatives Vaterland mit sich herumschleppen. Gibt es so etwas wie Heimat für Sie?

Reich-Ranicki: Das portative Vaterland, das Heine meint, ist nicht das, was mich geprägt hat. Mein portatives Vaterland – das ist Goethe und Thomas Mann, Heine, Fontane und Lessing. Hinzu kommen Mozart, Beethoven, Schubert, Wagner und Brahms. Sie sehen, ich nenne nicht die Namen Albrecht Dürer oder Lucas Cranach. Die Malerei hat mir nie sehr viel bedeutet. Es gibt einen Ort auf Erden, da verspüre ich, wenn ich bestimmte Plätze und Straßenecken sehe, einen Anflug von Heimatgefühl. Dieser Ort ist Berlin. Weil ich dort meine Jugend verbracht habe. Da gab es oder gibt es die Theater, in denen ich zum ersten Mal Shakespeare auf der Bühne gesehen habe, da sind die Plätze, wo man Fußball gespielt hat. Aber Berlin als meine Heimat zu bezeichnen, wäre übertrieben.

Koelbl: Ich glaube, es war Börne oder Heine, der von der Unzugehörigkeit der Juden geschrieben hat.

Reich-Ranicki: Vielleicht war es weder Börne noch Heine. Vielleicht steht es bei mir. Jeder von uns hätte das schreiben können.

Koelbl: Fühlen Sie selbst auch eine solche Unzugehörigkeit?

Reich-Ranicki: Die Frage verstehe ich nicht. Unzugehörigkeit wozu?

Koelbl: Zu Deutschland.

Reich-Ranicki: Ich fühle eine sehr starke Zugehörigkeit zur deutschen Kultur.

Koelbl: Aber in welcher Rolle gehören Sie zur deutschen Kultur?

Reich-Ranicki: Es gibt nur ein Gefühl bei mir, das Sie interessieren kann. Weil es nicht ganz alltäglich ist. Ich sagte Ihnen vorhin, ich bin kein Deutscher, und ich werde es nie sein. Aber ich fühle mich nicht als Gast in diesem Land und nicht als Fremder.

Koelbl: Als was sonst?

Reich-Ranicki: Ich fühle mich durchaus nicht als einer, der in diesem Land geduldet wird, sondern als einer, der Anspruch hat, in diesem Land zu sein, und das volle Recht hat, am Kulturleben des Landes teilzunehmen.

Koelbl: Bitte erlauben Sie mir, noch einmal auf Ihre Lebensgeschichte einzugehen. Nach Ihrer Deportation von Berlin nach Warschau kamen sie ja 1940 ins Warschauer Getto. Das ist natürlich wieder ein Thema für ein ganzes Gespräch. Dennoch möchte ich Sie bitten zu beschreiben, wie der Alltag im Getto ausgesehen hat und wie Sie dort überlebt haben.

Reich-Ranicki: Das entscheidende Merkmal der Existenz im Getto waren nicht der Hunger und die Krankheiten. Es war die panische Angst vor dem, was am nächsten Tag geschehen konnte. Es war eine Existenz unmittelbar vor dem Abgrund, und dieser Abgrund bedeutete den Tod. Das war das Schrecklichste. Es gab Konzerte im Getto, und man ging hin, ohne sicher zu sein, daß man nicht unterwegs aufgehalten oder erschossen werden würde. Und während des Konzerts hatte man nicht die Gewißheit, daß es beendet werden würde. Wir ertrugen diese Dinge ein wenig besser als die anderen. Weil wir sehr jung waren. Jugend bedeutet auch Unbeschwertheit. Das Getto ist Ende 1940 eingerichtet worden. Da waren wir beide – meine Frau und ich – zwanzig Jahre alt. Die Sechzigjährigen haben es anders erlebt.

Koelbl: Haben Sie im Judenrat gearbeitet?

Reich-Ranicki: Als Dolmetscher. Besser gesagt, als Übersetzer.

Koelbl: Hannah Arendt hat den Judenräten vorgeworfen, mit den deutschen Unterdrückern über das notwendige Maß hinaus kollaboriert und gegenüber den ihnen anvertrauten Menschen versagt zu haben.

Reich-Ranicki: Der Artikel von Hannah Arendt gehört zum Dümmsten, was diese Frau je geschrieben hat. Ich erspare es mir, ihre Darstellung im einzelnen zu bewerten. Das hat schon ein anderer getan, und er hat die Sache durchschaut. Einer, der nicht Partei ist, sondern gewissermaßen ein Außenstehender, nämlich Golo Mann, hat 1964 in der ›Zeit‹ dargelegt, um was es sich handelt: um die Verantwortungslosigkeit einer ehrgeizigen Frau, die um jeden Preis eine originelle These präsentieren will. Hannah Arendt hat ja auch von Eichmann gesagt, er sei ein unschuldiger Mensch gewesen. Ein Beamter, ein Holocaust-Beamter. So war es nicht.

Koelbl: Wie beurteilen Sie die schwierige Situation, in der die jüdischen Verantwortlichen im Getto handeln mußten?

Reich-Ranicki: Es gab Gettos in mehreren Städten Polens. Dort herrschten jeweils unterschiedliche Zustände. Der Vorsitzende des Judenrates in Warschau, Adam Czerniaków, den ich gekannt habe, war ein hochanständiger Mensch, der zu keiner Kollaboration mit deutschen Behörden bereit war. Er hat am zweiten Tag der sogenannten Umsiedlungsaktion – das bedeutet: der Deportation zu den Gaskammern – Selbstmord verübt, um nicht zum Vollstrecker dieser Grausamkeit zu werden. Mehr können Sie von einem Menschen nicht verlangen. Ich habe auch nicht gehört, daß einem anderen Mitglied des Judenrates in Warschau je das Geringste vorgeworfen worden wäre. Im Unterschied zu den jüdischen Polizisten, die, um ihr Leben zu retten, in Todesnot andere in die Waggons gesteckt haben. Was übrigens diesen Polizisten nichts genützt hat. Auch sie wurden allesamt deportiert. Und jetzt komme ich zu einem anderen Punkt. An der Spitze des großen Gettos von Lódź stand ein Mann namens Chaim Rumkowsky. Dieser Rumkowsky hat uneingeschränkt mit den deutschen Behörden zusammengearbeitet. Er war ein Kollaborateur. Im Warschauer Getto hat kein einziger Mensch überlebt. Es haben nur Menschen überlebt, die aus dem Getto geflohen sind wie wir beide. Und von den Aufständischen im Getto hat eine kleine Gruppe in der Kanalisation unter der Erde Zuflucht gefunden. Alle anderen wurden ermordet. Im Getto von Lódź haben zwanzigtausend oder dreißigtausend Menschen überlebt. Darüber mag urteilen, wer will. Rumkowsky ist ermordet worden. Wenn er überlebt hätte, hätte er gesagt: Mir wollt ihr Vorwürfe machen? Ich habe einige zehntausend Menschenleben gerettet. Cerniaków ist wie ein Held gestorben. Aber er hat keinen Menschen gerettet. Was ist besser? Heroisch sein oder Leben retten? Ich bin nicht berufen, das zu entscheiden.

Koelbl: Ich zitiere jetzt Reich-Ranicki: »Wer zum Tode verurteilt war, bleibt ein Gezeichneter. Der zufällig verschont wurde, während man die Seinen gemordet hat, kann nicht in Frieden mit sich selber leben. Wer vertrieben wurde, bleibt für immer nicht nur ein Vertriebener, sondern auch und vor allem ein Getriebener.« Gilt dies auch für Sie?

Reich-Ranicki: Jedes Wort gilt für mich. Selbstverständlich. Und das wird sich auch nicht ändern. Unbeschwerter Lebensgenuß und Unbefangenheit – wie viele meiner Generation, die ähnliches erlebt haben, sind dazu noch fähig?

Koelbl: Können Sie sich vorstellen, daß so etwas wie Auschwitz noch einmal möglich ist? In Deutschland oder anderswo?

Reich-Ranicki: Es gibt ein Wort von Golo Mann: Wo das möglich war, ist alles wieder möglich. Die Geschichte wiederholt sich wohl, aber immer anders. Muß ich mir darüber Gedanken machen? Mich interessiert nicht das Problem, ob Auschwitz wieder möglich ist. Weil das kein Problem dieser Jahre ist. Mich interessiert das Problem, daß Auschwitz hier in diesem Lande von vielen umgelogen wird, gelegentlich auch von Historikern. Das läßt mir keine Ruhe.

Koelbl: Mich interessieren auch Ihre ersten Jahre in der Bundesrepublik Deutschland, nachdem Sie 1958 zurückgekehrt waren. Welche Erfahrungen haben Sie in dieser Zeit gemacht?

Reich-Ranicki: Ich habe später oft gehört, daß man jenen, die aus dem Dritten Reich deportiert worden waren, bei ihrer Rückkehr rote Teppiche ausgerollt, das Leben beinahe zur Idylle gemacht, Wohnungen gegeben und Positionen angeboten hätte. Ich weiß nicht, ob das richtig ist. In meinem Fall war es jedenfalls nicht so. Vor mir hat kein Mensch je einen roten Teppich ausgerollt. Ich mußte mir gewaltige Mühe geben, um in Hamburg für meine Familie, für drei Personen, eine Zweieinhalb-Zimmer-Wohnung zu bekommen. Und man hat mir nie eine Stelle angeboten. Ich habe angefangen, für Zeitungen Kritiken zu schreiben. Diese Arbeit ging gut und leicht. Man hat meine Rezensionen zuerst in der FAZ und in der ›Welt‹ gedruckt. Ich wurde schnell bekannt. Ich bekam ein Angebot von der ›Zeit‹ und dann dort eine feste Anstellung als Literaturkritiker. Aber in den vierzehn Jahren bei der ›Zeit‹ habe ich nie an einer Redaktionskonferenz teilgenommen. Man hat einen Redakteur nach dem anderen engagiert, aber mir hat man nicht den kleinsten Redakteurposten angeboten.

Koelbl: Wären Sie gerne Redakteur geworden?

Reich-Ranicki: Selbstverständlich. Ich saß vereinsamt in einer kleinen Wohnung in Hamburg-Niendorf und führte ein monologisches Dasein, das für mich schwer erträglich war. Lesen und Schreiben, nichts anderes. Kaum Menschen gesehen. Ich beklage mich nicht. Ich habe in diesen vierzehn Jahren in Hamburg eine Fülle von Kritiken geschrieben, die dann das Fundament mehrerer Bücher gebildet haben. Ich habe Einladungen zu Vorträgen bekommen. Ich bin von vielen Universitäten eingeladen worden. Auch Angebote für eine kontinuierliche Tätigkeit habe ich bekommen, aber von amerikanischen und schwedischen Universitäten, nicht von deutschen. Einen Ehrendoktor habe ich auch bekommen, 1972, aber von der Universität Uppsala. Von einer deutschen Universität habe ich, obwohl ich mittlerweile neunundsechzig Jahre alt bin, noch nie einen Ehrendoktor erhalten. Ich beschwere mich nicht darüber, aber das Faktum ist aufschlußreich. Kein Verlag, keine Zeitung, keine Zeitschrift, kein Rundfunk- oder Fernsehsender hat mir auch nur den kleinsten Posten angeboten, obwohl mein Name durch Publikationen rasch bekanntgeworden ist, obwohl mein erstes in der Bundesrepublik veröffentlichtes Buch, ›Deutsche Literatur in West und Ost‹, 1963 gedruckt, großes Aufsehen erregt hat und in kurzer Zeit in mehreren Auflagen erscheinen konnte. In der ›Zeit‹ hat man sehr wohl gewußt, daß ich an einer Tätigkeit außerhalb des Arbeitszimmers in meiner Privatwohnung interessiert war. Man hat sie mir nie offeriert. Das erste Angebot, das man mir gemacht hat, kam 1973 von der FAZ.

Koelbl: Es gibt ein berühmtes Zitat: »Die einen werfen mir vor, daß ich ein Jude sei; die anderen verzeihen mir es; der dritte lobt mich gar dafür; aber alle denken daran.« Entspricht dieses Zitat Ihren eigenen Erfahrungen?

Reich-Ranicki: Das ist ein Wort von Ludwig Börne, das ich zitiert habe. Ob ich diese Erfahrungen gemacht habe? Ja. Täglich.

Koelbl: Täglich? In welcher Weise?

Reich-Ranicki: Es ist sehr heikel, was ich Ihnen jetzt sagen werde. Und ich sage es nicht im anklagenden Ton. Ich habe in den letzten dreißig Jahren in der Bundesrepublik Hunderte von Vorträgen gehalten, vor Studenten oder vor anderen Auditorien. Vor dreihundert Menschen oder vor tausend Menschen. Da habe ich sofort gemerkt, daß das Verhältnis zu den Juden unnatürlich ist. Zumindest kein normales Verhältnis. Und Sie wollen jetzt von mir erfahren, wie ich das bemerkt habe.

Koelbl: Ja.

Reich-Ranicki: Ich habe das geradezu experimentell überprüft, um auszuschließen, daß ich möglicherweise das Opfer meiner Überempfindlichkeit bin. Ich halte einen Vortrag über deutsche Literatur. Nichts Ungewöhnliches. Irgendwann, an einer Stelle, wo es angebracht und nötig ist, sage ich, man dürfe bei der Deutung von Kafkas Werk nie vergessen, daß Kafka Jude gewesen ist. In demselben Augenblick ändert sich alles. Totale Stille im Saal. Das Wort Jude im Zusammenhang mit Döblin oder Heine oder Schnitzler, und es wird plötzlich still im Saal. Ich will nicht sagen, daß diese Stille etwas Schlechtes sei oder etwas Gutes. Aber diese Stille beweist, daß es ein normales Verhalten den Juden gegenüber nicht gibt. Das ist etwas Unheimliches. Wenn wir bei Freunden sind, abends, wenn man getrunken hat, kommt nach einer Weile regelmäßig das Gespräch auf Juden, Nationalsozialismus, Antisemitismus. Wie oft habe ich gemerkt, daß meine Anwesenheit bei den Gesprächen ein Faktor ist, der irritiert.

Ich habe es schon erlebt, daß ein Mensch, der mir relativ nahesteht, in meiner Gegenwart und in Gegenwart meiner Frau einen Film gesehen hat, der gerade im Fernsehen lief, einen Unterhaltungsfilm der UFA aus dem Jahr 1938, und völlig harmlos gesagt hat: »Ach, die schönen dreißiger Jahre.« Ein hochgebildeter Mann, Autor bekannter Bücher. Er war sich überhaupt nicht dessen bewußt, daß diese Bemerkung für uns etwas Ungeheuerliches war. Daß 1938 die Zeit war, wo man uns geprügelt, vertrieben, ermordet hat. Übrigens war der Vater dieses Menschen kein Nazi. Es ist ihm im Dritten Reich auch nicht gut ergangen. Und dieser Mensch sagt: »Oh, die herrlichen dreißiger Jahre.« Diesen Satz von Börne habe ich immer als die Darstellung meiner eigenen Situation empfunden. Wahrscheinlich ist es anders gar nicht möglich. Die Leute, mit denen ich zusammen bin, fühlen sich zu einer gewissen, sagen wir taktvollen Rücksichtnahme verpflichtet. Man spricht doch im Hause des Gehängten nicht vom Strick.

Koelbl: Nach meiner Erfahrung trauen sich viele Deutsche gar nicht, mit Juden über diese Dinge zu reden. Und ich muß Ihnen sagen, zu Beginn meiner Gespräche mit jüdischen Emigranten hatte ich Schwierigkeiten, das Wort »Jude« auszusprechen.

Reich-Ranicki: Ich habe bei der FAZ zwei Erlebnisse gehabt, die charakteristisch sind. Das erste mit einem bedeutenden Herausgeber dieser Zeitung, der nicht mehr lebt. Ich war damals erst ein Jahr bei der FAZ. Er kam zu mir und sagte, ich hätte etwas Ungeheuerliches geschrieben. Ich hätte in einem Artikel über Kafka die Worte geschrieben: »der Jude Franz Kafka«. Kafka könne man doch nicht als Juden bezeichnen. Dieser Mann der älteren Generation fand, das Wort Jude sei beleidigend. So ist er im Dritten Reich erzogen worden. Ich habe ihm gesagt: Nein, davon werden Sie mich nicht abbringen. Wohingegen ich nicht protestieren kann, wenn man schreibt, daß im Frankfurter Bahnhofsviertel der israelische Staatsbürger Schlomo Rosenstein wegen Hehlerei und Betrug verhaftet wurde. Dagegen ist nichts zu sagen. Wenn es so war, dann muß es so geschrieben werden. Und dann darf man vielleicht auch schreiben, daß Albert Einstein oder Sigmund Freud oder Franz Kafka Juden waren.

Das andere Erlebnis war ganz ähnlich. Zum zehnten Todestag von Paul Celan habe ich drei, vier Autoren gebeten, ihre Erinnerungen an Celan zu schreiben. Zu diesen Artikeln habe ich einen Vorspann verfaßt. Und ein Redakteur, der heute nicht mehr bei der Zeitung ist, änderte, ohne sich mit mir zu verständigen, eine bestimmte Formulierung. Ich habe es noch rechtzeitig gemerkt und wieder in Ordnung gebracht. Es handelte sich um den

Satz: »Der rumänische Jude Paul Celan, der nie in Deutschland gelebt und sich in Österreich nur wenige Monate aufgehalten hat, gilt vielen als der bedeutendste deutsche Lyriker nach 1945.« Der Redakteur hat das Wort Jude gestrichen. Er hielt das Wort Jude für beleidigend. Nun ist aber in Celans Werk von gar nichts anderem die Rede als von der Verfolgung der Juden. Wozu erzähle ich Ihnen die Geschichten? Nicht, um irgend jemanden anzuklagen, sondern um zu zeigen, daß das Verhältnis zu den Juden in Deutschland infolge dessen, was geschehen ist, mit Hemmungen verschiedenster Art belastet ist. Es ist kein natürliches, kein normales Verhältnis.

Koelbl: Es ist natürlich verständlich, daß die Deutschen sich scheuen, das Wort »Jude« ganz unbefangen zu verwenden, als sei es ein Wort wie jedes andere auch.

Reich-Ranicki: Rechtfertigen Sie niemanden, ich habe ja niemandem einen Vorwurf gemacht.

Koelbl: Wie Walther Rathenau sagte, gibt es in den Jugendjahren eines jeden deutschen Juden einen schmerzlichen Augenblick, in dem »ihm zum ersten Mal voll bewußt wird, daß er als Bürger zweiter Klasse in die Welt getreten ist und daß keine Tüchtigkeit und kein Verdienst ihn aus dieser Lage befreien kann«.

Reich-Ranicki: Ein treffender Satz. Deswegen habe ich ihn zitiert. Ich habe ein solches Erlebnis nicht gehabt, weil ich dieses Gefühl schon hatte, soweit ich zurückdenken kann. Ich bin wie Kafka in Prag ein doppelter Minderheitenmensch. Ich bin als polnischer Jude 1929 nach Berlin gekommen, als Kind in eine deutsche Schule. Ich war erstens Ausländer, zweitens Jude. Diese zwei Eigenschaften machten sich sehr bald deutlich bemerkbar, denn 1933, als ich zwölf Jahre alt war, traten die Jungs ringsum der Hitlerjugend und dem Jungvolk bei. Und warum bin ich der beste Deutschschüler in der Klasse geworden? Warum nicht der beste Mathematikschüler? Aus Trotz, natürlich aus Trotz.

Koelbl: Und warum »Literaturpapst«?

Reich-Ranicki: »Literaturpapst« ist lediglich ein Markenzeichen, das mir teils von meinen Gegnern angehängt wurde und teils von jenen, die mich schätzen. Wenn Sie mit dieser Bezeichnung auf meine Funktion im literarischen Leben anspielen, so kann ich nur sagen: Auch hierbei hat sicherlich Trotz eine wichtige Rolle gespielt. Davon, daß eine gewisse Begabung hinzukommt, brauchen wir nicht zu reden. Mir hat man hier, als ich 1958 hergekommen bin, den Rat gegeben, ich sollte mich als Kritiker auf polnische und sowjetische Literatur beschränken. Aber nein. Ich wollte über Goethe und Schiller schreiben, über Fontane und Thomas Mann. Ich bin aufgewachsen in einer Zeit, als täglich in den Zeitungen stand, die Juden seien eine minderwertige Rasse, unfähig, den deutschen Geist und die deutsche Literatur zu verstehen, in deutscher Sprache zu schreiben. Heine war Dreck, alles, was Juden schrieben, galt als Dreck. Ich bin täglich an den Schaukästen des ›Stürmer‹ vorbeigegangen und habe die Juden-Karikaturen gesehen. Ich habe täglich die antisemitische Propaganda erlebt. Das hat mich ein für allemal geprägt. Bei allem, was ich tue, handle ich auch aus Trotz.

Koelbl: Läßt sich diese Feststellung auch auf andere Juden übertragen?

Reich-Ranicki: Das Leben aller Juden von Rang, ob sie nun Geiger, Dirigenten, Physiker oder Schriftsteller waren, wurde von einem solchen Gefühl bestimmt: Da ich Jude bin, muß ich zweimal besser sein als die anderen, sonst kann ich mir keine Geltung verschaffen.

Koelbl: Sie haben ja Lust am Urteilen, Lust an der Macht. Und Sie haben einmal geschrieben, daß es zu den Pflichten des Kritikers gehört, Totenscheine auszustellen, ohne daß man Sie deswegen als Mörder anklagen dürfe. Wie verstehen Sie die Verantwortung des Kritikers? Ich vermute, Ihre Kritiken stellen für manche Schriftsteller ein Trauma dar. Für einige, zum Beispiel für Martin Walser, waren sie vielleicht sogar ein Alptraum. Bekennen Sie sich zur Lust an der Macht?

Reich-Ranicki: Den Schuh ziehe ich mir ungern an.

Koelbl: »Spaß an der Macht«, haben Sie gesagt. Das ist das wörtliche Zitat aus dem ›Spiegel‹-Interview.

Reich-Ranicki: ›Spiegel‹? »Spaß an der Macht?« An das Interview erinnere ich mich. Aber wer hat das gesagt?

Koelbl: Der ›Spiegel‹ fragte: »Macht es Spaß?« Und dann sagten Sie: »Offen gesagt: Ja.«

Reich-Ranicki: Wenn Sie mir diese Frage stellen, können Sie auch einen Chirurgen fragen: Wie können Sie es ertragen, ein Messer in die Hand zu nehmen und den menschlichen Körper aufzuschneiden? Da wird er sagen: Das ist mein Beruf, das muß ich tun, um den Patienten zu retten. Genauso verhält es sich hier. Ich wollte sagen, es ist nicht wahr, daß ein Kritiker ein Buch ermorden kann. Das gibt es nicht. Ein solches Buch hat in Wirklichkeit nie gelebt. Der Kritiker hat also nur einen Totenschein ausgestellt. Das ist die Verantwortung. Ich habe oft darunter gelitten. Ich habe gesehen, wieviel Schmerz ich Menschen zufüge. Aber immer, wenn ich darüber nachgedacht habe, gab es für mich einen großen Trost: daß ich andere Autoren glücklich gemacht habe. Das eine bedingt das andere.

Koelbl: Oft läßt es sich ja gar nicht vermeiden, daß man als Kritiker ungerecht ist. Das haben Sie oft zum Ausdruck gebracht.

Reich-Ranicki: Ich halte nicht viel von den deutschen Kritikern, die sich nicht entscheiden wollen, die nie pro oder contra sind, sondern ständig mit Einerseits und Andererseits operieren. In dieser Hinsicht ist heute einiges besser geworden. Vor zwanzig Jahren war es schlimmer.

Koelbl: Sie sind doch auch heute noch der einzige, der kompromißlos den Daumen nach oben oder unten hält.

Reich-Ranicki: Wenn das stimmt, wäre es traurig. Das Risiko, das man eingeht, wenn man sich so deutlich äußert, ist groß. Aber wenn man sich nicht entschieden äußert, nicht eindeutig ja oder nein sagt, kann man sich nur halb irren.

Koelbl: Damit stehen Sie wieder in der klassisch-jüdischen Tradition von Börne und Heine.

Reich-Ranicki: Das ist eine sehr schöne Tradition. Und ich könnte noch viele Namen hinzufügen.

Koelbl: Aber in bestimmten Fällen sind Sie auch recht gnädig gewesen. Gottfried Reinhardt hat mir gesagt: »Wenn es die jüdischen Kritiker von früher noch geben würde, wäre ein Heinrich Böll nie mit einem großen Schriftsteller verwechselt worden.«

Reich-Ranicki: Das stimmt, und es stimmt nicht. Wir, die wir zu Bölls Ruhm beigetragen haben, sahen keinen anderen Ausweg. Es gab keinen anderen. Die konservative Kritik wollte Gerd Gaiser zur Galionsfigur der Literatur machen. Den antisemitischen, exnazistischen Schriftsteller. Das konnten wir nicht zulassen. Wir haben uns auf Böll als Gegenkandidaten geeinigt. Es gab andere, die besser waren. Aber sie waren nicht geeignet.

Koelbl: Warum nicht?

Reich-Ranicki: Der eine hatte einen kleinen Fehler: Er war Schweizer. Max Frisch schied daher als Gegenkandidat aus. Wir brauchten einen Deutschen. Wir brauchten eine deutsche Galionsfigur. Denn für einen Schweizer war es ja keine Kunst gewesen, im Dritten Reich sauber zu bleiben. Böll hatte das Schicksal eines durchschnittlichen Deutschen, der Soldat gewesen war. Und er stellte etwas dar. Der andere, der als Galionsfigur in Frage kam, ach, das war der von mir bewunderte Wolfgang Koeppen. Aber Koeppen hatte schon damals aufgehört zu schreiben. Er produzierte nicht mehr. Was Gottfried Reinhardt in Sachen Böll angedeutet hat, ist nicht dumm und nicht falsch. Ich kann zu meiner Rechtfertigung nur auf die vielen Verrisse verweisen, die ich über Bücher von Böll geschrieben habe. Aber außer Böll kam für diese moralische Position niemand in Frage.

Koelbl: Sehen Sie sich selbst in der Tradition der Kritiker wie Kraus, Kerr, Polgar und Tucholsky?

Reich-Ranicki: Das ist eine Frage, die Sie allen anderen

stellen sollten, aber nicht mir. Wenn ich eine solche Frage bejahend beantworten würde, wäre mir nicht ganz wohl.

Koelbl: Aber Sie spielen doch in der heutigen Literaturszene eine ähnliche Rolle wie die eben genannten.

Reich-Ranicki: Ich habe von diesen Kritikern sehr, sehr viel gelernt. Aber es klingt ein wenig hochmütig zu sagen: In der Tradition von ... Das ist so ähnlich, als ob Sie den Komponisten Henze fragen würden: Sehen Sie sich in der Tradition von Mozart, Beethoven, Schubert, Schumann, Brahms und Richard Strauss? Und er sagt, ja. Sehen Sie, jetzt lachen Sie. Aber wenn Sie die Frage der historischen Größenordnung ausklammern, stimme ich zu. Lassen Sie einmal die großen Figuren Heine und Börne beiseite. Ich habe ja nicht zufällig eine sechsbändige Ausgabe der Werke Polgars herausgegeben. Ja, natürlich sehe ich mich in der Tradition von Kerr, Polgar und Tucholsky. Oder meinen Sie, ich sehe mich in der Tradition von Ganghofer und Anzengruber und Peter Rosegger? Oder in der Tradition von Rudolf G. Binding?

Koelbl: Ich finde es bemerkenswert, daß Sie nie Literatur studiert haben. Der Weg zum Studium war Ihnen 1938 ja versperrt. Sie haben die Universitätshörsäle erst 1961 kennengelernt, als Sie in Göttingen eine Vorlesung gehalten haben. Hat es Sie manchmal belastet, daß Sie nicht studieren konnten? Gerade in Verlags- und Kritikerkreisen erscheint doch ein Studium geradezu als Kompetenzbeweis.

Reich-Ranicki: Sie verquicken zwei völlig verschiedene Fragen. Die eine Frage ist, ob mir dadurch, daß ich nicht studiert habe, viel entgangen ist. Die zweite Frage ist, ob mir der Umstand, daß ich nicht studiert habe, in meiner Laufbahn als Kritiker geschadet habe.

Zur ersten Frage: Selbstverständlich bedauere ich es bis heute, daß ich nie die Möglichkeit hatte zu studieren. Ich habe mein Leben lang andere unterrichten müssen. Ich leide darunter, daß ich nicht wie die anderen vier oder fünf Jahre Zeit hatte, um mich mit der Geschichte der deutschen Literatur zu beschäftigen. Daß ich mir alles selbst beibringen mußte. Geholfen hat mir niemand. Alles, was meine Bücher darstellen, habe ich aus meiner eigenen Erfahrung geschaffen.

Koelbl: Ludwig Marcuse hat ja einmal gesagt: »Vielleicht sind die Bildungsinhaber die unvitalste Schicht einer Gesellschaft, weil ihre Sinne weniger verlangen.«

Reich-Ranicki: Das erinnert mich an den Satz: »Geld macht nicht glücklich.« Das ist richtig, aber das sagen nur diejenigen, die Geld haben. Diejenigen, die eine regelrechte Bildung genossen und jahrelang studiert haben, können hinterher sagen: Hat sich das eigentlich gelohnt? Eines jedenfalls hätte sich für mich gelohnt: Wenn ich anständig Mittelhochdeutsch gelernt hätte. Und der zweite Aspekt – Sie fragen, ob meine Laufbahn dadurch, daß ich nie studiert habe, in der Bundesrepublik Deutschland beeinträchtigt worden ist. Möglicherweise hätte mir eine Universität einen Lehrstuhl angeboten, wenn ich ein reguläres Studium mit Abschluß gehabt hätte. Hätte ich dieses Studium hinter mir, würden es sich manche meiner Gegner nicht so rasch und leicht und bequem machen mit dem Vorwurf, das, was ich tue, sei mehr oder weniger Dilettantismus. Es ist sehr komisch, daß Günter Grass, der mit meiner Rezension von einem seiner Bücher unzufrieden war, gleich über mich gesagt hat: Nun ja, er ist ein Liebhaber der Literatur. Und das wiederholt er immer wieder. Liebhaber, das soll heißen: Die richtigen Bildungsvoraussetzungen hat er nicht, aber er liebt die Literatur. Interessant an dieser abfälligen Bemerkung ist nur, daß sie aus dem Mund eines Schriftstellers stammt, der im Unterschied zu mir nicht einmal das Abitur geschafft hat.

Aber was soll es? Ich habe mit meiner redaktionellen Arbeit bei der FAZ und meinen Artikeln und Büchern einigen Einfluß auf die literarische Entwicklung gehabt und mich längst damit abgefunden, daß mir Studium und Doktortitel fehlen. In meiner Biographie hat auch dies eine ähnliche Rolle gespielt wie das Judentum. Es hat meinen Trotz herausgefordert. Ich hätte mich ja darauf beschränken können, über Böll und Grass und Koeppen und Uwe Johnson und vielleicht Thomas Mann und Heinrich Mann zu schreiben. Aber es war mein Ehrgeiz, auch über Lessing, über Kleist, über Goethe und über Heine zu schreiben. Damit gebe ich auch zu verstehen: Das, was ihr könnt, ihr, die ihr euch ein Leben lang mit Goethe und Lessing befaßt habt, das schaffe ich auch. Vieles auf dieser Erde ist aus Widerstand und Trotz entstanden.

Koelbl: Sie haben viele Bücher herausgegeben. Sie haben sehr viel geschrieben. Aber hat es Sie nie gereizt, selbst Romane zu schreiben?

Reich-Ranicki: Nein. Aus einem einzigen Grund. Weil ich es nicht kann.

Koelbl: Und Sie sind klug genug, sich nicht zu blamieren, wie es andere getan haben.

Reich-Ranicki: Ich bin kein Erzähler. Ein freundlicher Mensch hat mir gestern abend in Darmstadt gesagt, daß mein Buch ›Thomas Mann und die Seinen‹ über Literaturkritik weit hinausgehe, was die Darstellung der Lebensschicksale betrifft. Das mag stimmen. Aber es handelt sich um authentische Figuren der Literatur. Nein, ich kann keine Romane schreiben. Ich habe auch nie ein Gedicht geschrieben. Eben weil ich es nicht kann.

Koelbl: Auch nicht in Ihrer Jugend?

Reich-Ranicki: Nein. Im jugendlichen Überschwang habe ich mir in Berlin einmal ein dickes Notizbuch gekauft, gebunden und liniert, und habe angefangen, Rezensionen zu schreiben. Zwei habe ich geschrieben, dann habe ich es aufgegeben. An die eine kann ich mich noch erinnern. Über ›Hedda Gabler‹ von Ibsen. Die andere habe ich vergessen. Das war das einzige, was ich damals geschrieben habe – natürlich abgesehen von vielen und bisweilen sehr langen Schulaufsätzen.

Koelbl: Sie haben Persönlichkeitsbilder von Thomas

*Mann und vielen anderen Autoren entworfen. Könnten
Sie sich auch selbst beschreiben?*

Reich-Ranicki: So etwas würde ich überhaupt nicht
tun. Ich würde es mit Rücksicht auf andere Arbeiten immer wieder zurückstellen. Aber ich habe einmal den persönlichen Fragebogen in der ›Zeit‹ ausgefüllt. Da haben
Sie ein paar Antworten, aus denen sich ein Porträt machen ließe.

Koelbl: Sind Sie leidenschaftlich?

Reich-Ranicki: Bestimmt.

Koelbl: Sind Sie eitel?

Reich-Ranicki: Bestimmt. Sonst wäre ich nicht Kritiker
geworden. Kritiker kann man nicht sein, ohne eitel zu
sein. Der Kritiker ist doch die Versuchsperson, die bei
sich selbst die Wirkung von Literatur testet. Dabei muß
man sich selbst furchtbar wichtig nehmen.

Koelbl: Sind Sie radikal?

Reich-Ranicki: Ja, ich neige dazu.

Koelbl: Sind Sie wahrheitsliebend?

Reich-Ranicki: Mit größter Entschiedenheit.

Koelbl: Sind Sie klug?

Reich-Ranicki: Nicht genug. Es reicht mir nicht.

Koelbl: Haben Sie Lust am Genuß?

Reich-Ranicki: Ja, aber nicht an manchen Genüssen,
die die Menschen für besonders wichtig halten. Es gibt
einen Genuß, der für mich keine große Rolle spielt.

Koelbl: Und das wäre?

Reich-Ranicki: Das Essen.

Koelbl: Was genießen Sie am meisten?

Reich-Ranicki: Musik. Literatur. Intelligenz. Und einige andere Dinge.

Koelbl: Sind Sie geistreich?

Reich-Ranicki: O Gott, das habe ich schon in der Schule immer gehört. Aber das ist doch ein relativer Begriff.
Ich kann Ihnen sagen, was ich nicht bin. Zu meinem
Leidwesen. Ich bin nicht musikalisch genug. Das bedauere ich sehr.

Koelbl: Wären Sie gern ein berühmter Musiker?

Reich-Ranicki: Ja, aber darum geht es nicht. Ich würde vor allem gerne Partituren lesen. Ich beneide Leute, die das können. Und Leute, die Klavier spielen können. Ich habe es einmal zu lernen versucht, aber die Umstände waren nicht danach. Außerdem ist meine natürliche Musikalität nicht stark genug. Im übrigen empfinde ich ganz allgemein ein Ungenügen.

Koelbl: Welches?

Reich-Ranicki: Ich bin mit meinen Fähigkeiten und Gaben meist unzufrieden. Ich möchte mehr sein, besser sein.

Koelbl: Woran denken Sie insbesondere?

Reich-Ranicki: Ich würde gern eine große Begabung für Fremdsprachen haben. Angeblich habe ich ein sehr gutes Gedächtnis. Aber es reicht nicht. Ich möchte ein besseres Gedächtnis haben. Und ich bin nicht beherrscht genug. Könnte ich mich besser beherrschen, würde ich mir viele Unannehmlichkeiten ersparen.

Koelbl: Demnach sind Sie auch maßlos.

Reich-Ranicki: Maßlos ist nicht das richtige Wort. Aber manchmal bin ich jähzornig. Dagegen habe ich eine Fähigkeit, mit der ich recht zufrieden bin.

Koelbl: Sagen Sie bitte, woran Sie denken.

Reich-Ranicki: Ich habe ziemlich viel Vertrauen zu meiner Intuition, was die literarische Qualität betrifft. Und wenn das ganze deutsche Volk aufsteht und sagt, die Gedichte von Ulla Hahn taugen nichts, weiß ich trotzdem, daß von unseren achtziger Jahren unter anderem einige Gedichte von Ulla Hahn bleiben werden. Da kann mich nichts beirren.

Koelbl: Was macht Sie so sicher?

Reich-Ranicki: Das weiß ich nicht. Unsicherheit kenne ich auch. Die trage ich mit mir selbst aus, und dann trete ich dem Leser mit jener Sicherheit gegenüber, auf die der Kritiker nicht verzichten kann. So wie ich von Patrick Süskind gleich gesagt habe, daß sein Buch ein großer

Wurf sei. Ob mehr kommt, weiß ich nicht. So wie ich beim ersten Buch von Rolf Dieter Brinkmann sofort das Talent erkannt habe. Ich kann Ihnen ein Dutzend weitere Namen nennen. Es ist nicht so, daß ich mit allem, was mir die Natur mitgegeben hat, unzufrieden bin.

Koelbl: Und was vermissen Sie bei sich noch?

Reich-Ranicki: Ich habe einen schlimmen Fehler, von dem niemand etwas ahnt. Ich habe zuviel Vertrauen zu Menschen und dadurch viele Unannehmlichkeiten. Häufig habe ich offen und ehrlich mit Menschen gesprochen, und die haben mich am nächsten Tag denunziert. Einige, denen ich zu schnell vertraut hatte, haben sich nach zwei Wochen oder drei Monaten als unanständige Leute erwiesen. Ich bin sehr versöhnlich. Ich hatte oft heftige Auseinandersetzungen. Das war unvermeidbar und hat mit meinem Beruf zu tun. Ich habe bestimmte Bücher sehr negativ beurteilt, und manche haben mir das übelgenommen und über mich böse Dinge geschrieben.

Koelbl: Sie schreiben häufig Kritiken, die sehr verletzend wirken. Würden Sie auch eine scharfe Kritik an Ihren eigenen Arbeiten vertragen?

Reich-Ranicki: Über mich sind doch schon die verletzendsten Kritiken geschrieben worden. Von Reinhard Baumgart, von Peter Handke und vielen anderen. Über mich sind Dinge geschrieben worden, die an Schärfe weit über das hinausgehen, was ich jemals geschrieben habe. Ich habe zum Beispiel vor siebenundzwanzig Jahren einen Roman von Baumgart schlecht beurteilt. Baumgart hat sich revanchiert und mein Buch ›Deutsche Literatur in West und Ost‹ rezensiert. Aber er hat nicht geschrieben, mein Buch sei schlecht. Er schrieb, daß einer, der ein solches Buch verfaßt habe, überhaupt nicht berechtigt sei, sich über Literatur zu äußern. Das ist der Unterschied. Ich kritisiere schriftstellerische Leistungen, zum Beispiel Handkes ›Langsame Heimkehr‹ und ›Die linkshändige Frau‹, aber diejenigen, die mich kritisieren, meinen meine ganze Existenz. Die wenden sich nicht gegen eine bestimmte Kritik von mir, sondern sagen, der ganze Mann ist eine Unmöglichkeit. Am liebsten würden sie sagen: Der Mann hat hier gar nichts zu suchen. Nur wagen sie es im Hinblick auf die Zeit des Nationalsozialismus nicht, um nicht in ein schiefes Licht zu geraten. So wie Platen über Heine gesagt hat: Was hat dieser Mensch im deutschen Kulturleben zu suchen? Sehen Sie, in der Reihe ›Text + Kritik‹ ist ein Band über mich erschienen. Es ist ungeheuerlich, was da geschrieben steht. In einem Beitrag von Helmut Heißenbüttel heißt es, daß ich geisteskrank sei. Daß ich irrsinnig und völlig unfähig sei. Ich habe nie ein Wort gegen Heißenbüttel geschrieben. Aber ich habe ihm etwas Furchtbares angetan, was er mir nie vergessen wird. Ich schreibe seit dreißig Jahren Kritiken in Deutschland, und ich habe noch nie seinen Namen erwähnt. Er verübelt mir, daß ich ihn ignoriere.

Koelbl: Ich glaube, auch einige andere verübeln Ihnen, daß Sie sie ignorieren.

Reich-Ranicki: Ja.

Koelbl: Über Jurek Becker haben Sie geschrieben, daß er bei aller Liebenswürdigkeit ein unbequemer, wenn nicht gar gefährlicher Mann sei. Er stammte aus dem Geschlecht der Ruhestörer und Provokateure. Das könnte man eigentlich auch von Ihnen sagen.

Reich-Ranicki: Aber ja, selbstverständlich. In meinem Leben wäre manches einfacher, wenn ich weniger die Neigung hätte zu provozieren.

Koelbl: Haben Sie Freude am Provozieren?

Reich-Ranicki: Ja, leider. Das bringt mir viel Kummer, viel Ärger.

Koelbl: Aber Sie sagen ja auch, es wäre schlimm, wenn man keine Feinde hätte.

Reich-Ranicki: Ja. Aber so viele Feinde, wie ich habe, braucht man nicht zu haben. Ich könnte auf einige verzichten.

Koelbl: Aber Sie tun wenig, um Freunde zu gewinnen.

Reich-Ranicki: Bei allem Streit zwischen mir und anderen bin ich immer derjenige, der zur Versöhnung bereit ist. Selten die Gegenseite. Wenn sich jemand mit mir versöhnen wollte, habe ich ihn nie zurückgewiesen. In keinem einzigen Fall. Ich war immer der Ansicht, daß Literatur ein Spiel ist. Ein herrliches und sehr ernstes Spiel, aber eben ein Spiel. Und je älter man wird, desto weniger hat man Lust, sich ständig zu streiten.

Koelbl: Ich möchte noch einmal das Thema wechseln, weil ich von Ihnen gern noch mehr über das Verhältnis von Juden und Deutschen erfahren würde. Sie führen die Prägung des jüdischen Intellektuellen durch seine Herkunft weitgehend auf die Folgen der antisemitischen Diskriminierung zurück. Aber gibt es nicht auch eine jüdische Eigenart, die nicht erst durch den Antisemitismus entsteht? Ich zitiere Sigmund Freud, der über einen anderen Psychoanalytiker in einem Brief schrieb: »Wir waren beide Juden und wußten voneinander, daß wir gemeinsam das geheimnisvolle Etwas tragen ..., das bisher jeder Analyse unzugänglich den Juden ausmacht.« Können Sie etwas über dieses geheimnisvolle Etwas sagen?

Reich-Ranicki: Da gibt es kein geheimnisvolles Etwas. Das Geheimnis ist nichts anderes als die Rolle des Juden in der Gesellschaft. Ich weiß nicht, wie es in hundert Jahren sein wird. Ich sehe nur, wie es im achtzehnten und neunzehnten Jahrhundert gewesen war und wie es heute ist. Die Rolle des Juden in Europa läßt sich in diesem Jahrtausend nicht mehr normalisieren. Das Jahrtausend geht ja zu Ende. In elf Jahren ist es zu Ende. Die Mörder und die Opfer werden in elf Jahren fast alle tot sein. Vielleicht wird dann ein anderer Geist des Zusammenlebens entstehen. Aber jeder Mensch, der heute von Deutschland aus nach Israel fährt, stellt sich Fragen, die er sich nicht stellt, wenn er nach Portugal oder Griechenland fährt. Das Verhältnis der Deutschen zu Israel und den Juden ist ein ganz besonderes.

Koelbl: Das war immer ein besonderes Verhältnis.

Reich-Ranicki: Es war ein besonderes Verhältnis, weil

die Emanzipation der Juden im Jahr 1812 vom deutschen Volk im Grunde nicht akzeptiert worden ist. Sie war ein Verwaltungsakt von oben. Hundert Jahre später haben die Juden eine enorme Rolle im Kulturleben Deutschlands gespielt. Das hat verschiedene Reaktionen hervorgerufen, natürlich auch Neid, Futterneid. Was meinen Sie, wie glücklich viele deutsche Schriftsteller 1933/34 waren, nachdem man die jüdischen Schriftsteller vertrieben hatte. Nicht alle waren Antisemiten. Viele von ihnen hatten gegen die Juden eigentlich nichts einzuwenden. Aber sie waren glücklich. Und sagten sich im stillen, jetzt kommen wir dran. Es wurden Plätze frei. Verdienstmöglichkeiten, Positionen, Akademiesitze.

Koelbl: Ich möchte Ihnen noch etwas vorlesen. Ich weiß nicht, ob es von Ihnen ist: »Aber da ist auch etwas anderes, schwer Faßbares, das wir mit Freude und Bestürzung wahrnehmen, wenn wir Juden begegnen. Es ist eine andere Lebensart. Dieses Lebhafte, einzig…«

Reich-Ranicki: Das ist nicht von mir!

Koelbl: »… alles sofort sprachlich und mit Gesten auszudrücken. Ich finde mich wieder in anderen Juden. Aber gleichzeitig wage ich das nicht auszusprechen.«

Reich-Ranicki: Dumm ist das nicht. Es mag sein, daß sich viele Juden in anderen Juden unmittelbar wiedererkennen. Das ist gar nicht schlecht beobachtet. Das jüdische Temperament unterscheidet sich von einem nichtjüdischen Temperament. Gar keine Frage. Aber wenn jemand eine Beethoven-Symphonie dirigiert, können Sie nicht erkennen, ob er Jude ist oder nicht.

Koelbl: Nein. Aber Robert Jungk hat mir gesagt, daß es eine Art von Erkennen gibt. Man weiß, der andere ist Jude. Ein familiäres Gefühl.

Reich-Ranicki: Sie wollen wissen, ob ich dieses familiäre Gefühl empfinde?

Koelbl: Ja. Oder wie ich eben zitiert habe: »Ich finde mich wieder in anderen Juden.«

Reich-Ranicki: Nein, das trifft auf mich nicht zu. Ich

lebe jetzt in der Bundesrepublik einunddreißig Jahre. In dieser Zeit habe ich nicht sehr viele, aber doch einige Freunde gewonnen, Männer und Frauen. Darunter ist kein einziger Jude. Ich halte das weder für erfreulich noch für bedauerlich. Das ist durchaus keine Klage, sondern eine objektive Feststellung. Die Lyrik von Brecht steht mir viel näher als die des Juden Paul Celan. Und nicht bei dem genialen Juden Kafka finde ich mich wieder, sondern bei Thomas Mann.

Koelbl: Warum gerade bei Thomas Mann?

Reich-Ranicki: Weil er meine Probleme ausgedrückt hat, und zwar in höherem Maße als Kafka. Thomas Mann steht mir viel näher als Kafka.

Koelbl: Aber ist nicht Thomas Manns Haltung den Juden gegenüber recht zwiespältig? Einerseits sagt er, daß die Juden das europäische Kulturstimulans seien. Andererseits hat er auch gesagt, daß bestimmte Bereiche wie zum Beispiel die Juristerei »verjudet« seien und es nicht schaden könne, wenn sie ein wenig »entjudet« würden. Wie erklären Sie sich das?

Reich-Ranicki: Man muß bei einem Schriftsteller sehr genau unterscheiden zwischen dem, was er in seinen Büchern schreibt, und dem, was er in Tagebüchern, die nicht zur Veröffentlichung bestimmt sind, rasch notiert. Das erste, was Sie zitiert haben, stammt aus einem Essay von Thomas Mann. Das zweite ist eine eilige Notiz im Tagebuch. In den Tagebüchern steht so manch ein unbedachter, ja sogar törichter Satz. Aber er hat sie zur späteren, postumen Veröffentlichung freigegeben. Thomas Mann hat die große Bedeutung der Juden in der Kultur sehr wohl gesehen, und nicht erst unter dem Eindruck der Judenverfolgung im Dritten Reich. Mehr noch: Gerade Thomas Mann hat über die Juden, über ihre Rolle und ihre Funktion im deutschen Geistesleben schon vor 1914 Aufsätze geschrieben, die zu den scharfsinnigsten gehören, die über dieses Thema je publiziert wurden. Gelegentliche, spontane, zornige Äußerungen in Briefen oder Tagebüchern fallen da überhaupt nicht ins Gewicht.

Koelbl: Wie viele Freunde haben Sie?

Reich-Ranicki: Nicht viele. Einige. Kritiker sind Menschen, die zum literarischen Milieu drängen. Alfred Kerr hat das auch gespürt. Menschen, die sich im literarischen Milieu am wohlsten fühlen. Aber Freundschaften zwischen Kritikern und Schriftstellern sind immer heikel, hängen am seidenen Faden.

Koelbl: Aber Sie können ja auch andere Freunde haben.

Reich-Ranicki: Das kommt selten vor. Bei einem, der von seinem Beruf so stark in Anspruch genommen wird wie ich, sind langjährige Freundschaften mit einem Arzt oder Rechtsanwalt fast unmöglich.

Koelbl: Haben Sie jemals an Gott geglaubt?

Reich-Ranicki: Nein, nie im Leben. Ich war nie Mitglied der jüdischen Gemeinde. Ich gehöre keiner Religionsgemeinschaft an. Und als ich nach Deutschland zurückkam, hat sich die jüdische Gemeinde auch nicht um mich gekümmert. Was ich ohne Vorwurf feststelle.

Koelbl: Und was ist der jüdische Gott?

Reich-Ranicki: Eine schöne Erfindung. Gott ist eine Erfindung von Literaten.

Koelbl: Sie brauchen also keinen Gott?

Reich-Ranicki: Nein, nein. Ich habe ihn nie gebraucht. Dort, wo er hätte helfen können, war er nicht da. Als man sechs Millionen Menschen ermordet hat, habe ich keinen Gott gesehen. Oder doch gesehen: Er war auf seiten Hitlers. Lassen Sie mich in Frieden mit Gott. Gott ist immer mit den stärkeren Bataillonen, sagt Friedrich der Große. Gar nicht schlecht.

Koelbl: In Ihrem Buch über Juden in der deutschen Literatur habe ich vieles entdeckt, was auch auf den Kritiker Reich-Ranicki zuzutreffen scheint. Zum Beispiel: »Er stilisierte seinen Schmerz, um ihn zu ertragen.«

Reich-Ranicki: Damit ist Heine gemeint.

Koelbl: Ein anderes Zitat: »Am häufigsten suchte er Schutz in der Ironie. Was manche sogar für seinen Zynismus hielten, diente ihm nur als Maske oder Zuflucht.« Kann man das nicht auch von Ihnen sagen?

Reich-Ranicki: Ich bin mit Sicherheit kein Zyniker. Im Gegenteil. Ich neige zur Sentimentalität, aber nicht zum Zynismus.

Koelbl: Aber Sie verdecken das sehr gut.

Reich-Ranicki: Da kann ich Ihnen nur mit Schnitzler antworten: »Wir spielen immer, wer es weiß, ist klug.« Da gilt jedes Wort für mich. Sie zitieren hier das ganze Buch über die ›Ruhestörer‹. Alles beziehen Sie auf mich. Aber Sie haben recht.

Koelbl: Man fürchtet sich vor Ihnen, obwohl Ihre Schroffheit wahrscheinlich eine Schutzhaltung ist.

Reich-Ranicki: Ja, wahrscheinlich.

Koelbl: Wie sublimieren Sie Ihren Schmerz?

Reich-Ranicki: Indem ich über Literatur schreibe. Andere schreiben Gedichte. Celan hat Gedichte geschrieben, Peter Weiss die ›Ermittlung‹, Jurek Becker hat ›Jakob der Lügner‹, Hildesheimer und Canetti haben anderes geschrieben. Und ich schreibe über Schriftsteller und über Bücher.

Koelbl: Selbst bei Thomas Mann verhielt es sich so. Er war anerkannt, geschätzt, respektiert. Er wollte geliebt werden, wurde aber nicht geliebt. Und auch die Juden finden, wie Gershom Scholem sagt, zwar immer die Anerkennung und oft die Dankbarkeit, aber selten die Liebe, die sie suchen. Sie sind sehr anerkannt. Sie sind sehr geschätzt. Und geliebt?

Reich-Ranicki: Viel zu wenig. Nein, man muß, wenn man Kritiker ist, sich damit abfinden, daß man je mehr Einfluß man hat, von einer desto größeren Menge von Schriftstellern gehaßt wird. Liebe und Dankbarkeit gibt es in diesem Gewerbe nicht.

Koelbl: Auf der einen Seite ist es doch so, daß man geliebt werden möchte, und auf der anderen Seite haben

Sie sich bewußt in eine Position begeben, wo dies nie der Fall sein kann.

Reich-Ranicki: Sehr gut, was Sie sagen. Es stimmt. Darin besteht der unauflösbare Gegensatz. Ich möchte mit den Leuten in Frieden und Freundschaft leben und bin von Haß umgeben. Ganz wenige Menschen haben ein anderes Verhältnis zu mir.

Koelbl: Zugleich aber war es der einzige Weg, um zu einer Position zu kommen, in der man Anerkennung und Respekt findet.

Reich-Ranicki: Also habe ich den richtigen Weg gewählt. Es ist genau so, wie Sie es sagen. Ich beklage mich nicht. Ich kann doch von Günter Grass nicht erwarten, daß er mich liebt, wenn ich geschrieben habe, die ›Rättin‹ sei ein unmöglicher Roman.

Koelbl: Hat die Liebe in Ihrem Leben eine große Rolle gespielt?

Reich-Ranicki: Ja ... ja.

Koelbl: Können Sie hierüber etwas mehr sagen?

Reich-Ranicki: Ich sehe hierzu keinen Grund. Wenn es aber jemanden besonders interessiert: Ich habe ja oft über die Liebe geschrieben, allerdings in der Regel über die Liebe von Menschen, mit deren Leben und Werk ich mich beruflich befaßt habe, also über die Liebe von Schriftstellern. In meinen Aufsätzen über Kafka, Schnitzler, Karl Kraus, Tucholsky, Brecht und viele andere findet sich manches, was auch auf mich selbst zutrifft. Ich gebe seit über fünfzehn Jahren die ›Frankfurter Anthologie‹ heraus, in der bisher rund 780 Gedichte interpretiert wurden. Ich selbst habe mir als Autor Zurückhaltung auferlegt: Nur vier Gedichte wurden von mir kommentiert – Gedichte von Walther von der Vogelweide, Paul Fleming, Goethe und Brecht. Es sind allesamt Liebesgedichte. Der Kritiker schreibt eben seine Selbstbekenntnisse in Form von Interpretationen von Texten anderer Autoren. Jeder dieser Kommentare hat mit mir zu tun, sogar mit ganz konkreten Situationen in meinem Leben.

Koelbl: Was war die Leitlinie Ihres Lebens? Der rote Faden in Ihrem Leben?

Reich-Ranicki: Das bin ich schon einmal gefragt worden. Und der Interviewer hat meine Antwort in Zweifel gezogen. Aber ich hatte nicht gelogen. Die Leitlinie heißt: Erst leben, dann philosophieren. Und die ewige Angst, daß immer nur Literatur bleibt und das Leben einem entgeht ... Steht alles im ›Faust‹ von Goethe. Ein kluger Mensch hat es mir in ein Buch als Widmung geschrieben, als ich fünfzehn, sechzehn Jahre alt war. »Ein Kerl, der spekuliert, ist wie ein Tier auf dürrer Heide. Am kurzen Stock herumgeführt, und ringsumher ist schöne grüne Weide.« Ich bewundere diesen Mann, der mir das aufgeschrieben hat. Er lebt längst nicht mehr. Er hat schon bei dem Sechzehnjährigen die Gefahr gesehen, daß das Intellektuelle etwas anderes verdrängen könnte. Aber es ist nicht so schlimm gekommen.

Koelbl: Was würden Sie anders machen, wenn Sie noch einmal leben? Würden Sie Jude bleiben?

Reich-Ranicki: Natürlich. Das bin ich und bleibe ich. Aber ich glaube, es wäre eine ganz normale Antwort, wenn ich sagen würde, ich möchte lieber keiner Minderheit angehören – das hat mir das ganze Leben lang viel Kummer gebracht, viel Leid verursacht und wird mir noch viel Kummer bringen. Es ist ja nicht nur der Holocaust.

Koelbl: Gibt es auch eine Leiderfahrung, die Sie nicht missen möchten?

Reich-Ranicki: Vielleicht eine Liebesgeschichte, die sehr unglücklich geendet hat und mir viel Leid gebracht hat. Auf die hätte ich nicht verzichtet. Aber nicht wegen des Unglücks am Ende, sondern wegen des Glücks vorher.

Koelbl: Was haben Sie in der Liebe gesucht?

Reich-Ranicki: Unter anderem den Augenblick, zu dem ich sagen könnte: Verweile doch, du bist so schön.

Koelbl: Was hat Ihnen also die Liebe bedeutet in Ihrem Leben?

Reich-Ranicki: Glück. Nichts anderes. Mehr ist da nicht zu sagen. Der Rest steht im ›Tristan‹. Aber in der Partitur, nicht im Text.

Aus: ›Betrifft Literatur‹, 1989

Nachweise und Anmerkungen

Vorbemerkung

[1] Sartres Definition stammt aus seinen 1946 publizierten *Betrachtungen zur Judenfrage,* die zu finden sind in: Jean-Paul Sartre, *Drei Essays.* Neue, durchgesehene Ausgabe. Verlag Ullstein, Frankfurt-Berlin-Wien 1971, S. 145.

Außenseiter und Provokateure

Diese Rede wurde am 27. April 1969 zur Eröffnung der Buchausstellung *Werke von Autoren jüdischer Herkunft in deutscher Sprache* in der Universitätsbibliothek Frankfurt/M. gehalten. Eine gekürzte Fassung erschien in: *Die Zeit* vom 2. Mai 1969. Für das vorliegende Buch habe ich die Rede überarbeitet und stark erweitert.

[1] *Goethes Aufsätze zur Kultur-, Theater- und Literatur-Geschichte, Maximen, Reflexionen.* Band II *(Großherzog Wilhelm Ernst Ausgabe,* Band 12). Insel-Verlag, Leipzig 1920, S. 45–47.

[2] Heinrich Heine: *Sämtliche Werke.* Herausgegeben von Hans Kaufmann. Band XIV. Kindler-Verlag, München 1964, S. 165.

[3] Die zitierte Formulierung entstammt einer Rede *Zum Problem des Antisemitismus,* die Th. M. 1937 in Zürich gehalten hat. Zu finden in: Thomas Mann, *Gesammelte Werke in dreizehn Bänden.* Band XII: *Nachträge.* S. Fischer Verlag, Frankfurt/M. 1974, S. 485.

[4] Heinrich Heine: *Sämtliche Werke,* Band XIV, S. 122.

[5] *Gespräche mit Heine.* Gesammelt und herausgegeben von H. H. Houben. Zweite Auflage. Rütten & Loening, Potsdam 1948, S. 723.

[6] Heinrich Heine: *Sämtliche Werke.* A. a. O., Band XI, S. 107.

[7] Heinrich Heine: *Sämtliche Werke.* A. a. O., Band I, S. 264.

[8] Ludwig Börne: *Sämtliche Schriften.* Neu bearbeitet und herausgegeben von Inge und Peter Rippmann. Dritter Band. Joseph Melzer Verlag, Düsseldorf 1964, S. 875.

[9] Heinrich Heine: *Sämtliche Werke.* A. a. O., Band II, S. 51.

[10] Heinrich Heine: *Sämtliche Werke.* A. a. O., Band III, S. 108.

[11] Ebenda, S. 175.

[12] Die Äußerung findet sich in dem Aufsatz *Staat und Judentum* in Rathenaus 1912 erschienenem Buch *Zur Kritik der Zeit.* Zitiert nach

Peter Berglar: *Walther Rathenau – Seine Zeit, sein Werk, seine Persönlichkeit*. Schünemanns Universitätsverlag, Bremen 1970, S. 302f.

[13] Arthur Schnitzler: *Jugend in Wien*. Eine Autobiographie. Herausgegeben von Therese Nickl und Heinrich Schnitzler. Verlag Fritz Molden, Wien-München-Zürich 1968, S. 328f.

[14] Heinz Politzer: *Das Schweigen der Sirenen*. Studien zur deutschen und österreichischen Literatur. J. B. Metzlersche Verlagsbuchhandlung, Stuttgart 1968, S. 215.

[15] Kurt Tucholsky: *Ausgewählte Briefe 1913–1935 (Gesammelte Werke*. Herausgegeben von Mary Gerold-Tucholsky und Fritz J. Raddatz). Rowohlt Verlag, Reinbek bei Hamburg 1962, S. 205.

[16] Ebenda, S. 333.

[17] Die Formulierung stammt aus einem unveröffentlichten Brief Brochs vom 3. Mai 1949. Zitiert nach: *Hermann Broch in Selbstzeugnissen und Bilddokumenten*. Dargestellt von Manfred Durzak. Rowohlts Taschenbuchverlag, Reinbek bei Hamburg 1966, S. 11.

[18] *Die Fackel*, Nr. 890-905 (1934), S. 38.

[19] Peter Hille: *Gesammelte Werke*. Herausgegeben von seinen Freunden. Eingeleitet von Julius Hart. Verlag Schuster & Loeffler, Berlin 1916, S. 428f.

[20] *Lieber gestreifter Tiger*. Briefe von Else Lasker-Schüler. Herausgegeben von Margarete Kupfer. Erster Band. Kösel-Verlag, München 1969, S. 117.

[21] Leopold Schwarzschild: *Der rote Preuße*. Leben und Legende von Karl Marx. Stuttgart 1954, S. 24.

[22] Stefan Zweig: *Die Welt von gestern*. Erinnerungen eines Europäers. Lizenzausgabe für den Bertelsmann Lesering, Gütersloh 1960, S. 36f.

[23] Hilde Spiel: *Glanz und Untergang*. Wien 1866–1938. Autorisierte Übersetzung aus dem Englischen von Hanna Neves. Paul List Verlag, München 1987, S. 81.

[24] Stefan Zweig: *Die Welt von gestern*. A. a. O.

[25] Franz Kafka: *Briefe 1902–1924*. Herausgegeben von Max Brod. S. Fischer Verlag, Frankfurt/M. 1966, S. 337.

[26] Max Brod: *Franz Kafka. Eine Biographie*. S. Fischer Verlag, Frankfurt/M. 1963, S. 197. – Diese und ähnliche Gedanken finden sich bereits in Brods Aufsatz *Der Dichter Franz Kafka* in: *Die Neue Rundschau*, Jahrgang 1921, S. 1210–1216.

[27] Walter Benjamin: *Briefe*. Herausgegeben und mit Anmerkungen versehen von Gershom Scholem und Theodor W. Adorno. Band 2. Suhrkamp Verlag, Frankfurt/M. 1966, S. 803.

[28] Gershom Scholems Formulierung findet sich in seinem Aufsatz in dem Sammelband *Über Walter Benjamin*. Suhrkamp Verlag, Frankfurt/M. 1968, S. 161.

[29] Walter Jens: *Statt einer Literaturgeschichte*. Fünfte, erweiterte Auflage. Neske Verlag, Pfullingen 1962, S. 278.

[30] Franz Kafka: *Tagebücher 1910–1923*. Herausgegeben von Max Brod. S. Fischer Verlag, Frankfurt/M. 1967, S. 250.

[31] Franz Kafka: *Briefe an Milena*. Herausgegeben und mit einem Nachwort versehen von Willy Haas. S. Fischer Verlag, Frankfurt/M. 1966, S. 189.

[32] Ebenda, S. 42 f.

[33] Peter Weiss: *Meine Ortschaft*, in: *Atlas – zusammengestellt von deutschen Autoren*. Verlag Klaus Wagenbach, Berlin 1965, S. 31–43.

Im magischen Judenkreis

Die Münchener Ausstellung der *Werke von Autoren jüdischer Herkunft in deutscher Sprache* hat den Anlaß zu dieser Rede gegeben. Sie wurde am 15. März 1970 beim Festakt zur Eröffnung der Ausstellung im großen Sitzungssaal des Münchener Rathauses gehalten. Eine gekürzte Fassung war in der *Süddeutschen Zeitung* vom 21./22. März 1970 zu lesen. Auch diese Rede habe ich für das vorliegende Buch überarbeitet und stark erweitert.

[1] Den Brief, dem dieses Zitat entstammt, hat Freud in englischer Sprache geschrieben. Es lautet: »We were both Jews and knew of each other that we carried that miraculous thing in common, which – inaccessible to any analysis so far – makes the Jew.« In: Sigmund Freud. *Briefe 1873–1939*. Ausgewählt und herausgegeben von Ernst L. Freud, S. Fischer Verlag, Frankfurt/M. 1960, S. 421 und 496 f.

[2] Ernst Toller: *Prosa – Briefe – Dramen – Gedichte*. Mit einem Vorwort von Kurt Hiller. Rowohlt Verlag, Reinbek bei Hamburg 1961, S. 178.

[3] Lion Feuchtwanger: *Centum opuscula*. Eine Auswahl. Zusammengestellt und herausgegeben von Wolfgang Berndt. Greifenverlag zu Rudolfstadt 1956, S. 388.

[4] Ebenda, S. 489.

[5] Ludwig Börne: *Sämtliche Schriften*. Neu bearbeitet und herausgegeben von Inge und Peter Rippmann. Dritter Band. Joseph Melzer Verlag, Düsseldorf 1964, S. 757.

[6] Zitiert nach Hannah Arendt: *Rahel Varnhagen. Lebensgeschichte einer deutschen Jüdin aus der Romantik*. Zweite Auflage. R. Piper & Co. Verlag, München 1962, S. 206.

[7] Rahel Varnhagen: *Briefwechsel*. Band III: *Rahel und ihre Freunde*. Herausgegeben von Friedhelm Kemp. Zweite, durchgesehene und um einen Nachtrag vermehrte Auflage. Winkler Verlag, München 1979, S. 54.

[8] Ebenda, S. 273.

[9] Ludwig Börne: *Sämtliche Schriften*. Dritter Band. A. a. O., S. 511.

[10] Rahel Varnhagen: *Briefwechsel*. Band III. A. a. O., S. 295 f.

[11] Heinrich Heine: *Briefe*. Erster Band, erster Teil. (Erste Gesamtausgabe nach den Handschriften. Herausgegeben und eingeleitet von Friedrich Hirth.) Florian Kupferberg Verlag, Mainz 1965, S. 284.

[12] Ludwig Börne: *Sämtliche Schriften*. Dritter Band. A. a. O., S. 510.

[13] *Deutsches Dichterlexikon*. Biographisch-bibliographisches Handwörterbuch zur deutschen Literaturgeschichte von Gero von Wilpert. Alfred Kröner Verlag, Stuttgart 1963, S. 23.

[14] Berthold Auerbach: *Briefe an seinen Freund Jakob Auerbach*. Zweiter Band. Literarische Anstalt, Frankfurt/M. 1884, S. 427.

[15] Ebenda, S. 442.

[16] Die Äußerung Richard Beer-Hofmanns stammt aus seinem an Martin Buber gerichteten Brief, der zu finden ist in: Martin Buber: *Briefwechsel aus sieben Jahrzehnten*. Band I: 1897–1918. Herausgegeben und eingeleitet von Grete Schaeder. Verlag Lambert Schneider, Heidelberg 1972, S. 327 f.

[17] Jakob Wassermann: *Mein Weg als Deutscher und Jude*. S. Fischer Verlag, Berlin 1921, S. 122.

[18] Thomas Mann: *Gesammelte Werke in dreizehn Bänden*. Band XIII: *Nachträge*. S. Fischer Verlag, Frankfurt/M. 1974, S. 459/462.

[19] Wolfgang Hildesheimers Äußerung war gedruckt in: *Twen*, Jhrg. 6, 1964/I.

[20] *Fahrt ins Staublose*. Die Gedichte der Nelly Sachs. Suhrkamp Verlag, Frankfurt/M. 1961, S. 100.

[21] Horst Krüger: *Das zerbrochene Haus. Eine Jugend in Deutschland*. Rütten & Loening Verlag, München 1966, S. 285.

[22] Margarete Susman: *Vom Geheimnis der Freiheit*. Gesammelte Aufsätze 1914–1964. Herausgegeben von Manfred Schlösser. Agora Verlag, Darmstadt 1965, S. 172.

[23] Peter Weiss: *Abschied von den Eltern*. Erzählung. Suhrkamp Verlag, Frankfurt/M. 1961, S. 170.

[24] Wolfgang Hildesheimer: *Tynset*. Suhrkamp Verlag, Frankfurt/M. 1965, S. 117 f.

[25] Hilde Domin: *Rückkehr der Schiffe*. Gedichte. S. Fischer Verlag, Frankfurt/M. 1962, S. 49.

[26] Peter Weiss: *Rapporte*. Suhrkamp Verlag, Frankfurt/M. 1968, S. 186 f. – Die Zitate entstammen der 1965 gehaltenen Rede *Laokoon oder Über die Grenzen der Sprache*.

[27] Wolf Biermann: *Für meine Genossen*. Hetzlieder, Balladen, Gedichte. Verlag Klaus Wagenbach, Berlin 1972, S. 8.

[28] *Juden in der deutschen Literatur*. Essays über zeitgenössische Schriftsteller. Herausgegeben von Gustav Krojanker. Welt-Verlag, Berlin 1922, S. 7.

[29] Walter Benjamin: *Briefe*. Herausgegeben und mit Anmerkungen ver-

sehen von Gershom Scholem und Theodor W. Adorno. Band 2. Suhrkamp Verlag, Frankfurt/M. 1966, S. 804.

[30] Heinrich Heine: *Sämtliche Werke*. Herausgegeben von Hans Kaufmann. Band X. Kindler Verlag, München 1964, S. 227.

[31] Walter Benjamin; *Briefe*. Band 1. A. a. O., S. 151.

[32] Kafkas Äußerung zitiert Gustav Janouch in seinem Buch *Gespräche mit Kafka*. Aufzeichnungen und Erinnerungen. S. Fischer Verlag, Frankfurt/M. 1961, S. 73 f.

[33] Das Zitat entstammt einer 1966 gehaltenen Rede Gershom Scholems, die zu finden ist in: *Deutsche und Juden*. Beiträge von Nahum Goldmann, Gershom Scholem, Golo Mann, Sao W. Baron, Eugen Gerstenmaier und Karl Jaspers. Suhrkamp Verlag, Frankfurt/M. 1967, S. 41 f.

Ludwig Börne oder Bruchstücke einer großen Rebellion

Dem Essay über Börne liegt die Rede zugrunde, mit der ich am 17. Februar 1976 der Heinrich-Heine-Gesellschaft in Düsseldorf für die Verleihung der Heine-Plakette gedankt habe. Die Arbeit erschien in dem *Heine-Jahrbuch 1977* (16. Jahrgang. Herausgegeben von Joseph A. Kruse. Hoffmann und Campe Verlag, Hamburg 1977) und dient auch als Einführung zu dem Band: *Ludwig Börne*, Spiegelbild des Lebens. Aufsätze über Literatur. Ausgewählt und eingeleitet von Marcel Reich-Ranicki. suhrkamp taschenbuch 408, Frankfurt/M. 1977.

[1] Ludwig Börne: *Sämtliche Schriften*. Neu bearbeitet und herausgegeben von Inge und Peter Rippmann. Zweiter Band. Joseph Melzer Verlag, Düsseldorf 1964, S. 330. (Für diesen Aufsatz mit römischer Bandzählung/arabischer Seitenzählung zitiert: Börne).

[2] Heinrich Heine: *Sämtliche Schriften*. Herausgegeben von Klaus Briegleb. Vierter Band. Carl Hanser Verlag, München 1971, S. 26.

[3] Ebenda, S. 86.

[4] Börne III/513.

[5] Börne III/243.

[6] Börne III/243–244.

[7] Börne II/812.

[8] Börne III/511.

[9] Börne IV/102.

[10] Börne II/390.

[11] Börne III/942.

[12] Börne III/687.

[13] Börne I/684.

[14] Börne I/677.

[15] Börne III/579.

[16] Börne III/365.
[17] Börne III/902.
[18] Börne I/627.
[19] Börne I/206.
[20] Börne I/673.
[21] Börne I/209.
[22] Börne I/208.
[23] Vgl. Börne IV/68.
[24] Börne I/243.
[25] Börne II/451.
[26] Börne III/71.
[27] Börne III/365.
[28] Börne I/339.
[29] Börne V/772.
[30] Theodor Fontane: *Sämtliche Werke*. Herausgegeben von Walter Keitel. Abt. III: *Aufsätze, Kritiken, Erinnerungen*, Band 2: *Theaterkritiken*. Herausgegeben von Siegmar Gerndt. Carl Hanser Verlag, München 1969, S. 289.
[31] Börne I/206–207.
[32] Börne I/106.
[33] Börne I/708.
[34] Börne V/666.
[35] Börne V/668.
[36] Börne I/721.
[37] Börne I/484.
[38] Börne I/492.
[39] Börne I/499.
[40] Börne I/490.
[41] Börne I/491.
[42] Börne I/496.
[43] Börne I/500.
[44] Börne I/500.
[45] Börne I/501.
[46] Börne I/248.
[47] Börne I/249.
[48] Börne I/397.
[49] Börne I/398.
[50] Börne I/400.
[51] Börne I/403.
[52] Börne II/395.
[53] Börne II/396.
[54] Börne I/304.
[55] Börne I/238.
[56] Börne I/395.
[57] Börne II/455.

[58] Börne II/560.
[59] Börne II/562.
[60] Börne IV/324.
[61] Börne I/790.
[62] Börne I/791.
[63] Börne IV/848.
[64] Börne II/868–869.
[65] Börne III/70.
[66] Börne I/1210.
[67] Börne II/819–820.
[68] Zitiert nach Ludwig Marcuse: *Börne – Aus der Frühzeit der deutschen Demokratie.* Verlag J. P. Peter, Gebr. Holstein, Rothenburg ob der Tauber 1968, S. 282.
[69] Börne I/1057.
[70] Heine: *Sämtliche Schriften.* Vierter Band. A. a. O., S. 11.
[71] Börne I/219.
[72] Börne II/782.
[73] Börne I/214.
[74] Vgl. Börne I/592.
[75] Börne II/699.
[76] Börne II/337.
[77] Kurt Tucholsky: *Ausgewählte Briefe 1913–1935.* In: *Gesammelte Werke.* Hrsg. v. Mary Gerold-Tucholsky und Fritz J. Raddatz. Rowohlt Verlag, Reinbek bei Hamburg 1962, S. 213.
[78] Börne I/81.
[79] Börne I/866.
[80] Börne I/1064.
[81] Börne II/434.
[82] Börne I/212.

Heinrich Heine, das Genie der Haßliebe

Dieser zunächst in der *Zeit* vom 22. September 1972 (unter dem Titel *Eine Provokation und eine Zumutung*) veröffentlichte Aufsatz wurde geschrieben für das Buch *Geständnisse. Heine im Bewußtsein heutiger Autoren* (hrsg. von Wilhelm Gössmann unter Mitwirkung von Hans Peter Keller und Hedwig Walwei-Wiegelmann, Droste Verlag, Düsseldorf 1972), in dem die Arbeit unter dem Titel *Heines Genialität* abgedruckt ist (S. 120–128). Für das vorliegende Buch habe ich den Text durchgesehen und an einigen Stellen ergänzt.

[1] Karl Kraus' Essay *Heine und die Folgen,* der 1910 als selbständige Broschüre im Albert Langen Verlag, München, publiziert wurde, ist zu finden in: Karl Kraus, *Auswahl aus dem Werk.* Auswahl von Hein-

rich Fischer. Kösel-Verlag, München 1957. Die zitierte Formulierung ist in dieser Ausgabe auf S. 187.

[2] Theodor W. Adorno: *Noten zur Literatur.* Suhrkamp Verlag, Frankfurt/M. 1958, S. 148f. – Der zitierte Aufsatz *Die Wunde Heine* stammt aus dem Jahre 1956.

[3] Heinrich Heine: *Sämtliche Werke.* Herausgegeben von Hans Kaufmann. Band XIII. Kindler Verlag, München 1964, S. 245/46.

[4] Heinrich Heine: *Sämtliche Werke.* Band VI. A.a.O., S. 147.

[5] Heinrich Heine: *Sämtliche Werke.* Band IV. A.a.O., S. 234.

[6] Heinrich Heine: *Sämtliche Werke.* Band VII. A.a.O., S. 163.

[7] Heinrich Heine: *Sämtliche Werke.* Band XIII, A.a.O., S. 128.

[8] Heinrich Heine: *Briefe.* Florian Kupferberg Verlag, Mainz 1965, S. 150.

[9] Max Brod: *Heinrich Heine.* Verlag Allert de Lange, Amsterdam 1935, S. 269.

Ludwig Marcuse, ein Querkopf mit Format

Die Arbeit wurde geschrieben für den Sammelband: *Vorbilder für Deutsche. Korrektur einer Heldengalerie.* Herausgegeben von Peter Glotz und Wolfgang R. Langenbucher. R. Piper & Co. Verlag, München 1974.

[1] Joseph Roth: *Briefe 1911–1939.* Herausgegeben und eingeleitet von Hermann Kesten. Verlag Kiepenheuer & Witsch, Köln 1979, S. 375.

[2] Ludwig Marcuse: *Mein zwanzigstes Jahrhundert – Auf dem Weg zu einer Autobiographie.* List Verlag, München 1960, S. 384.

[3] Ludwig Marcuse: *Nachruf auf Ludwig Marcuse.* List Verlag, München 1969, S. 215.

[4] Ebenda, S. 139.

[5] Ludwig Marcuse: *Plato und Dionys – Geschichte einer Demokratie und einer Diktatur.* Ullstein Verlag, Berlin 1968, S. 9.

[6] Ebenda, S. 10.

[7] Ebenda, S. 9.

[8] Ludwig Marcuse: *Mein zwanzigstes Jahrhundert.* A.a.O., S. 66.

[9] Ludwig Marcuse: *Nachruf auf Ludwig Marcuse.* A.a.O., S. 139.

[10] Ebenda, S. 139.

[11] Ludwig Marcuse: *Mein zwanzigstes Jahrhundert.* A.a.O., S. 42.

[12] Ludwig Marcuse. Aus den Papieren eines bejahrten Philosophie-Studenten. List Verlag, München 1964, S. 21.

[13] Ludwig Marcuse: *Mein zwanzigstes Jahrhundert.* A.a.O., S. 376.

[14] Ludwig Marcuse: *Nachruf auf Ludwig Marcuse.* A.a.O., S. 263.

[15] Ludwig Marcuse: *Mein zwanzigstes Jahrhundert.* A.a.O., S. 10.

[16] Ludwig Marcuse: *Börne – Aus der Frühzeit der deutschen Demokra-*

tie. Verlag J. P. Peter, Gebr. Holstein, Rothenburg ob der Tauber 1968, S. 323.

[17] Ludwig Marcuse: *Mein zwanzigstes Jahrhundert.* A. a. O., S. 289.

[18] Ebenda, S. 286.

[19] *Ich lebe nicht in der Bundesrepublik.* Herausgegeben von Hermann Kesten. List Verlag, München 1964, S. 109

[20] Ebenda, S. 112.

[21] *Süddeutsche Zeitung* vom 26. Oktober 1968.

[22] Ludwig Marcuse: *Nachruf auf Ludwig Marcuse.* A. a. O., S. 247.

[23] Ludwig Marcuse: *Plato und Dionys.* A. a. O., S. 12.

Hermann Kesten oder Der Geist der Unruhe

Dem Artikel liegen zwei Aufsätze zugrunde: der eine stand in meinem Buch *Deutsche Literatur in West und Ost* (R. Piper & Co. Verlag, München 1963), der andere in der *Frankfurter Allgemeinen Zeitung* vom 28. Januar 1980.

[1] *Deutsche Literatur im Exil.* Briefe europäischer Autoren 1933–1949. Herausgegeben von Hermann Kesten. Verlag Kurt Desch, München 1964, S. 181.

[2] Hermann Kesten: *Der Geist der Unruhe. Literarische Streifzüge.* Verlag Kiepenheuer & Witsch, Köln 1959, S. 139.

[3] Hermann Kesten: *Filialen des Parnaß.* 31 Essays. Kindler Verlag, München 1961, S. 303.

[4] Ebenda, S. 65.

[5] Ebenda, S. 29.

[6] Ebenda, S. 321.

[7] *Die Zeit* vom 22. Januar 1960.

[8] Das Zitat stammt aus Hermann Kestens Einführung in die von ihm herausgegebene Anthologie *Die blaue Blume.* Die schönsten romantischen Erzählungen der Weltliteratur. Dritte Auflage. Erster Band. Verlag Kiepenheuer & Witsch, Köln 1977, S. 14.

[9] *24 neue deutsche Erzähler.* Frühwerke der Neuen Sachlichkeit. Herausgegeben von Hermann Kesten. Verlag Kurt Desch, München 1973, S. 6.

Manès Sperber, der einsame Lehrmeister

Zuerst gedruckt in der *Frankfurter Allgemeinen Zeitung* vom 7. Februar 1984.

[1] *Frankfurter Allgemeine Zeitung* vom 17. Oktober 1983.

[2] Manès Sperber: *Wie eine Träne im Ozean.* Romantrilogie. Verlag Kiepenheuer & Witsch, Köln 1961.

³ Hermann Kesten hat sich mehrfach über Manès Sperber geäußert, am ausführlichsten in dem Band: *Meine Freunde, die Poeten.* Kindler Verlag, München 1953, S. 391–410.
⁴ Die Begründung des Stiftungsrates für den Friedenspreis ist zu finden im *Börsenblatt für den Deutschen Buchhandel* vom 29. Juli 1988.

Friedrich Torberg: Jude, Österreicher, Europäer

Zuerst veröffentlicht in der *Frankfurter Allgemeinen Zeitung* vom 12. November 1979.

Hilde Spiel oder Zwischen den Welten

Zuerst veröffentlicht in: Marcel Reich-Ranicki, *Reden auf Hilde Spiel.* Paul List Verlag, München 1991. – Der einleitende Teil dieser Arbeit, in dem sich einige persönliche Erinnerungen finden, wurde hier weggelassen.

¹ Hilde Spiel: *In meinem Garten schlendernd.* Essays. Nymphenburger Verlagshandlung, München 1981, S. 29f.
² Hilde Spiel: *Die Dämonie der Gemütlichkeit.* Glossen zur Zeit und andere Prosa. Zusammengestellt und herausgegeben von Hans A. Neunzig. Paul List Verlag, München 1991, S. 320.
³ Hilde Spiel: *Kleine Schritte.* Berichte und Geschichten. Edition Spangenberg im Verlag Heinrich Ellermann, München 1976, S. 29, 31.
⁴ Ebenda, S. 47.
⁵ Hilde Spiel: *In meinem Garten schlendernd.* A. a. O., S. 21.
⁶ Hilde Spiel: *Glanz und Untergang.* Wien 1866–1938. Autorisierte Übersetzung aus dem Englischen von Hanna Neves. Paul List Verlag, München 1987, S. 225.

Peter Weiss, der Poet und Ermittler

Zuerst in der *Frankfurter Allgemeinen Zeitung* vom 12. Mai 1982.

¹ *Atlas – zusammengestellt von deutschen Autoren.* Verlag Klaus Wagenbach, Berlin 1965.
² Friedrich Luft: *Stimme der Kritik. Berliner Theater seit 1945.* Friedrich Verlag, Velber bei Hannover 1965.
³ *Frankfurter Allgemeine Zeitung* vom 11. September 1965.
⁴ *Neues Deutschland* vom 2. September 1965.
⁵ *Frankfurter Allgemeine Zeitung* vom 6. März 1982.

Erich Fried oder Wortspiel und Protest

Zuerst in der *Frankfurter Allgemeinen Zeitung* vom 23. Januar 1982.

[1] Vgl. Erich Fried: *Befreiung von der Flucht.* Gedichte und Gegenge-dichte. Claassen Verlag, Düsseldorf, Erweiterte Neuauflage 1983, S. 143 f.
[2] Die Formulierung findet sich in der Einleitung zu Erich Frieds Ge-dichtband *Höre, Israel!* Neue und erweiterte Auflage. Syndikat Auto-ren und Verlagsgesellschaft, Frankfurt/M. 1983, S. 11.
[3] Vgl. Erich Fried: *Mitunter sogar lachen.* Klaus Wagenbach Verlag, Berlin 1986, S. 117.
[4] Erich Fried: *Befreiung von der Flucht.* A. a. O., S. 141 f.
[5] Ebenda.
[6] Härtling äußerte sich zu Frieds Gedichten im *Monat* vom Mai 1967 (Heft 224).
[7] Die Formulierungen stammen aus einem Interview von Marcel Reich-Ranicki, enthalten in: Heinrich Böll, *Aufsätze, Kritiken, Reden.* Ver-lag Kiepenheuer & Witsch, Köln 1967, S. 503.

Jurek Becker und die DDR

Geschrieben aus Anlaß der Nachricht, Jurek Becker habe von den Be-hörden der DDR die Genehmigung für einen längeren Aufenthalt im Westen erhalten und befinde sich bereits in der Bundesrepublik. Zuerst veröffentlicht in der *Frankfurter Allgemeinen Zeitung* vom 19. Dezem-ber 1977 unter dem Titel *Abschied von den Träumen einer Jugend.*

[1] *Der Spiegel* vom 19. Dezember 1977.
[2] Thomas Mann: *Gesammelte Werke in dreizehn Bänden.* Zweite, durchgesehene Auflage. Band 9: *Reden und Aufsätze 1.* S. Fischer Verlag, Frankfurt/M. 1974, S. 869.

Hans Mayers Selbstauseinandersetzung

Zuerst in der *Frankfurter Allgemeinen Zeitung* vom 15. November 1975.

[1] Hans Mayer: *Außenseiter.* Suhrkamp Verlag, Frankfurt/M. 1975.
[2] Johann Wolfgang Goethe: *Gedenkausgabe der Werke, Briefe und Ge-spräche.* Herausgegeben von Ernst Beutler. Dritte Auflage. Band 9. Artemis Verlag, Zürich und München 1977, S. 597.

Friedrich Torbergs Gleichnis

Zuerst gedruckt in der *Zeit* vom 31. März 1972 unter dem Titel *Kulissenzauber mit Anspruch*. Eine etwas ausführlichere Fassung brachte unter dem Titel *Gesalbt mit süßem Öl* die *Allgemeine unabhängige jüdische Wochenzeitung*, Düsseldorf, vom 28. April 1972.

[1] Peter Wapnewski: *Deutsche Literatur des Mittelalters*. Ein Abriß. Verlag Vandenhoeck & Ruprecht, Göttingen 1968.
[2] Friedrich Torberg: *Süßkind von Trimberg*. Roman. S. Fischer Verlag, Frankfurt/M. 1972.
[3] Tatsächlich stammt die Idee zu diesem Roman – wie Torberg in einem Selbstinterview in der *Welt* vom 29. September 1972 bestätigt hat – noch aus den zwanziger Jahren. Auf die sich selbst gestellte Frage »Wie und wann sind Sie auf dieses Thema gekommen? Während der Nazizeit?« antwortet er: »Viel früher. Schon als Gymnasiast ... Schon damals, schon vor dem *Schüler Gerber*, [war ich] fest entschlossen, dieses Buch zu schreiben. Ich habe den Plan jahrzehntelang mit mir herumgetragen, ehe ich mich endlich an seine Ausarbeitung machen konnte...«

Jakov Linds Autoporträt

Zuerst unter dem Titel *Haß, Sex und Humor* in: *Die Zeit* vom 23. Oktober 1970.

[1] So schrieb Dieter E. Zimmer über Jakov Linds 1962 erschienene Erzählung *Eine Seele aus Holz* in der *Zeit* vom 30. November 1962: »Wer von der Literatur Vollendung in der Sprache verlangt, muß über ein Buch, das in jeder Übersetzung vermutlich besser wird, die Nase rümpfen.«
[2] Jakov Lind: *Selbstporträt*. S. Fischer Verlag, Frankfurt/M. 1970. – Die englische Originalausgabe erschien 1969 unter dem Titel *Counting my steps*. In der deutschen Ausgabe findet sich folgende Mitteilung Jakov Linds: »Auf deutsch konnte ich das Buch nicht schreiben, ich brauchte die Distanz zum Thema – sie hat sich, meine ich, auch in der vorliegenden Übersetzung von Günther Danehl erhalten.«

Jurek Beckers Romane

Die Rezension des Romans *Jakob der Lügner* war zuerst (unter dem Titel *Das Prinzip Radio*) in der *Zeit* vom 20. November 1970 gedruckt. Der Aufsatz aus Anlaß des Romans *Der Boxer* erschien in der *Frankfur-*

ter Allgemeinen Zeitung vom 19. Februar 1977 *(Plädoyer für Jurek Becker – Aus Anlaß seines mißlungenen Romans ›Der Boxer‹).*

[1] Jurek Becker: *Jakob der Lügner.* Roman. Sammlung Luchterhand 1, Hermann Luchterhand Verlag, Neuwied 1970. – Die Erstausgabe des Buches hatte 1969 der Aufbau Verlag, Berlin und Weimar, veröffentlicht.
[2] Jurek Becker: *Der Boxer.* Roman. Suhrkamp Verlag, Frankfurt/M. 1976.
[3] *Stuttgarter Zeitung* vom 11. September 1976.
[4] Der überaus aufschlußreiche Beitrag wurde 1921 für die Münchner Zeitschrift *Der Neue Merkur* geschrieben und dann von Thomas Mann zurückgezogen. Der Aufsatz ist enthalten in: Thomas Mann, *Gesammelte Werke in dreizehn Bänden.* Band XIII: *Nachträge –* S. Fischer Verlag, Frankfurt/M. 1974, S. 466–475.
[5] *Frankfurter Rundschau* vom 23. November 1976.

Barbara Honigmanns Skizzen und Etüden

Zuerst unter dem Titel *Es ist so schön sich zu fügen* in: *Frankfurter Allgemeine Zeitung* vom 25. Oktober 1986.

[1] Barbara Honigmann: *Roman von einem Kinde.* Sechs Erzählungen. Luchterhand Verlag, Darmstadt/Neuwied 1986.

Gespräch mit Herlinde Koelbl

Zuerst in: *Jüdische Porträts.* Photographien und Interviews von Herlinde Koelbl. S. Fischer Verlag, Frankfurt/M. 1989.

Personenregister

Zur Literatur in der ehemaligen DDR

Achtzehn Autoren aus der ehemaligen DDR, von Anna Seghers bis Christa Wolf und Jurek Becker werden in diesen Aufsätzen analysiert, porträtiert und charakterisiert. Die Beiträge zeigen einen Kritiker, der über Jahrzehnte hinweg Bedeutung wie Fragwürdigkeit der Literatur in der ehemaligen DDR beschrieben hat.

Marcel Reich-Ranicki
Ohne Rabatt
Über Literatur
in der DDR
288 Seiten, Paperback

DVA
Deutsche Verlags-Anstalt

Marcel Reich-Ranicki im dtv

Foto: Isolde Ohlbaum

Entgegnung
Zur deutschen Literatur
der siebziger Jahre
dtv 10018

Nachprüfung
Aufsätze über deutsche Schriftsteller von gestern
Erweiterte Neuausgabe
dtv 11211

Literatur der kleinen Schritte
Deutsche Schriftsteller
in den sechziger Jahren
dtv 11464

Lauter Verrisse
dtv 11578

Lauter Lobreden
dtv 11618

Herausgegeben von Marcel
Reich-Ranicki:

In Sachen Böll –
Ansichten und Einsichten
dtv 730

Über Marcel Reich-Ranicki
Aufsätze, Kommentare
Herausgegeben von Jens Jessen
dtv 10415

Meine Schulzeit im Dritten Reich
Erinnerungen deutscher
Schriftsteller
dtv 11597

Jean Améry im dtv

Unmeisterliche Wanderjahre
Aufsätze

Unbestechlich im Urteil und voll aphoristischer Schärfe fragt Améry nach den geistigen Bedingungen des Menschseins in unserer Zeit. Ein nach wie vor aktueller Beitrag zur gegenwärtigen Diskussion über das Phänomen »Zeitgeist«. dtv 11162

Widersprüche

Dieser Band vereinigt Aufsätze aus den Jahren 1967 bis 1971, in denen Jean Améry Stellung nimmt zu philosophischen Fragen, zu politischen und gesellschaftspolitischen Ereignissen sowie zum Judentum. »Ein solcher Autor läßt sich nicht festlegen, er hat die Widersprüche des Zeitgeistes akzeptiert, er hat sie wieder und wieder reflektiert, und es fehlt ihm die Arroganz, uns mitzuteilen, er habe sie bewältigt.« (Ivo Frenzel in der ›Süddeutschen Zeitung‹) dtv 11322

Über das Altern
Revolte und Resignation

Améry läßt sich nicht ein auf Harmonisierung oder Verklärung. Er beschreibt das Altern als einen fortschreitenden Prozeß der Entfremdung von den Zeitgenossen, von der Welt und von sich selbst. Was bleibt, ist Revolte und Resignation, Kampf also, trotz der Einsicht, das man unterliegen wird. dtv 11470

Charles Bovary, Landarzt
Porträt eines einfachen Mannes

War Charles Bovary wirklich nur ein dummer und gutherziger Thor, voller Unverständnis für seine romantische Frau, wie ihn sein Autor Flaubert dargestellt hat? In einer Art Wiederaufnahmeverfahren rehabilitiert Améry den betrogenen Ehemann, verhilft ihm zu seinem Recht auf Zorn und Leiden und gibt ihm die Würde, die ihm Flaubert vorenthalten hat. dtv 30338